17 février-16 mai 1988
Exposition organisée par
le Musée national d'art moderne, Paris
le Musée Picasso, Paris
la Tate Gallery, Londres

LE DERNIER PICASSO

1953-1973

Centre Georges Pompidou

Couverture :
<u>Le Baiser</u>, 24 octobre 1969 (I)
Cat., 65, p. 264 (détail)

© Éditions du Centre Pompidou, Paris
© SPADEM, Paris 1988

Édition reliée :
I.S.B.N. : 2-85850-437-7
N° éditeur : 592

Édition brochée :
I.S.B.N. : 2-85850-441-5
N° éditeur : 610

Dépôt légal : février 1988

À Jacqueline Picasso

L'exposition de la dation Picasso en 1979, au Grand Palais, avait permis de redécouvrir certaines œuvres non revues depuis les expositions du Palais des Papes d'Avignon et de porter un regard différent sur cette dernière période souvent négligée.

Mais c'est Christian Geelhaar, au Kunstmuseum de Bâle, qui, le premier, en 1981, consacra une exposition au style tardif de Picasso, exposition reprise dans une version différente par Gert Schiff à New York en 1984. De leur côté, David Sylvester et Dominique Bozo, alors Directeur du Musée national d'art moderne et chargé du Musée Picasso, eurent tous deux le désir d'organiser une exposition sur l'œuvre des dix dernières années et il fut donc décidé que les deux musées (auxquels la Tate Gallery s'est ultérieurement associée) travailleraient conjointement à la conception et à la réalisation de ce projet, élargi par la suite aux vingt dernières années : l'«époque Jacqueline».

Dès l'origine, David Sylvester pour la Tate Gallery et Marie-Laure Bernadac pour le Musée Picasso, puis Isabelle Monod-Fontaine pour le Musée national d'art moderne, ont assumé cette tâche avec enthousiasme. Qu'ils en soient ici remerciés.

Nous nous réjouissons que cette manifestation exceptionnelle par sa qualité et par sa signification résulte de la collaboration de nos trois institutions.

Alan Bowness	Pierre Georgel	Jean-Hubert Martin
Directeur	Conservateur en chef	Directeur
de la Tate	des Musées en France	du Musée national
Gallery	chargé du Musée Picasso	d'art moderne

Cette exposition n'aurait pu être réalisée sans le concours des musées, institutions, galeries et collectionneurs auxquels nous avons fait appel et qui nous ont accordé généreusement leur soutien :

Australie
The Art Gallery of New South Wales, Sydney ; M. Edmund Capon.

Danemark
Louisiana Museum of Modern Art, Humlebaek ; M. Knud W. Jensen.

Espagne
Museu Picasso, Barcelone ; Mme Maria Teresa Ocaña.

États-Unis
Art Institute of Chicago, Chicago ; Mr. James N. Wood, Mr. Neal Benezra.
The Boston Museum of Fine Arts, Boston ; Mr. Alan Shestack, Mr. Theodor Stebbing.
The Metropolitan Museum of Art, New York ; Mr. Philippe de Montebello, Mr. William Lieberman.
The Museum of Modern Art, New York ; Mr. Richard Oldenburg, Mr. William S. Rubin.
Hirschl and Adler Galleries, New York ; Mr. Jeffrey Hoffeld.
The Pace Gallery, New York ; Mr. Arnold B. Glimcher.

Mrs. Victor W. Ganz, New York.
Dr. and Mrs. Martin L. Gecht, Chicago.
Mr. and Mrs. Morton L. Janklow, New York.
Mme Paloma Picasso-Lopez.
Mr. and Mrs. Raymond D. Nasher.
Mr. and Mrs. Daniel Saidenberg.

France
Musée Picasso, Paris.
Galerie Louise Leiris, Paris.
M. et Mme Michel Leiris.
M. Bernard Ruiz-Picasso.
Mme Maya Ruiz-Picasso.
M. Lionel Prejger.

Grande-Bretagne
The Trustees of The Tate Gallery, Londres.

Japon
The Hakone Open-Air Museum ; M. Nobutaka Shikanai, M. Akihido Honda.
Fuji Television Gallery Co, Tokyo ; Noriko Umemiya, M. Yamamoto.

Pays-Bas
Museum Boymans-van Beuningen, Rotterdam ; Pr. W.H. Crouwel.
Stedelijk Museum, Amsterdam ;
Dr. W.A.L. Beeren, Drs. Rini Dippel.

R.D.A.
Nationalgalerie der Staatlichen

Museum zu Berlin ;
Dr. H. Jurgen Papies.

R.F.A.
Bayerische Staatsgemäldesammlungen, Munich ; Dr. Carla Schulz-Hoffman, Dr. Hubertus Falkner von Sonnenburg.
Museum Ludwig, Cologne ; Dr. Siegfried Gohr.
Sammlung Ludwig, Aix-la-Chapelle.
Staatsgalerie, Stuttgart ; Pr. Dr. Peter Beye, Dr. Karin Frank V. Maur.

Suisse
Kunsthaus, Zurich ; Dr. Felix Baumann.
Kunstmuseum, Berne ; M. Hans Christoph von Tavel.
Collection Marina Picasso, Galerie Jan Krugier, Genève ; M. Jan Krugier.
Galerie Beyeler, Bâle ; M. Ernst Beyeler.
Galerie Rosengart, Lucerne ; Mme Angela Rosengart.
Thomas Ammann Fine Art, Zurich ; Thomas et Doris Ammann.
M. Gilbert de Botton.

Tchécoslovaquie
Národní Galerie, Prague.
M. Jiří Kotalík.

Venezuela
Museo de Arte Contemporáneo, Caracas ; Mme Sofia Imber de Rangel.

Nos remerciements s'adressent également à tous les prêteurs qui ont souhaité conserver l'anonymat.

Nos remerciements s'adressent bien évidemment en tout premier lieu aux membres de la famille Picasso dont l'aide chaleureuse nous a permis de mener à bien ce projet. Claude Picasso nous a apporté son soutien constant tout au long de l'élaboration de l'exposition. Maya Ruiz-Picasso, Paloma Picasso-Lopez, Marina Picasso et Bernard Ruiz-Picasso nous ont accordé des prêts extrêmement généreux.

Catherine Hutin, dans des moments douloureux, nous a aidés à donner forme à un projet auquel sa mère, Jacqueline Picasso, s'était associée dès le début avec ferveur.
La famille Vilato nous a également apporté son précieux concours.

Que soit aussi remerciée tout particulièrement la Galerie Louise Leiris: Mme Louise Leiris, M. Maurice Jardot - dont la parfaite connaissance de l'œuvre de Picasso a été précieuse pour le choix et l'obtention des œuvres figurant dans l'exposition - ainsi que leurs collaborateurs, M. Quentin Laurens, M. Bernard Lirman, Mme Jeannette Druy que nous avons bien souvent mis à contribution.

Un tel rassemblement d'œuvres, aujourd'hui très dispersées, n'aurait pas été possible sans le soutien et les prêts essentiels de Mme Angela Rosengart, MM. Ernst Beyeler, Arnold B. Glimcher, Jan Krugier: qu'ils trouvent ici l'expression de notre profonde gratitude.

Nous souhaitons exprimer également notre reconnaissance à toutes les personnes qui, à des titres divers, nous ont apporté leur concours: Mme Mali Antoine Funakoshi, Mme Michèle Archambault-Dulman, M. Heiner Bastian, M. Bernd Dütting, Mme Carmen Gimenez, Mme Jolibois, M. Sandor Kuthy, Mme Carolyn Lanchner, M. Peter Ludwig, Mme Marilyn Mac Cully, M. Alex Maguy, M. Werner Spies, M. Simon Studer, Mme Sixtine Tripet, Mme Diane Upright, ainsi qu'à tous ceux qui nous ont aidés à constituer la documentation du catalogue:
Les photographes: MM. David Douglas Duncan, André Gomès, André Villers et Edward Quinn; Mmes Laurence Berthon, Marie-Hélène Breuil, Anna Kafetsi, Claude Laugier, Brigitte Vincent. Mme Alter (Agence Roger-Viollet), M. Ludovic de Ginguay-Beaugendre (Service photographique de la Réunion des Musées nationaux). Mme Nicole Massard (Éditions Cercle d'Art).
La disparition récente de Victor Ganz, qui avait accueilli avec enthousiasme notre projet et qui nous avait ouvert sa splendide collection, a assombri les derniers préparatifs de cette exposition. Nous voudrions lui rendre hommage au seuil de ce travail qui lui doit beaucoup.

Marie-Laure Bernadac, Isabelle Monod-Fontaine, David Sylvester.

SOMMAIRE

UN GÉNIE SANS PIÉDESTAL

Michel Leiris

Sorte de leitmotiv dans l'œuvre si varié de Picasso: baladins, gens de cirque, musiciens, toreros dans l'arène ou au repos, peintres d'hier ou d'aujourd'hui (quelquefois scène fictive d'atelier montrant un personnage qu'on peut tenir pour lui Pablo assis devant un chevalet face à une femme en posture nonchalante de modèle qui n'est autre que Jacqueline), sculpteurs au découpé antique, artistes de toutes espèces abondent dans cet œuvre et il n'est guère d'époque où ils n'apparaissent comme si, en alternance avec d'autres thèmes, ils illustraient pourtant un thème privilégié, fraternellement senti quel que soit le mode d'activité en cause: l'art sans autre raison que sa propre chanson et conçu moins comme un système de saisie intuitive de ce qu'est au vrai le monde que comme le plus merveilleux des jeux, un jeu attestant que l'homme - animal traître à ses origines - est un transfuge de la nature et ne cesse de mener avec elle une partie de cache-cache.

Picasso: plutôt que génie à chevelure héroïque ou barbe de Dieu le Père qui dit sa messe avec componction - tel Wagner ou Rodin - génie qui certes a pleine conscience de la gravité de la vie et peut pousser cette conscience jusqu'au tragique exacerbé (cette note «cante hondo» dont Guernica, cri arraché par un malheur public, témoigne avec un particulier éclat, de même que dans le registre du pathétique privé le dessin représentant un minotaure aveugle guidé par une Antigone adolescente) mais génie qui pour être déchirant n'a pas besoin de déchirer sa toge et, procédant volontiers par séries comme s'il avait une chance à poursuivre ou allait simplement jusqu'au bout d'un sujet ou d'une manière avant de s'en lasser, paraît être un génie profondément joueur. Si, presque dès le départ, il semble avoir été avide de tout expérimenter (étendre à l'extrême la gamme des façons de forger des images qui se tiennent par elles-mêmes et dont la véridicité s'impose dès le premier regard quelle que soit leur structure) n'est-ce pas parce que, fuyant comme une peste l'ennui, messager funèbre, il était voué à un perpétuel changement (appel aux langages les plus divers, tantôt inventés presque de toutes pièces, tantôt plus ou moins traditionnels, langages employés tour à tour

moins par perfectionnisme que par incapacité de persister dans ce qui ne vous apporte plus rien) comme si l'esprit cessait d'être l'esprit s'il n'est plus en éveil et prêt à tout instant à s'engager, coup de dés, dans une direction nouvelle. Et l'on peut se demander à cet égard si, dans l'ordinaire de l'emploi de ses journées, Picasso a jamais connu le repos: occupé constamment soit à observer de son œil aigu, soit à travailler positivement, soit à bricoler l'un de ces menus objets dont il a fabriqué un nombre important en marge de son œuvre proprement dit de peintre, sculpteur, dessinateur, graveur, céramiste et, dans le domaine littéraire, poète de langue française et de langue espagnole mais par dessus tout picassienne.

Picasso: génie trop délié pour n'être pas facétieux à ses heures et qui, s'amusant peut-on croire de ce clash de deux genres picturaux point toujours séparés mais jamais aussi abruptement conjugués, n'a pas hésité à coiffer d'un chapeau nature morte comestible l'amie qu'il portraiturait, non plus qu'à enserrer dans un bracelet-montre le poignet de la femme en amour évoquant un moment où tout, à commencer par le temps, devrait être oublié, - génie en vérité assez lucide et assez franc du collier pour donner le champ libre à la dérision (forme tranchante de la remise en question) et la faire porter sur sa propre activité. C'est ce que montrent - chez lui dont plus d'une œuvre relève ouvertement de la satire, telles entre autres les gravures violemment caustiques de la série intitulée Sueño y mentira de Franco ou, plus aimables, les compositions graphiques plus ou moins caricaturales où l'on voit, par exemple, une maquerelle présenter une fille à un client - nombre d'œuvres où l'humour intervient avec évidence, telle cette sculpture dans laquelle - métaphore burlesque, non verbale mais réalisée concrètement comme celle qui d'autre part fait d'une fourchette une patte d'oiseau, exactement patte de grue - une petite automobile prélevée parmi les jouets de son fils Claude et devenue, tout en restant parfaitement reconnaissable, la mâchoire d'une guenon, exemple particulièrement frappant d'utilisation ironique des matériaux les plus inattendus, en des sortes de montages. Humour qu'on retrouve dans d'autres promotions sculpturales d'objets d'usage courant prenant, quant à eux, sens de parties du corps humain et, par ailleurs, dans l'assemblage des deux produits de ramassage qu'étaient un guidon et une selle de vélo pour former une tête de taureau, façons surprenantes de faire ce qu'on veut faire, tout comme dans les peintures se trouvent intrépidement mis en œuvre, en raison du même furieux et inextinguible besoin d'inventer des signes (désir de rénovation du vocabulaire qui prend le pas sur la recherche proprement esthétique), les types les plus paradoxaux d'écriture, types d'autant plus éloquents qu'ils rompent avec la routine. D'ailleurs bousculer et dépoussiérer, n'est-ce pas en cela, somme toute, que consistait expressément le jeu dans chacun des somptueux divertissements qu'il semble s'être octroyés en reprenant en toute liberté tels grands chefs-d'œuvre unanimement reconnus?

Picasso: ennemi de la guerre qui assuma dignement son rôle mondial d'homme de la Colombe mais, de plain pied avec chacun sans souci des échelons sociaux, s'en faisait trop peu accroire pour ne pas trouver dans ce que sur le plan du quotidien lui offrait sa gloire des occasions de s'ébrouer dans un comique démystifiant comme s'il s'était bien gardé de laisser l'indubitable conscience qu'il avait de sa valeur lui monter bêtement à la tête.

Picasso: à quelques années près enfant prodige, qui toutefois est loin de s'être endormi sur ses lauriers puisque sa vie entière s'est passée à faire la nique - non point en iconoclaste mais en découvreur d'autres voies pour figurer êtres et choses avec efficience - à cette peinture académique dont tout jeune il avait eu la maîtrise. Picasso: l'un de ces génies sans pesanteur qui constituent une espèce malheureusement des plus rares dans laquelle - nom qui par-delà toute réflexion critique me vient naturellement à l'esprit - je rangerai Mozart, qui lui aussi alla beaucoup plus loin que son passé d'enfant prodige, l'abondance et la qualité de sa floraison ultérieure le prouvent. Pablo Ruiz Picasso, fils d'un peintre comme le petit Wolfgang-Amadeus l'était d'un musicien et qui jusqu'à son dernier souffle continua d'être un prodige tel l'inoubliable natif de Salzbourg, auteur aussi bien d'œuvres légères que d'œuvres graves et dont le Don Giovanni, opéra qui annonce le romantisme, justifie à plein l'étiquette «dramma giocoso» désignant le genre théâtral auquel il ressortissait. Or ce terme à la fois sombre et allègre qui est l'ambiguïté même - «drame joyeux» selon sa traduction littérale - me paraît être le meilleur pour qualifier ce que, chez notre contemporain le malaguègne, chasseur aux proies toutes autres mais non moins ardent et insatiable que le conquérant des «mil e tre», représente à un haut degré la phase ultime de son œuvre si contrasté par la forme et par le sentiment (romances bleues, fugues cubistes et autres mouvements d'amplitude parfois titanesque mais toujours exempts de gourme et positivement en prise directe). Mettant alors les bouchées doubles, Picasso ne semble-t-il pas avoir tiré - lui qui à l'inverse du légendaire compositeur d'il y a quelque deux siècles atteignit un âge avancé - un mirifique bouquet final pour affirmer spectaculairement, grâce à la hardiesse du dessin libéré de toute contrainte stylistique et à l'intensité des couleurs, qu'il était plus vivant que jamais malgré les approches de la mort.

PICASSO, 1953-1973: LA PEINTURE COMME MODÈLE

Marie-Laure Bernadac

À force de peindre la peinture, la peinture de la peinture (Delacroix, Velázquez, Manet) ou bien encore l'exercice de son rituel (le peintre et son modèle), Picasso en est arrivé à l'invention d'une «autre» peinture, à la création d'un nouveau langage pictural. Dans les vingt dernières années de sa vie, Picasso prend véritablement la peinture comme modèle, comme sujet ou comme exemple, de la même façon que «l'écrivain en vieillissant prend pour sujet l'écriture» (Paul Valéry). Qu'il s'agisse des variations sur les maîtres du passé, du lieu de la création (l'atelier), du modèle (la femme, le nu), du peintre - jeune ou vieux, barbu, avec ou sans palette, travesti ou mis à nu -, toutes les œuvres de cette période se rattachent à un thème : le peintre et son modèle. Ce thème lui permet d'illustrer le mécanisme de la création, la relation qui se joue entre les trois protagonistes que sont l'artiste, le modèle, la toile, c'est-à-dire, le sujet, l'objet, le verbe, et les mille façons de le conjuguer. Dans ce corps à corps avec la peinture, dans cette tentative acharnée de résoudre l'éternel conflit entre l'art et la vie, le réel et l'illusion, il semble que, tout à coup, Picasso soit passé de l'autre côté de la toile, comme de l'autre côté d'un miroir et se soit identifié à son objet. La peinture, règne alors en maîtresse absolue durant ces dernières années, peinture vivante, organique, souveraine, puisqu'il ira jusqu'à déclarer dans un bouleversant et lucide acte de reddition : «la peinture est plus forte que moi, elle me fait faire ce qu'elle veut»[1]. Une telle personnification d'un moyen, d'un intermédiaire, qui renverse les rapports entre l'artiste et son œuvre au point que l'homme est tout entier dans la peinture et que celle-ci semble vivre de sa propre substance, s'autogénérer, donne la mesure et l'enjeu de cette dernière période, tout en apportant des éclaircissements sur la structure psychique de Picasso-créateur.

La révolution esthétique et formelle de ces dernières années, aussi fondamentale d'une certaine façon que la révolution cubiste, fut peu comprise à l'époque. Elle trouve depuis les années quatre-vingts un écho dans la peinture contemporaine et se révèle, par là, être une des clefs du devenir de la peinture de cette fin de siècle.

Picasso, on l'a dit, ouvre et ferme le XXe siècle. D'où la nécessité de présenter au Centre Georges Pompidou, ce «dernier» Picasso, non pas tant pour réhabiliter une époque décriée (les expositions de Bâle[2], et de New York[3], l'ont déjà fait), que pour le replacer dans le contexte artistique d'aujourd'hui et faire aussi et enfin de Picasso, un peintre contemporain. Le «dernier Picasso», transposition maladroite de «Late Picasso», met l'accent sur la notion d'œuvre tardive, de renouvellement ultime d'une écriture picturale. Est-ce l'apothéose, le saut vers le futur, ou bien la décadence et la régression ? Les styles tardifs des grands peintres s'inscrivent en effet souvent dans un de ces deux schémas. Picasso est-il Titien, Rembrandt, Cézanne, ou Matisse, ou bien Picabia, Chirico, ou Derain ? L'extrême fin de sa vie est-elle maturité, dépassement, ou déclin et obsession ?

Les critiques de l'époque furent féroces : «barbouillages, sénilité, impuissance…». Pourtant, à plus de quatre-vingt-dix ans, Picasso continuait à gêner, à bousculer les idées reçues. Il fallut attendre les expositions de 1979[4], et de 1980[5], pour voir réellement cette dernière période (souvent sacrifiée dans les rétrospectives). Le «Late Style», qui s'est révélé dans les deux grandes expositions du Palais des Papes à Avignon (1970-1973), commence véritablement en 1964 (date choisie par Christian Geelhaar) alors que le tournant s'opère en 1963 (date choisie par Gert Schiff).

Nous avons choisi de remonter à la source de ce renouvellement, afin de montrer les étapes nécessaires et quasi initiatiques qui ont conduit au saut final. C'est pourquoi l'exposition commence fin 1953. Novembre 1953, crise intime de la vie privée provoquée par le départ de Françoise, suite des cent quatre-vingts dessins de Verve sur le peintre et son modèle, puis 1954, changement de lieu (La Californie), de femme (Jacqueline), début des paraphrases (Les Femmes d'Alger), un contexte politique et culturel qui isole Picasso du monde extérieur et le renvoie à lui-même, à la seule création, l'âge enfin (soixante-douze ans) qui lui permet de porter un autre regard sur sa propre vie, sur

1
Phrase inscrite sur la 3ème page de couverture du carnet MP. 1886, daté du 10.2.63 au 21.2.63 et consacré au thème du peintre et son modèle.

2
Picasso. Das Spätwerk, Kunstmuseum, Bâle, 1981. Exposition organisée par Christian Geelhaar.

3
Picasso, The Last Years (1963-1973), Solomon R. Guggenheim, New York, 1984. Exposition organisée par Gert Schiff.

4
Picasso. Œuvres reçues en paiement des droits de succession, Grand Palais, Paris, 1979.

5
Picasso, a Retrospective, Museum of Modern Art, New York, 1981.

6
M. Leiris, «Picasso et la Comédie humaine ou les avatars de Gros Pied», Verve, 1954, vol. VIII, n° 29-30, 1954, n.p.

7
Ibid.

son œuvre, et qui l'oblige à s'engager à fond dans cet ultime combat contre le temps. Tout concourt à faire de cette date le point de départ de la dernière période. Dans ces vingt dernières années, les dix premières apparaissent comme une récapitulation, une synthèse de tout son passé qui se traduit par une réappropriation de la peinture ancienne, l'incitant à une relecture du cubisme, conjuguée aux déformations plastiques des années trente, tandis que les dix dernières années peuvent être perçues comme le franchissement des limites, la libération de tout savoir, de toute technique, le retour au naturel, à la spontanéité, à l'«enfance» de l'art, à une peinture primaire, immédiate, sauvage. Tout se passe comme si, après avoir passé en revue son passé, reçu l'«alternative» de ses pères, affronté le nœud gordien de la création, Picasso, libéré de tout obstacle, retrouvait un nouvel élan vital, la puissance de l'érotisme et atteignait enfin à l'extase.

1953-1963: LA PEINTURE DU PASSÉ

UNE «DÉTESTABLE» SAISON EN ENFER[6]

Novembre 1953: après le départ de Françoise et des enfants, Picasso se retrouve seul à La Galloise. Quels que soient les malentendus et les causes de cette séparation, le fait est qu'une femme, jeune et belle, mère qui plus est de ses enfants, le quitte, l'abandonnant ainsi à sa solitude d'homme, à son encombrante célébrité, à son âge. Cette crise de la vie privée, avec tous les bouleversements qu'elle entraîne, va déclencher une crise esthétique profonde (comme cela s'était déjà produit au moment de la séparation d'avec Olga, en 1935) qui aboutit à «la mise en cause la plus générale»[7]. Entre le 18 novembre 1953 et le 3 février 1954, Picasso s'enferme dans la villa désertée et exécute avec frénésie cent quatre-vingts dessins qui ont pour thème central le peintre et son modèle. Certains intègrent et convoquent d'autres thèmes surgissant du passé: le cirque, les clowns, les acrobates, et les singes; d'autres anticipent sur l'avenir: le jeu des masques, la vieillesse, l'érotisme, la dérision du métier de peintre, et la comédie du milieu de l'art. Crayons de couleur, encre de

Phrase manuscrite de Picasso sur la 3e page de couverture du carnet daté 10.2.63, 21.2.63. Musée Picasso, Paris. MP 1886

Chine, lavis, mine de plomb, toutes les techniques sont mobilisées pour illustrer ce journal d'«une détestable saison en enfer», qui résume de façon amère, cruelle, ironique et implacable, le drame absurde de la création, de la dualité insoluble entre l'art et la vie, entre l'art et l'amour : la femme doit être peinte mais doit aussi être aimée, et quel que soit son génie, l'artiste n'en est pas moins homme, donc sujet au vieillissement, à la maladie, à la mort. Cette série, au-delà de son incontestable qualité graphique, d'une liberté jamais vue, a une importance primordiale dans l'œuvre du peintre. Michel Leiris en a magnifiquement dévoilé le sens profond, la comparant aux Caprices de Goya, à la comédie burlesque, qui allie la satire au journal intime, le tragique au comique. Oscillant entre le Vieux saltimbanque de Baudelaire et Charlot, entre la commedia dell'arte et le roman picaresque, Picasso expose, à sa façon, le mythe de l'artiste bafoué et ridicule, la moquerie de l'art, et sa prétention insensée à égaler la vie réelle, la vraie beauté charnelle. Tous les types de peintres sont là, romantiques, académiques, naïfs, arrogants, particularisés jusqu'à la caricature, alors que la femme reste le modèle, idéal, intemporel. Les dessins de Verve, dans leur diversité et leur unité, constituent, en quelque sorte, l'«ouverture» de l'opéra à venir. Tous les thèmes futurs y sont en effet annoncés et le ton d'ensemble, celui de la tragédie comique y est d'emblée donné. Picasso introduit le processus de la série et des variations, le style narratif, le mélange ou l'alternance des genres, passant d'un trait nerveux, incisif, elliptique à une ligne pure, classique ou à un schématisme géométrique. Dans les scènes de cirque ou de carnaval, apparaissent la corrélation entre l'art et le théâtre, l'inversion des rôles - du jeune au vieux, de l'homme à la femme - qui expriment le mensonge de l'art et de l'apparence. La présence insistante du modèle, de l'atelier, révèle l'obsession de la création, l'angoisse de l'impuissance à créer, à aimer, qui va de pair avec le dévoilement de l'érotisme féminin.

Cette série intime prend la forme d'une descente aux abîmes de l'inconscient : la période bleue de sa jeunesse remonte à la surface, et Picasso, avec une lucidité terrifiante, met à nu sa situation d'artiste et sa situation

d'homme. Toutes les voies explorées par la suite sont déjà inscrites en filigrane dans ces cent quatre-vingts dessins. Après s'être ainsi penché sur ces images angoissantes, où et comment trouver un nouvel élan ?

Les deux tableaux introductifs et symptomatiques de cette époque, parallèles aux dessins de Verve, sont L'Ombre (Cat., 1) et le Nu dans l'atelier (Cat., 2) datés du 29 et du 30 novembre 1953. Le premier est une vue de la chambre à coucher de La Galloise, avec une femme nue étendue sur le lit et l'ombre d'un homme qui la regarde, silhouette découpée dans un rectangle de lumière d'un peintre fantomatique et pourtant présent, face à une femme, modèle imaginaire, pourtant absente. Une autre version de ce tableau (Zervos, XVI, 99) fait fusionner l'ombre avec les motifs du fond : le corps de l'homme est donc fait de la substance même de la peinture. À David Douglas Duncan qui lui demandait la signification de cette toile énigmatique, Picasso répond : «c'était notre chambre à coucher. Vous voyez mon ombre ? Je venais de quitter la fenêtre ; à présent, vous voyez mon ombre et la lumière du soleil tombant sur le lit et le plancher ? Vous voyez le jouet en forme de charrette sur la commode et le petit vase sur la cheminée ? Ils viennent de Sicile et sont encore dans la maison.»[8] Le lendemain, Picasso change de lieu, passant de l'intimité d'une chambre à la clarté de l'atelier. Privilégiant ainsi la relation esthétique par rapport à la vie privée, il installe le modèle dans un luxueux décor où s'imbriquent différents espaces, fenêtres et portes, toiles et chevalet, dans une somptuosité colorée jamais atteinte. La structure complexe de l'espace, de la profondeur, rythmée par les éléments du mobilier, préfigure la série des Ateliers de La Californie, et le quadrillage décoratif, la mosaïque des tapis, et la chaleur des couleurs, Les Femmes d'Alger. Ce tableau fondamental est proche, dans sa composition, d'un dessin postérieur, daté du 21 janvier 1954 (Cat., 100) : à côté du chevalet se dresse, pinceau à la main, une femme-peintre et, serti dans son cadre environnant, le modèle nu assis. Il n'a plus les courbes élancées ni la morphologie des nus inspirés de Françoise ;

8
David Douglas Duncan, Les Picasso de Picasso, Paris, La Bibliothèque des Arts, 1961, p. 183.

page suivante,
à gauche :

Visite de l'Atelier (dessin pour Verve), Vallauris, 19 janvier 1954 VII

Dans l'Atelier (dessin pour Verve), Vallauris, 3 février 1954 I

Les Masques (dessin pour Verve), Vallauris, 25 janvier 1954 I

à droite :

L'Ombre, Vallauris, 29 décembre 1953. Collection Zaks, Art Gallery of Ontario, Toronto

Feuille d'études (dessin pour Verve), Vallauris, 21 janvier 1954 IV

dans le dessin IV de la même date (Zervos, XVI, 203) apparaît pour la première fois le profil au long cou de Jacqueline Roque.

INTERMÈDE

Un court intermède permet à Picasso de préparer le travail à venir. D'un côté, par attachement sentimental, il peint, dans un style matissien et extrêmement décoratif, ses enfants, Claude et Paloma, dessinant et jouant, avec ou sans leur mère (ils étaient venus rendre visite à leur père, pour les vacances de Pâques); de l'autre, il s'attaque à un modèle neutre, avec lequel il n'entretient pas de relation affective, Sylvette, dont il étudie le visage et la fameuse queue de cheval, les décomposant en plans rectangulaires imbriqués qui permettent de le voir simultanément de face et de profil. Passant d'un réalisme gracieux et minutieux à une géométrie sévère, la série des portraits de Sylvette anticipe le travail sur la sculpture en tôle découpée et préfigure l'entrée triomphale dans sa peinture de Mme Z, «sphynx moderne», dont il fait en juin 1954 deux célèbres portraits.

LA PEINTURE DE LA PEINTURE

La période de 1954 à 1963 est tout entière sous l'emblème de la peinture du passé, du recensement de ses propres ressources picturales ainsi que de celles de ses contemporains, Matisse et Braque. Picasso analyse, décompose et recompose sans fin les chefs-d'œuvre des autres, les digère pour les faire siens. Ce cannibalisme pictural est sans précédent dans l'histoire de l'art. Certes, de tous temps, les peintres - et Picasso le premier -, ont eu recours aux images du passé, ont puisé des motifs, des formes dans le dictionnaire de l'art universel : pastiches, copies, paraphrases ou citations. Mais l'opération entreprise par Picasso avec les grands cycles exploratoires d'après Delacroix, Velázquez et Manet, est d'une toute autre envergure. D'une toile, il en fait cent, dans la fièvre, épuisant toutes les possibilités offertes, cherchant à vérifier son écriture, à tester le pouvoir de sa peinture sur des sujets donnés. Pourquoi, à ce stade de son évolution artistique, ce besoin du retour aux maîtres, à la tradition? Les causes en

Jacqueline aux fleurs, Vallauris, 2 juin 1954. Collection particulière

Claude dessinant, Françoise et Paloma, Vallauris, 17 mai 1954. Musée Picasso, Paris

sont multiples : hasard d'une ressemblance, suggestion d'un lieu, mais surtout nécessité d'une confrontation avec la «grande peinture», défi lancé à l'histoire, conscience enfin d'un devoir à accomplir, d'un héritage à assumer et à dépasser, afin de relancer la peinture sur d'autres voies. Ce sont les motivations personnelles. Il y a également le contexte historique, celui de l'apogée de l'abstraction, à laquelle Picasso résiste depuis toujours, l'ayant lui-même en partie fomentée, et surtout la disparition de Matisse, l'ami, le rival avec lequel il entretenait depuis le début du siècle un dialogue ininterrompu et fructueux. Picasso se retrouve désormais seul à porter le devenir d'une peinture issue de la renaissance, révolutionnaire à l'aube du XXe siècle, puis obstinément figurative.

LES FEMMES D'ALGER

Le coup d'envoi est donné avec Delacroix : Les Femmes d'Alger. Picasso y pensait en fait depuis longtemps. Françoise Gilot raconte qu'il l'emmenait souvent au Louvre voir le tableau, puis dans un carnet de Royan de 1940[9], il dessine les premières esquisses des Femmes d'Alger : la composition, les personnages dans leur attitude respective, puis la palette colorée. En juin 1954, encore un signe, L'Autoportrait de Delacroix, dans un carnet qui comprend également les croquis du Déjeuner sur l'herbe d'Édouard Manet[10]. En décembre 1954, encore sept dessins dans un carnet[11]. Le terrain semble donc bien préparé. Puis il rencontre Jacqueline, l'odalisque absolue par son physique, son étrange ressemblance avec l'une des femmes du tableau, par son tempérament, son calme, et sa sensualité. Picasso retrouve avec elle, après les orages, une sérénité épanouissante qui lui redonne goût et appétit de vivre, d'aimer et de peindre. À ce choc affectif, s'ajoute celui, plus déterminant encore, de la mort de Henri Matisse en novembre 1954. «À sa mort, dit Picasso, il m'a légué ses odalisques»[12]. «Je me dis quelquefois que c'est peut-être l'héritage de Matisse», confie-t-il encore à Daniel-Henry Kahnweiler, en parlant des Femmes d'Alger. «En somme, pourquoi est-ce que l'on n'hériterait pas de ses amis.»[13] Les odalisques de Matisse ne représentent pas seulement le mythe de

9
Musée Picasso, Paris, MP. 1879.

10
Musée Picasso, Paris, MP. 1882.

11
Musée Picasso, Paris, MP. 1883.

12
R. Penrose, Picasso, Paris, Flammarion, 1982, p. 467.

13
D.-H. Kahnweiler, «Entretiens avec Picasso au sujet des Femmes d'Alger», Aujourd'hui, n° 4, 1955.

Eugène Delacroix, Les Femmes d'Alger, 1833. Musée du Louvre, Paris

Deux Études pour «Les Femmes d'Alger, d'après Delacroix», 1940 (page du carnet de Royan). Musée Picasso, Paris. MP 1879

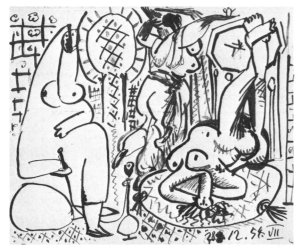

à gauche :

Étude de couleur pour
« Les Femmes d'Alger,
d'après Delacroix »,
1940 (page du carnet
de Royan).
Musée Picasso, Paris.
MP 1879

Dessin des « Femmes
d'Alger, d'après
Delacroix », 28.12.1954,
VII. Musée Picasso,
Paris

Dessin des « Femmes
d'Alger, d'après
Delacroix », 8.1.1955.
Musée Picasso, Paris

à droite :

Étude pour « Les
Femmes d'Alger,
d'après Delacroix »,
1954 (page du carnet
daté 5.12.1954 I).
Musée Picasso, Paris.
MP 1883

L'Atelier, Cannes,
23 octobre 1955.
Donation Rosengart à
la ville de Lucerne

l'Orient, du harem, de la volupté sensuelle et colorée, mais aussi le problème de l'intégration d'une figure à un fond ornemental. Picasso reprend donc le travail entrepris par Matisse dans les années vingt, et développe l'idée, amorcée par Delacroix, des deux versions différentes du même tableau. Il s'enferme donc trois mois dans l'atelier sévère des Grands Augustins et, d'emblée, peint deux variantes de la même vision. Ce travail sera pour lui l'occasion d'approfondir le langage cubiste, de développer la simultanéité des points de vue du corps qu'il contraint à se présenter allongé à la fois sur le dos et sur le ventre, tout en respectant sa cohésion anatomique, en ne le disloquant pas, comme il le faisait auparavant, en plans successifs. De nombreux dessins préparatoires analysent les différentes postures des femmes, les superposent, les imbriquent dans un quadrillage décoratif. Picasso s'en donne à cœur joie, laissant surgir un érotisme agressif et joyeux, bien loin de la sensualité feutrée du harem. Il malaxe les chairs rebondies, les plie, d'un pinceau souple et délié, aux caprices des torsions, de l'arabesque, puis les casse, les contraint dans une géométrie rigoureuse d'angles aigus, de volumes à facettes issus du cubisme. Au fur et à mesure, il change la composition, la transformant en son thème privilégié, celui de la Veilleuse assise et de la Dormeuse allongée. Il conclut par deux voies opposées, une toile somptueusement colorée et décorative (Cat., 5) une autre dépouillée et monochrome (Cat., 4), l'une peinte, l'autre dessinée. Le travail des Femmes d'Alger a permis à Picasso de puiser et d'épuiser ses ressources picturales sans se préoccuper du sujet, et de concevoir son œuvre comme un tout, un ensemble, et non comme une succession de tableaux uniques. Ce qui l'intéresse, c'est ce qui se passe d'une version à l'autre, les modifications, les métamorphoses, les allers et retours, les constances. «Vous comprenez - dit-il à Daniel-Henry Kahnweiler - ce n'est pas le temps retrouvé mais le temps à découvrir.»[14] En fait, Les Femmes d'Alger ne sont qu'un hommage iconographique à Matisse, car elles sont, dans leur vocabulaire plastique, totalement picassiennes. L'hommage pictural aura lieu à propos d'un thème matissien par excellence: celui de l'atelier.

L'ATELIER

L'emménagement à La Californie est un événement de taille. C'est la première installation de Picasso dans une demeure assez vaste pour lui permettre de faire venir de Paris et d'entasser toutes ses toiles anciennes, accumulant ainsi, dans un savant désordre, des traces et des souvenirs de son passé. À peine arrivé, Picasso prend possession de l'espace et occupe tout le rez-de-chaussée de cette grande bâtisse 1900, entourée d'un luxuriant jardin. Une nouvelle étape de sa vie commence, là, avec Jacqueline. Il répond très vite à la sollicitation du lieu par une série de ce qu'il appellera «paysages d'intérieur».[15] L'atelier est pour Picasso comme un autoportrait. Sensible à son rituel, à sa poésie secrète, il marque de sa présence l'environnement, les objets, et fait de ce territoire une «seconde peau». Le travail se déroule en deux temps. Une première phase, en 1955 (du 23 octobre au 12 novembre), privilégie un format vertical, une peinture légère, un espace transparent, baigné de lumière vibrante. Le traitement est souple et illustratif, l'entrelacs des motifs de la fenêtre se mêle au fouillis de la végétation, unissant ainsi dans un même espace l'intérieur et l'extérieur. Puis la vision se densifie. Picasso réduit la profondeur à des surfaces plates colorées et unies. Un grand tableau horizontal conjugue les deux manières. Dans une écriture dense, un espace surchargé et baroque, on repère cependant, imbriqués dans le décor, les éléments constants du mobilier: la chaise-palette, la sellette avec la tête en céramique, la table basse avec trois plateaux... La deuxième phase commence en mars 1956. Entre les deux s'interposent les post-scriptum aux Femmes d'Alger: la série des Jacqueline assise en costume turc, qui prolonge l'atmosphère sensuelle et érotique de Delacroix. Traduite en idéogrammes plastiques, ou de façon plus classique, parfois dans un style proche de Matisse (Cat., 8), elle permet à Picasso là encore de vérifier diverses écritures picturales. «Jacqueline a le don de devenir peinture à un degré inimaginable»[16], disait-il. Deux grandes toiles charnières, Femmes à leur toilette[17] et Deux femmes sur la plage[18], sont le résumé des recherches sur la plastique des corps entreprises dans Les Femmes d'Alger. Les premières, tordues,

14
Ibid.

15
L'atelier n'est pas un thème entièrement nouveau pour lui. Il traite, en 1926, celui de la modiste (Musée national d'art moderne, Paris), puis, en 1927-1928, des ateliers très géométriques (Museum of Modern Art, New York) où figurent, en traits essentiels, le peintre, le modèle, le chevalet. Ce découpage aigu et cette tension de l'espace correspondent aux Figures en fil de fer de 1928. Quelques œuvres isolées, comme une vue de la fenêtre des Grands Augustins, 1943 (Zervos, XIII, 68) ou La Cuisine, 1948 (Musée Picasso, Paris) le ramènent indirectement à ce thème de l'espace intérieur.

16
H. Parmelin, Picasso dit, Paris, Gonthier, 1966, p. 80.

17
Musée Picasso, Paris.

18
Musée national d'art moderne, Paris.

à gauche :

Femme accroupie en costume turc, Cannes, 22 novembre 1955

Femmes à leur toilette, Cannes, 4 janvier 1956. Musée Picasso, Paris

à droite :

Femme assise près de la fenêtre, Cannes, 11 juin 1956. Collection the Museum of Modern Art, New York, Mrs Simon Guggenheim Fund

Deux Baigneuses, 24 octobre 1920. Musée Picasso, Paris

page suivante :

Deux femmes sur la plage, 6 février-26 mars 1956, Musée national d'art moderne, Centre Georges Pompidou, Paris, Donation Marie Cuttoli, 1963

Femme assise dans l'atelier, Cannes, 11, 18, 19 mai-10 juin 1956

Les Ménines, d'après Velázquez, « Dona Isabel de Velasco », Cannes, 17 novembre 1957 V, Museu Picasso, Barcelone

sombres, dramatiques, rappellent les déformations des baigneuses des années vingt[19], tout en annonçant par la liberté de leur traitement pictural la période tardive ; les secondes, monumentales, pétrifiées dans une lumière limpide, transparente, confirment la solidité des volumes cubistes. Picasso ne pouvant à ce stade aller plus loin dans cette voie, revient donc à L'Atelier et peint sa toile la plus matissienne (Cat., 9). Désormais, le format est horizontal, l'angle de vue différent, tourné vers l'intérieur de la pièce, la surface est rythmée par les trois hautes portes lambrissées, l'armoire, le plat marocain, le chevalet au centre - comme dans le tableau-référence (L'Atelier de Courbet) -, et quelques toiles par terre. Opposition du blanc et du noir, des formes positives-négatives, a-plats de peintures légères, utilisation du non-peint, importance des éléments décoratifs, il se livre à la «vérification du langage de Matisse... à une recension de ses signes plastiques».[20] Puis les couleurs virent au brun-noir, à l'ocre et au gris (Cat., 11). L'atmosphère devient espagnole, «chapelle mozarabe» dira Antonina Vallentin[21], «Velázquez» dira Picasso à Alfred Barr[22]. Après avoir démonté l'espace et testé différentes façons de le suggérer, Picasso ne peut s'empêcher de faire rentrer dans l'atelier, le modèle, Jacqueline assise dans un fauteuil face au chevalet. Le dessin se simplifie, se géométrise, les couleurs redeviennent gaies et éclatantes. La confrontation entre le modèle assis et le chevalet aboutit au grand tableau de Jacqueline assise[23], majestueux et classique. Ce travail, étalé sur un an, lui a permis d'explorer l'espace pictural, de vérifier certains acquis du cubisme sur la profondeur, de les conjuguer à l'espace des ateliers de Matisse et de Braque, de faire l'apprentissage d'un langage dépouillé, fait de traits de pinceau qui dessinent et qui forment dans le même temps, un langage clair comme la peinture des enfants. Un an après Delacroix, un an avant Velázquez, l'état des lieux achevé, le peintre peut désormais faire sa rentrée triomphale.

LES MÉNINES

Et pas n'importe quel peintre, puisqu'il s'agit de son compatriote Velázquez que Picasso vénérait depuis

19
Les Baigneuses (1920), Musée Picasso, Paris.

20
P. Daix, La Vie de peintre de Pablo Picasso, Paris, Éd. du Seuil, 1971, p. 362.

21
A. Vallentin, Picasso, Paris, Albin Michel, 1957, p. 441.

22
Cité par William Rubin, in Picasso in the Collection of the Museum of Modern Art, New York, 1972, p. 179.

23
Museum of Modern Art, New York.

toujours : «Velázquez, première classe», écrit-il en 1897 à un ami[24], après une visite au Prado. Pas n'importe quelle toile non plus, puisqu'il s'attaque au chef-d'œuvre absolu, au tableau le plus troublant de l'histoire de la peinture, véritable «théologie picturale» qui dévoile le secret de ses fondements : Les Ménines. Tableau-miroir, tableau piège, jeu de reflets, inversion des rôles, des regardés et du regardant, cette toile ne pouvait que fasciner le peintre de la peinture. Picasso en peignant ses propres Ménines s'inscrit en fait comme le dernier reflet du jeu de miroirs mis en place par Velázquez. Il fait le tableau d'un tableau représentant un tableau vide de ceux qui sont peints (le Roi et la Reine) et plein de ceux qui sont de l'autre côté (le Peintre, les Ménines). Ambiguïté de la réalité extérieure et de la réalité picturale, coexistence de deux mondes, celui de l'art et de la vie. Dans son travail, Picasso interprétera, à sa manière, ce double jeu en intégrant dans sa série des vues de l'extérieur, la fenêtre avec les pigeons, la mer, des paysages, et des éléments de la réalité quotidienne, comme son basset Lump, qui remplace le noble chien espagnol, puis à la fin, Jacqueline. Du 17 août au 30 décembre, enfermé dans les pièces vides et spécialement aménagées en atelier du second étage de La Californie, Picasso exécute cinquante-huit tableaux dont quarante-quatre Ménines, neuf Pigeons, Le Piano, trois paysages et un portrait de Jacqueline. La première version, contrairement aux Femmes d'Alger est la plus fidèle et la plus aboutie. D'emblée, il pose le problème, puis après, rentre dans les explications de détail, avançant par association ou digression. À part le format, passé du vertical à l'horizontal afin d'agrandir l'espace, et le choix de la grisaille, tous les éléments du tableau original y figurent. Le peintre à gauche, immense, fondu dans son chevalet, est traité, avec ce même graphisme serré que le Portrait d'un peintre d'après el Greco, ou les Demoiselles des bords de Seine d'après Courbet (1950). Plus on avance vers la droite du tableau, plus les personnages se schématisent et perdent de leur substance, jusqu'à n'être plus qu'une silhouette blanche grossièrement dessinée. Picasso fait coïncider, sur la même toile, diverses écritures picturales, qu'il développera tour à

tour, en privilégiant finalement la facture simple et dépouillée, faite d'écrans de couleur et de gros traits géométriques, extrapolation du cubisme synthétique. Le choix du noir et blanc lui permet de structurer l'espace et d'étudier l'emplacement des figures. Les couleurs ne viendront qu'après, elles seront vives, éclatantes, à base de rouge, vert et jaune vifs, tantôt sur fond noir, tantôt sur fond rouge. Très vite, Picasso se concentre sur l'Infante, dont il fait le personnage principal. Seule, en buste ou en pied, ou accompagnée de ses ménines, elle est traitée alternativement en formes simplifiées, en a-plats, ou en traits nerveux, épais et superposés. L'écriture picturale est parfois hâtive, allusive : quelques taches de couleur sur lesquelles s'inscrit le dessin des formes. Picasso pousse plus loin encore la variété des styles, passant de facettes imbriquées multicolores à un dépouillement matissien, à une construction de l'espace par plans unis colorés. De cette scène énigmatique, Picasso garde l'esprit de l'exercice pictural. De la facture somptueuse de Velázquez, il conserve le rendu des chairs et de la soie, de la lumière subtile sur la robe de l'Infante qu'il traduit par taches de blanc et de jaune sur fond vert, comme dans le dernier petit tableau de l'Infante qui fait sa révérence pour clore la série le 30 décembre. Ce travail de laboratoire, d'autopsie, au cours duquel Picasso analyse, dissèque et recompose, lui apporte une liberté de pinceau extraordinaire, un enthousiasme vorace, et lui permet une manipulation des personnages à sa guise. L'humour et l'ironie n'en sont pas absents, comme en témoigne la toile saugrenue du Piano, qui arrive soudainement, parce que la position des mains levées du petit page de droite appelle la présence de l'instrument.

Certaines bases du style tardif sont déjà posées. Les signes schématiques pour les mains et les pieds, le graphisme puéril que l'on retrouvera dans la série du Peintre et son modèle, et l'écriture barbouillée, informe, faite de gros traits nerveux, telle qu'elle apparaît dans la Ménine du 17 novembre (n° VI).[25] Les Ménines représentent un premier retour à l'Espagne, qui s'accentuera pendant la période de Vauvenargues pour triompher avec les gentilshommes du Siècle d'Or de la période d'Avignon et un approfondissement du

24
Cité par Dore Ashton, Picasso on Art, Londres, Thames and Hudson, 1972, p. 105.

25
Zervos, XVII, 391.

à gauche :

Les Ménines, d'après
Velázquez, Cannes,
17 novembre 1957 I
Museu Picasso,
Barcelone

Les Ménines, d'après
Velázquez, «Dona
Isabel de Velasco»,
Cannes, 17 novembre
1957 VI, Museu
Picasso, Barcelone

Les Ménines, d'après
Velázquez. Le Piano,
Cannes, 17 octobre
1957, Museu Picasso,
Barcelone

à droite :

Les Ménines, d'après
Velázquez, Cannes,
17 août 1957, Museu
Picasso, Barcelone

Diego Velázquez : Les
Ménines, 1656.
Musée du Prado,
Madrid

système de la variation. Libéré du sujet donné d'avance, Picasso laisse alors parler la peinture. C'est encore, comme Les Femmes d'Alger, une composition à plusieurs figures, genre qu'il affronte rarement. Ici, il réduira, très vite d'ailleurs, le nombre des protagonistes. Une façon enfin de vérifier l'espace cubiste, la profondeur, travail préparé par la série des Ateliers. Recension et invention de nouveaux moyens picturaux, compte à régler avec son grand prédécesseur, Picasso continue sa marche, un pied dans le passé, un autre dans l'avenir. À ce stade de sa réflexion, un tremplin lui est nécessaire, il lui sera donné, occasionnellement, par La Chute d'Icare.

LA SCULPTURE COMME MODÈLE/
LA CHUTE D'ICARE

Le travail préparatoire pour le grand panneau du Palais de l'Unesco permet à Picasso de récapituler les problèmes qui le hantent et constitue un carrefour de l'œuvre, une pause avant d'aborder la dernière étape. Entre décembre 1957 - parallèlement donc à l'achèvement des Ménines - et janvier 1958, Picasso accumule esquisses et croquis préparatoires, consignés dans deux carnets[26]. Une surface immense à couvrir, un espace architectural ingrat, un projet humanitaire, une commande officielle, autant d'obstacles auxquels Picasso doit se confronter. Après Guernica, et La Guerre et la Paix, c'est le troisième projet de décoration monumentale qu'il réalise. Le point de départ de sa réflexion, la genèse de l'œuvre, est encore une fois, comme ce le fut pour Guernica[27], la «scène primitive», c'est-à-dire l'atelier, le peintre et le modèle. Mais il ajoute d'emblée un élément nouveau, la sculpture (sous la forme des Baigneurs peints), qui sera en quelque sorte le détonateur de cette grande composition. Comme souvent au cours de son évolution, Picasso revient à la sculpture. Dans le constant dialogue entre deux et trois dimensions qui caractérise l'ensemble de sa création, la sculpture représente une distance, un autre point de vue, un moyen de vérification et un enrichissement pour la peinture. La première esquisse du 6 décembre 1957 montre l'atelier, le modèle nu qui semble sortir d'une toile posée sur un chevalet, un grand tableau représentant Les Baigneurs qui fonctionne comme une fenêtre ouverte (s'agit-il des sculptures, ou de la peinture des sculptures?) et, enfin, la haute silhouette fantomatique du peintre. Au fur et à mesure du cheminement complexe qui s'opère entre les dessins successifs, suite de sauts, de coqs à l'âne parfaitement décrits par Gaëtan Picon dans La Chute d'Icare...[28], Picasso intègre et résume les acquis des cinq dernières années. La reprise du thème de l'atelier le renvoie aux deux tableaux de 1953, le Nu couché et L'Ombre, que l'on retrouve mêlés dans deux dessins du 7 janvier 1958 (III et IV)[29]; il évoque même la chambre de Vallauris, par la présence du petit cheval sicilien sur une étagère[30]: «car de temps en temps, dit-il, il faut aussi un peu de sculpture»[31]. Les études de nus couchés issues des Femmes d'Alger, dont les distorsions sont le résultat soit d'une grande malléabilité plastique, soit du pliage de formes rigides découpées, ressurgissent[32]. Dans d'autres dessins, il étudie la géométrie de l'atelier, et cet espace structuré rappelle l'atelier de La Californie ou celui des Ménines. La ressemblance qui existe d'ailleurs entre Les Baigneurs, et la première version des Ménines est frappante. Même disposition des personnages, une grande figure à petite tête à gauche, une petite avec une grosse tête au milieu, même frontalité, etc. Mais surtout, ces différentes études sont une transposition picassienne du problème posé par Velázquez sur l'ambiguïté de l'espace pictural et son interférence avec la réalité. Picasso en effet multiplie les doubles lectures: peinture d'une sculpture ou sculpture peinte, fenêtre ou toile, modèle réel ou modèle peint sur la toile; le comble de ces ambiguïtés étant la silhouette du peintre qui devient le sujet d'une toile. Encore un signe de la fusion, de l'identification du peintre à son objet. Le peintre dans la peinture, la peinture dans la peinture, le jeu des doubles fonds va s'accentuant. Curieusement, après avoir accumulé tous ces jeux d'illusion, Picasso rentre dans la toile centrale, dans le vif de son sujet, et sélectionne comme motif principal Les Baigneurs, et particulièrement le plongeur aux bras écartés sur son tremplin[33]. Avec Les Baigneurs, Picasso revient à un thème qui lui est cher et qu'il traite depuis 1928, à Dinard, puis à Boisgeloup.

page suivante, à gauche :

L'Atelier: la femme couchée et le tableau (étude pour l'Unesco), Cannes, 15 décembre 1957 V. Musée Picasso, Paris

L'Atelier: la femme couchée, le tableau et le peintre (étude pour l'Unesco), Cannes, 6 décembre 1957

Nu couché (feuille de carnet pour l'Unesco), Cannes, 19 décembre 1957 VIII. Musée Picasso, Paris, MP 1885

à droite :

Intérieur d'atelier (étude pour l'Unesco), Cannes, 7 janvier 1958 III

Nu dans l'atelier (feuille de carnet pour l'Unesco), Cannes, 23 décembre 1957 II. Musée Picasso, Paris. MP 1885

Nus couchés (feuille de carnet pour l'Unesco), Cannes, 4 janvier 1958 VI, Musée Picasso, Paris, MP 1885

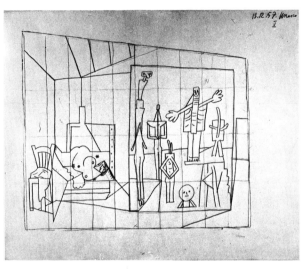

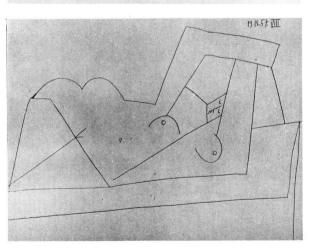

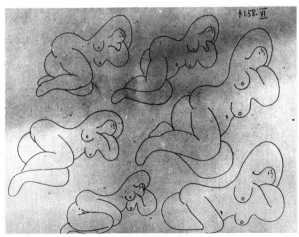

C'est aussi le tableau central du film de Clouzot, La Plage de La Garoupe, et la scène de la vie quotidienne qu'il observe sur la plage. Les Baigneurs, assemblage de bois, cadres et planches, sont une sculpture monumentale, un projet de fontaine et le premier groupe sculpté de l'œuvre ; ils donneront naissance à quelques descendants[34], et surtout ouvriront la voie à la sculpture plane, donc aux tôles découpées des années soixante. La plupart de ces figures, par leur forme qui évoque un châssis et par leur matériau d'origine : morceaux de bois, de cadres, planches, sont des «corps-tableaux, des corps-chevalets»[35]. En 1957, Picasso réalise trois têtes composées de profils qui s'entrecroisent à 90° sur un axe vertical (Cat., 95)[36]. Sculptures en carton ou en tôle, issues du travail sur les Têtes de Sylvette, qui lui permettent de réunir peinture et sculpture. Il confie lui-même à Pierre Daix : «Dans l'atelier de La Californie j'éclairais très fort ces têtes découpées, et alors j'essayais de les saisir par ma peinture. J'ai fait pareil avec Les Baigneurs. Je les ai d'abord peints, puis je les ai sculptés et ensuite j'ai à nouveau peint dans une toile les sculptures. La peinture et la sculpture ont vraiment discuté ensemble.»[37] Comme le remarque Pierre Daix, ces nouvelles sculptures vont être un tremplin pour la peinture. «C'est légitime, puisqu'elles sont nées de la peinture, et qu'elles l'ont matérialisée à trois dimensions». En définitive, Picasso ne gardera du thème des baigneurs, pour sa composition finale, qu'une figure debout, rappel du plongeur, et la mer, immense et bleue. Les autres personnages sont allongés ou assis, une baigneuse reprend les formes gonflées des Baigneuses de Dinard. Il pousse au maximum la simplification, l'abstraction, élude son sujet initial, et ajoute, au dernier moment, la figure énigmatique de cet homme-oiseau, qui tombe du ciel dans la mer. Le thème du tremplin et du plongeur n'est pas le fruit du hasard. Comme le soulignent Pierre Daix et Gaëtan Picon, cette attitude de risque, de plongeon, de saut dans l'inconnu, correspond bien à l'état d'esprit de Picasso à ce moment. «Le tableau, le tremplin. C'est entre ces deux éléments que tout se joue... Le plongeur ne serait-il pas comme le peintre, devant le risque et le vide de son élément.»[38]

Le mythe d'Icare, qui s'est surimposé au projet de départ et dont l'idée fut proposée par Georges Salles, existe bien, même inconsciemment, dans l'œuvre de Picasso, bien que le titre officiel soit «Les forces de la Vie et de l'Esprit triomphant du Mal». La leçon du père ne se transmet pas, constate Picasso après ses expériences sur les maîtres du passé. À ce stade de sa démarche, après la désillusion idéologique, Picasso se retrouve seul face à lui-même, à la seule création. Ce tableau, mal compris à l'époque, souvent décrié, marque, comme l'écrit Pierre Daix, l'étape d'une «reconquête de soi».[39]

VAUVENARGUES

En 1958, Picasso peint deux toiles caractéristiques et isolées : La Baie de Cannes et Nature morte à la tête de taureau[40] qui traduisent le passage vers l'espace extérieur, la sortie de l'enfermement de l'atelier. Les empâtements du Ripolin, les coulures, la matérialité de cette peinture épaisse, tout en faisant écho aux recherches contemporaines, annoncent le style tardif. En mars 1959, la corrida revient en force avec une série de dessins dans lesquels Picasso mêle, à la tauromachie, le thème de la Crucifixion.[41] Le Christ-matador, ainsi jeté dans l'arène espagnole, exprime le sacrifice sanglant de la victime, et dit, par son tragique, la dimension du risque que Picasso-peintre, prend à ce moment. L'événement déterminant de cette année est cependant le déménagement à Vauvenargues, au pays de Cézanne. «J'ai acheté la Montagne Sainte-Victoire», dit-il à Kahnweiler, «la vraie». Un nouveau lieu seigneurial et austère, donc une nouvelle manière de peindre à forte résonance espagnole, dans laquelle dominent le rouge sombre, le vert profond et l'ocre. Picasso peint des natures mortes avec mandoline et pichet[42], et surtout le fameux buffet Henri II monumental et rococo, qu'il vient d'acheter pour meubler sa demeure (Cat., 16). En 1959, deux toiles magistrales en hommage au cubisme exprimant la maîtrise classique et la maturité du style de la fin des années cinquante : la Femme nue sous un pin (Cat., 15) et Femme nue assise (Cat., 17) dans lesquelles Picasso allie la rigueur géométrique et constructive issue des Deux femmes sur la plage à la

liberté d'écriture graphique récemment acquise, et à la plasticité retrouvée. L'humour n'en est pas absent comme le souligne dans la Femme assise la présence des chaussures à talon, prosaïques. C'est à Vauvenargues enfin que Picasso commence, en août 1959, le cycle du Déjeuner sur l'herbe, dernière variation qui s'achèvera en juillet 1962 à Mougins, après vingt-sept peintures, cent quarante dessins, trois linogravures et de nombreuses maquettes en carton.

LE DÉJEUNER SUR L'HERBE

Pourquoi Manet? Les raisons en sont multiples et claires: Manet représente une certaine forme d'espagnolisme, c'est aussi le peintre de la citation, le chef de file d'une révolution picturale, et le père incontesté de la modernité. Manet le hante en fait depuis longtemps[43]. En 1907, la parodie de l'Olympia; en 1919, Les Amoureux (allusion à Nana); puis, avec les Massacres en Corée (1950), le pastiche de l'Exécution de l'empereur Maximilien, lui-même pastiche du Tres de Mayo de Goya; les signes précurseurs s'échelonnent tout au long de sa vie. En 1929, Picasso écrit au dos d'une enveloppe cette phrase prémonitoire et lourde de sens: «Quand je vois Le Déjeuner sur l'herbe de Manet, je me dis: des douleurs pour plus tard»[44]. Comme pour Les Femmes d'Alger, Le Déjeuner a été pressenti dès 1954 dans un carnet de croquis[45] qui consigne les têtes des personnages et étudie la composition. Puis, en 1955, il dessine Jacqueline en Lola de Valence[46]. La démarche préparatoire avant d'aborder un tableau du passé est donc toujours la même. Picasso semble obsédé par cette toile sur laquelle il travaille avec acharnement à plusieurs époques et de façon totalement différente. Le Déjeuner sur l'herbe lui donne l'occasion de traiter, après les scènes d'intérieur (le harem, l'atelier), une scène de plein air. C'est un hommage indirect aux Grandes Baigneuses de Cézanne et à la Joie de vivre de Matisse. De l'un, il garde la tentative d'intégration du corps au paysage, la solidité architecturale; de l'autre l'atmosphère pastorale et idyllique. C'est aussi une façon pour lui d'étudier le Nu féminin. La pose particulière de Victorine Meurent, qui conduit Manet à aplatir les articulations et faire se

à gauche:

La Baie de Cannes, Cannes, 19 avril-9 juin 1958, Musée Picasso, Paris

Nature morte à la tête de taureau, Cannes, 25 mai-9 juin 1958. Musée Picasso, Paris

à droite:

Corrida (feuille de carnet), 2 mars 1959 IX

Nature morte à la Dame-Jeanne, Vauvenargues, 14 juin 1959. Collection particulière

26
Musée Picasso, Paris, MP. 1884 et MP. 1885.

27
Voir les dessins du Musée Picasso: L'Atelier du 18 avril 1937 (MP. 1178-MP. 1191).

28
G. Picon, «La Chute d'Icare» au Palais de l'Unesco, Genève, Éd. Albert Skira, 1971, collection «Les sentiers de la création».

29
Zervos, XVIII, 26, 27.

30
MP. 1885, p. 22. Dessin du 23.12.1957 (II)

31
H. Parmelin, 1966, p. 112.

32
MP. 1885 ou Zervos, XVII, 419-436.

33
Zervos, VII, 348.

34
Spies, 509, 538, 541, 542, 543, 544.

35
G. Picon, op. cit, p. 19.

36
Spies, 492, 493, 495.

37
P. Daix, Picasso créateur, Paris, Éd. du Seuil, 1987, p. 342.

38
G. Picon, op. cit, p. 18.

39
P. Daix, op. cit, p. 347.

40
Musée Picasso, Paris

41
Zervos, XVIII, 333, 334, 336-359.

42
Zervos, XVIII, 434-441.

43
Voir M.-L. Bernadac, «De Manet à Picasso, l'éternel retour», in cat. Bonjour, Monsieur Manet, Paris, Musée national d'art moderne, Centre Georges Pompidou, 1983, pp. 33-46.

44
Écrit au dos d'une enveloppe de la Galerie Simon, datée de 1929. Archives Picasso. (La phrase pourrait être de 1939, date de la rétrospective Manet à l'Orangerie).

45
Musée Picasso, Paris, MP. 1882.

46
Zervos, XVI, 478, 479.

à gauche :

Édouard Manet, Le
Déjeuner sur l'herbe,
1863. Musée
d'Orsay, Paris

Le Déjeuner sur
l'herbe, d'après Manet
(feuille de carnet),
26 juin 1954 I, Musée
Picasso, Paris.
MP 1882

Le Déjeuner sur
l'herbe, d'après Manet
(feuille de carnet),
26 juin 1954 II, Musée
Picasso, Paris.
MP 1882

à droite :

Le Déjeuner sur
l'herbe, d'après Manet
(feuille de carnet),
29 juin 1954, Musée
Picasso, Paris.
MP 1887

Le Déjeuner sur
l'herbe, d'après
Manet,
Vauvenargues,
3 mars-20 août 1960.
Musée Picasso, Paris

Femme se lavant les
pieds, mai 1944. The
Art Institute of
Chicago, Chicago

superposer bras et jambes, ainsi que celle de la femme penchée en avant, trouvèrent leur transcription plastique dans les innombrables dessins de nus faisant partie du cycle. Picasso va représenter ces deux femmes sous toutes les postures, en les manipulant au gré de ses besoins. Les formes pleines, schématiques et «découpées à l'emporte-pièce»[47] des personnages de Manet seront traduites par Picasso en sortes de haricots arrondis. En travaillant sur Le Déjeuner, Picasso arrive donc à inventer une nouvelle morphologie. Ce sont ces mêmes formes, tout en courbes, que l'on retrouvera découpées dans de la tôle avec les Footballeurs (1961).[48] Comme toujours, Picasso fait dévier le thème initial vers ses préoccupations personnelles : la femme penchée du fond le ramène à cette position d'enroulement du corps sur lui-même qu'il étudie depuis 1944[49] et surtout les deux personnages centraux, la femme nue assise et le causeur entretiennent un dialogue qui tourne insensiblement à celui du peintre et de son modèle. Curieux paradoxe, la peinture plate et silencieuse de Manet aura donné naissance, violée par Picasso, à la peinture bavarde et au volume.[50] Cette scène sylvestre qui se transforme parfois en baignade lui permet d'évoquer la lumière des sous-bois, le vert profond et sombre de la clairière. C'est un décor exceptionnel dans son œuvre qui renvoie aux Nus dans la forêt et aux Paysages de la rue des Bois (1908). À chaque image, Picasso change de langage. Commençant par des a-plats, il passe successivement d'un style en festons très fouillé à une écriture en tourbillons, à de larges traits nerveusement brossés. La série des Déjeuners se différencie des précédentes en ce sens qu'elle permet à Picasso non seulement de tester diverses mises en page et diverses écritures picturales, mais aussi de sortir des Déjeuners pour faire son œuvre propre. Ce passage fut facilité par le fait que ce thème rejoint des personnages et des poses privilégiés depuis longtemps (femme allongée, assise, nu penché en avant, etc.). Les transferts d'images et les associations se font donc en tous sens. Toutes les phases de cette recherche sont visibles dans les innombrables dessins qui accompagnent la série et forment ce que Douglas Cooper appelle le «laboratoire de l'image». Il y a en

effet beaucoup plus de dessins, qui sont des interprétations très libres du thème, que de peintures. Ce cycle est également plus important que les autres par sa durée, et différent par sa structure. Picasso y revient à plusieurs reprises, comme s'il ne pouvait se détacher de ce sujet essentiel à ses yeux, comme s'il était conscient de l'importance de cette série, de sa signification dans sa démarche créatrice. Picasso, en fait, dépasse Manet et accouche de nouvelles œuvres. Le pari qu'il s'était donné était de taille, puisque, s'inscrivant dans la lignée d'une tradition, il devait aller plus loin que ce que fit Manet avec Giorgione : «Picasso a embrassé l'ensemble de la peinture du XIXe et son grand triomphe c'est d'être allé au-delà de cette tradition picturale et d'avoir établi sa propre indépendance et sa suprématie.»[51] Pour Manet, il s'agissait d'un rapport de peinture à peinture, pour Picasso, de peintre à peintre. C'est non seulement son pouvoir pictural qui est ici en jeu, mais également son pouvoir de démiurge - pouvoir de métamorphose des objets de la réalité que sont, tout aussi bien, les tableaux de musée. Manet le libère du passé et lui redonne un nouvel élan créateur. C'est la dernière variation, la plus riche et la plus féconde.

L'ENLÈVEMENT DES SABINES

L'épisode des Sabines est déjà d'une autre nature ; il ne s'agit plus de variations, ni de série d'après un tableau donné. Picasso mêle plusieurs toiles, celle du Massacre des innocents[52] et celle de L'Enlèvement des Sabines[53], un mélange de Poussin et de David. C'est son dernier tableau d'histoire, suscité sans doute par les événements menaçants de Cuba qui le ramènent aux sujets guerriers et aux victimes innocentes. La violence du mouvement le pousse à des raccourcis et à des déformations anatomiques expressives. Dans la dernière version (Cat., 30), la présence du cheval et de la femme à l'enfant, traitée comme Les Demoiselles des bords de Seine d'après Courbet, fait référence indirectement à Guernica.

Les Sabines sont suivies de Guerriers[54] casqués puis de portraits de Jacqueline assise dans un fauteuil[55]. Picasso renoue alors le dialogue peinture-sculpture avec les équivalents picturaux de la Tête de Chicago ou de la

47
Delacroix.

48
Musée Picasso, Paris.

49
Zervos, XIII, 291.

50
Comme en témoigne les sculptures en béton des personnages installées dans le jardin du Moderna Museet de Stockholm, 1960.

51
D. Cooper, Pablo Picasso, Les Déjeuners, Paris, Éd. Cercle d'Art, 1962.

52
N. Poussin, Le Massacre des innocents, Musée Condé, Chantilly.

53
J.-L. David, Les Sabines, (Musée du Louvre, Paris) et N. Poussin, L'Enlèvement des Sabines (Musée du Louvre, Paris).

54
Zervos, XXIII, 56, 57.

55
Zervos, XXIII, 76-93.

Femme au chapeau, 1961 (Cat., 96) et les têtes, en tôle découpée et peinte (Cat., 98, 99). Puis en 1963, après avoir pris pendant dix ans la peinture comme modèle, analysé et démonté les œuvres des autres, fait avancer d'un bond la sculpture avec le développement de la sculpture plane, épuisé tous les sujets à signification générale, les compositions à plusieurs personnages, il revient au point de départ, au lieu du délit, au champ de bataille fondamental : le face à face du peintre et du modèle, qui marque le tournant décisif de la période.

LE PEINTRE ET SON MODÈLE

Picasso en a tellement peint, dessiné, gravé, tout au long de sa vie, et sous tous les angles possibles que c'en est presque devenu, comme l'écrit Michel Leiris[56], un «genre» en soi, comme le paysage ou la nature morte. En 1963 et 1964, il ne peint quasiment que cela ; le peintre, armé de ses attributs, palette et pinceaux, la toile sur un chevalet, le plus souvent vue de profil, comme un écran, et le modèle nu, assis ou couché, dans un atelier qui présente toutes les caractéristiques de l'atelier d'artiste : verrière, sculpture sur une sellette, paravent, lampe, divan, etc. Autant de mises en scène qui ne correspondent en fait pas du tout à la situation réelle de Picasso qui, lui, peint sans palette et sans chevalet, directement sur une toile posée à plat. Plus qu'une évocation de son propre travail de peintre, il s'agit donc d'un «résumé de la profession».[57] «Au mois de février 1963, raconte Hélène Parmelin, Picasso se déchaîne. Il peint Le Peintre et son modèle. Et à partir de ce moment, il peint comme un fou. Jamais encore peut-être avec cette frénésie.»[58] De février à mai 1963, en janvier puis en octobre, novembre, décembre 1964, puis en mars 1965, les toiles se succèdent avec quelques variantes : soit le modèle est absent et le peintre seul avec sa toile, soit la scène se déplace de l'atelier au plein air, dans un paysage qui rappelle Le Déjeuner sur l'herbe. Puis on voit le peintre seul, vu de profil, en gros plan, avec son regard inquiet et scrutateur[59]. Parfois le format, pourtant résolument horizontal afin de répartir les protagonistes de part et d'autre de la ligne de partage de la toile, change pour devenir vertical. Les figures s'allongent, se rapprochent. La femme se

Jacques-Louis David, L'Enlèvement des Sabines, 1799. Musée du Louvre, Paris

Nicolas Poussin, L'Enlèvement des Sabines, vers 1635-1637. Musée du Louvre, Paris

L'Enlèvement des Sabines, 9 janvier-7 février 1963, Mougins (Cat., 30)

confond avec le chevalet (Cat., 34). «Du regard qui scrute au regard qui désire, il n'y a qu'un pas.»[60] Pas franchi dès le 13 mars 1963 avec une toile évoquant le portrait de Rembrandt et Saskia, dans lequel le peintre prend le modèle sur ses genoux. Ce passage soudain du modèle à l'amante annonce la série des gravures sur le thème de Raphaël et la Fornarina d'après Ingres, qui apparaîtra dans la «Suite 347», en 1968. En octobre 1964, le peintre peint «directement» le corps de la femme ou bien pénètre la toile de son pinceau (Cat., 41). Le thème du peintre et du modèle[61], de l'art dans sa pratique, corollaire de celui de l'atelier, n'est pas un sujet nouveau pour Picasso. Il apparaît en filigrane tout au long de son œuvre et de façon explicite à certaines périodes. Une toile de 1914, qui annonce le retour au style classique, en est la première apparition. En 1926, ayant reçu commande de Vollard pour illustrer Le Chef-d'œuvre inconnu de Balzac, Picasso exécute, parallèlement aux dessins préparatoires, une grande toile en grisaille unissant dans un fouillis de traits la figure du modèle à celle du peintre. De ce réseau d'entrelacs, émerge un pied énorme, comme si Picasso avait tenu à évoquer le fameux tableau de Frenhofer. Une gravure de 1926, montre le peintre, face au modèle assis en train de tricoter, et le fouillis de traits qu'il en fait sur sa toile. Le mythe du chef-d'œuvre absolu, l'attitude suicidaire du peintre Frenhofer qui, à force de perfectionnement, rend son tableau invisible, l'opposition entre le modèle réel figuratif et sa transcription picturale abstraite, le choix enfin à faire entre l'art et l'amour, entre la créature et la création..., tous ces thèmes qui forment la trame du livre de Balzac hanteront désormais Picasso jusqu'à l'obsession.

Toute sa vie, il reviendra à ce mythe fondateur de la création, qui définit l'artiste comme un être égal à Dieu, capable de donner la vie, ou plutôt l'illusion de la vie, à une matière inanimée. Mais Picasso n'est pas Frenhofer, son art n'est pas voué à la destruction, ses figures vivent parce qu'elles sont aussi des tableaux. En 1933, le thème se déplace et s'objective avec la série de L'Atelier du sculpteur de la Suite Vollard, qui présente le sculpteur confronté au modèle et à sa représentation sculptée, donc concrète. La permutation stylistique

56
M. Leiris, «Le peintre et son modèle», Au verso des images, Montpellier, Éd. Fata Morgana, 1980, p. 50.

57
Ibid., pp. 54-55.

58
H. Parmelin, Picasso, le peintre et son modèle, Paris, Éd. Cercle d'Art, 1965, p. 114.

59
Zervos, XXIII, 173-180.

60
M. Leiris, op. cit, p. 64.

61
Titre initial de l'exposition.

Rembrandt et Saskia, Mougins, 13-14 mars 1963

Le Peintre et son modèle, Avignon, été 1914. Musée Picasso, Paris

Le Peintre et son modèle, Paris, 1926. Musée Picasso, Paris

entre l'œuvre et le modèle est toujours présente, mais
l'écart entre la femme réelle et l'image peinte est remplacé par le contact direct, manuel, physique avec
l'œuvre et sa conséquence logique, le repos (amoureux)
du sculpteur avec le modèle. Vingt ans après, avec la
série de Verve, Picasso continue l'exploration de ce
thème essentiel. Mais nous avons vu que les artistes
barbus, intemporels sont remplacés par des peintres
fortement individualisés jusqu'à la caricature. Picasso,
conscient de la fragilité du métier de peintre, passe de
l'idéalisme au prosaïsme, à la dérision ironique. «Le
pauvre peintre»! avait-il coutume de dire. Le Peintre et
son modèle donne naissance à une série de portraits
d'hommes illustrant le prototype du Peintre[62] affublé
de chapeaux divers - celui noir du rapin, ou bien le
chapeau de paille de Van Gogh -, barbu, vêtu d'un
tricot rayé (comme Picasso) et parfois avec une cigarette au bec. C'est un véritable personnage en chair et
en os que Picasso cherche à créer. «Le bonhomme-
peintre», disait-il. «J'ai même fait sa chaussure et son
pantalon.»[63] Peintre besogneux, acharné «éternel
suppôt de chevalet…, avec ses instruments de
torture»[64], Picasso traitait avec familiarité et une gen-
tille moquerie, ce double de lui-même, l'artiste-peintre.
«Ah si j'étais artiste-peintre!», disait-il à Brassaï[65], re-
grettant de n'avoir plus la naïveté des peintres impres-
sionnistes, ou même des peintres du dimanche. «Il croit
qu'il va s'en tirer, le pauvre!»[66] Michel Leiris, analysant la signification profonde du thème du Peintre et de
son modèle, y voit deux éléments sous-jacents: celui du
regard, du voyeurisme, la mise en scène de l'acte de
regarder, point de départ de la création, «l'œil, la
main», et celui de l'ironie sur la profession, la mise en
scène de l'acte de peindre. À travers ces scènes multiples, Picasso se pose toujours la question: qu'est-ce
qu'un peintre? Un manieur de pinceaux, un barbouil-
leur, un génie méconnu, ou un créateur démiurge qui
se prend pour Dieu? Dans l'exposition renouvelée de
ce scénario, il tente également de saisir l'impossible,
l'alchimie secrète, qui s'opère entre le modèle réel, la
vision et le sentiment de l'artiste, et la réalité picturale.
Lequel de ces trois éléments l'emportera et comment
conserver l'authenticité de chacun? «Pas de peintre

Peintre et modèle
tricotant, illustration
pour Le Chef-d'œuvre
inconnu de Balzac,
1926

Le Peintre, 18 mai
1963 V

sans modèle», dit-il, marquant une fois de plus son «indéfectible attachement au monde extérieur»[67].

«Ça, moi, le sujet ne m'a jamais fait peur» dit-il encore. «C'est de la blague de supprimer le sujet, c'est impossible. C'est comme si tu disais : faites comme si je n'étais pas là... même si la toile est verte, eh bien le sujet, c'est le vert.»[68] À force de peindre ce thème, Picasso pousse la relation entre le peintre et le modèle jusqu'à sa conclusion ultime : le peintre étreint son modèle, abolissant ainsi la distance, l'obstacle de la toile et transformant la relation peintre et modèle en relation homme ou femme. «La peinture est un acte d'amour», écrit Gert Schiff[69], et John Richardson : «Le sexe une métaphore pour l'art, l'art une métaphore pour le sexe.»[70] Encore une série, dans un style de plus en plus allusif, en mars 1965[71], puis c'en est fini pour ce thème. Il semble que ce motif n'était qu'un prétexte, d'où le caractère plus littéral que pictural, et parfois anecdotique de cette série. Picasso raconte l'histoire de la peinture, dit plus qu'il ne peint, ne pouvant peindre l'acte de peindre, c'est pourquoi il privilégie le style sténographique, cette peinture-écriture en signes et idéogrammes. À partir de 1964, «la peinture est plus forte que lui». Il la laisse couler, déborder, agir, sortir de la toile. Après ce corps à corps avec la peinture, il passe à la peinture du corps, puis au corps de la peinture, «élevant ainsi le processus matériel de la peinture jusqu'à la matière de la peinture elle-même».[72]

1963-1973 : LES ARCHÉTYPES

LE NU, LA FEMME : LA PEINTURE DU CORPS

Après 1963, l'iconographie si riche et si variée des dix premières années, qui puisait allègrement dans les images du passé, devient secondaire par rapport à la forme picturale. C'est dans les gravures que le récit continue. Il n'y a plus de référence directe aux thèmes anciens, ni de compositions à plusieurs personnages. Picasso privilégie les figures isolées, les archétypes, et se concentre sur l'essentiel : le nu, le couple, l'homme déguisé ou mis à nu, une façon pour lui de parler de la femme, de l'amour, et de la comédie humaine.

Après avoir isolé le peintre dans une série de portraits, il était logique que Picasso peigne aussi le modèle seul, c'est-à-dire la femme nue allongée sur un divan, offerte au regard du peintre, au désir de l'homme. Une des caractéristiques de Picasso, par rapport à Matisse, et à bon nombre de peintres du XXe siècle, est qu'il prend comme modèle, comme muse, sa propre femme, celle qu'il aime, avec laquelle il vit quotidiennement, et jamais un modèle professionnel. Ce qu'il peint n'est donc pas un «modèle» de femme, mais la femme-modèle. Cette différence a des conséquences aussi bien dans le domaine affectif que pictural, car la femme aimée est «peinture», et la femme peinte est la femme aimée ; il n'y a donc pas de distance possible. D'autre part, Picasso ne peint jamais d'après nature, Jacqueline ne pose pas pour lui, mais elle est là, partout, toujours présente. Toutes les femmes de ces années sont Jacqueline, et en même temps, ce ne sont que rarement des portraits. L'image de la femme qu'il aime est un modèle inscrit au fond de lui-même, qui ressurgit à chaque fois qu'il peint une femme, de la même façon que lorsqu'il peint un homme c'est à son père don José qu'il pense.[73]

Dans la série des grands Nus de 1964 (Cat., 35, 36 et 39), les références artistiques sont indirectes : «Vénus, Maya, Olympia», écrit à juste titre Christian Geelhaar[74]. La position de la femme aux bras levés, montrant ses aisselles, rappelle la Maya desnuda de Goya, et la présence du petit chat noir l'Olympia de Manet. Ce chat noir n'est pas qu'un attribut érotique, puisqu'il s'agit d'un vrai chat que Picasso et Jacqueline avaient trouvé et recueilli à Mougins. Les premiers nus, massifs, volumineux, sont allongés sur un lit, et vus de profil, tout en offrant à la vue toutes leurs parties - les deux jambes aux énormes pieds, les deux fesses, les deux seins -, ce qui contraint le corps à se tordre, à se plier pour occuper toute la surface de la toile. Picasso reste fidèle au simultanéisme issu du cubisme, à ce désir de saisir la réalité sous tous les angles à la fois. Puis en 1967, il fait pivoter le corps, tout en gardant le visage de profil, pour le ramener à une vue frontale. Cette mise en perspective, ce raccourci qui présente au premier plan le dessous des pieds, l'oblige à répartir les

62
Zervos, XXIV, 148-166, 177-183, 190-202, 214-243...

63
H. Parmelin, 1966, op. cit, p. 109.

64
H. Parmelin, Les Dames de Mougins, Paris, Éd. Cercle d'Art, 1964, pp. 18-19.

65
Brassaï, Conversations avec Picasso, Paris, Gallimard, 1986, p. 150.

66
H. Parmelin, 1966, p. 113.

67
A. Breton, «Pablo Picasso», in Le Surréalisme et la peinture, Paris, Gallimard, 1965, p. 117.

68
H. Parmelin, 1966, pp. 56-57.

69
G. Schiff, «Suite 347 or Painting as an Act of Love», in cat. Picasso in Perspective, Englewood Cliffs (N.J.), Prentice-Hall, Inc, 1976, pp. 163-167.

70
J. Richardson, «Les dernières années de Picasso : Notre Dame de Vie», in cat. Pablo Picasso, Rencontre à Montréal, Montréal, Musée des Beaux-Arts, 1985, p. 91.

membres autour d'un point central qui est le sexe (Cat., 49).

Ces nus «couchés» que l'on dirait assis ou debout, comme le Nu couché du Musée Picasso (Cat., 48), présentent un corps disloqué, malmené, dans lequel toutes les parties sont sans dessus-dessous mais qui reste cependant intact. Ce travail sur le corps féminin n'est pas sans évoquer les manipulations et déformations des Baigneuses de Dinard. Mais, à cette époque, les corps étaient de profil, leurs membres simplifiés s'assemblaient comme les éléments d'un puzzle, ou bien ils étaient gonflés comme des ballons, vus, de toute façon, plus comme des machines sexuelles que comme des nus. Maintenant Picasso cherche à garder l'unité du corps, sa cohésion, et, en effet, quelles que soient les simplifications, «tout y est». «Je cherche à faire le nu comme il est», dit-il. «Si je fais un nu, on doit penser: c'est un nu, pas celui de Mme Machin.»[75] Dans cette obsession du nu il y a plusieurs facteurs: le désir de traduire la réalité physique et charnelle du corps - faire en sorte qu'une toile soit tellement vraie, «naturelle» qu'on ne voie plus la différence, disait-il; avec Braque, quand on regardait des peintures, on se disait: est-ce que c'est une femme ou un tableau... est-ce que ça sent sous les bras?»[76] -, et la fascination pour le mythe féminin qui tourne à la fin de sa vie à la hantise. Les femmes peintes de ces dernières années restent jeunes et attirantes; elles sont arrogantes, parfois comiques, ont des formes massives et rebondies, des proportions colossales, alors que dans les derniers dessins et dans les gravures, la vieillesse et la dégradation les atteignent parfois cruellement, tragiquement. Cette vision d'un corps morcelé, éclaté, et cependant uni malgré la dispersion, correspond à un certain état de l'érotisme féminin, proche de l'implosion, et à la volonté d'emprise que ressent Picasso, l'homme et le peintre, sur le corps de la femme, objet de désir et éternel sujet de peinture. Picasso est en effet Le peintre de la femme: déesse antique, alma mater, mante religieuse, baudruche gonflée, femme en pleurs, hystérique, corps lové comme un œuf ou abandonné dans le sommeil, amas de chairs offertes, pisseuse réjouie, mère féconde ou courtisane; aucun peintre n'aura été aussi loin dans

le dévoilement de l'univers féminin, dans la complexité de sa réalité et de ses fantasmes. Cette connaissance intime et passionnée est un perpétuel rebond pour sa peinture qui jouit de la variété de ce registre formel et plastique, tour à tour minéral ou charnel, éventail infini qui lui donne accès à toutes les métamorphoses. Le corps de la femme est l'obstacle sur lequel il projette son désir d'homme et son élan créateur. L'écart entre l'art et la réalité, la différence irrémédiable entre l'homme et la femme, lui permettent de garder la tension, et c'est pourquoi l'obsession du peintre et de son modèle, qui se transforme en relation érotique, suscite une production d'une extraordinaire fécondité, le surgissement d'une nouvelle peinture. La violence de l'érotisme, féminin et masculin, que Picasso matérialise dans sa peinture, s'exprime de façon concrète dans le thème du baiser.

Nu couché, Mougins, 24 octobre 1967. Collection particulière

LE BAISER, L'ÉTREINTE, LE COUPLE

L'homme et la femme, le couple infernal sous toutes les postures : «au fond, il n'y a que l'amour» disait-il[77], et ses fougueuses étreintes ; le réalisme cru de ses Baisers disent bien la place qu'occupe la passion physique dans sa vie. Dans ces Baisers (Cat., 65, 66) en gros plan cinématographique, les deux profils sont confondus en une seule ligne, les nez s'entrechoquent, se plient en forme de huit, les yeux exorbités remontent vers le haut du front renversé, les bouches se dévorent ; de deux êtres, Picasso n'en fait qu'un, exprimant ainsi la fusion charnelle qui s'opère dans l'acte du baiser. Jamais la puissance érotique n'aura été suggérée avec autant de réalisme. Il met à nu de façon totalement explicite la sexualité dans les Étreintes (Cat., 70) : «l'art n'est jamais chaste»[78] dit le peintre qui brandit son pinceau pour peindre en détail, comme un graffiti, phallus et copulation. Puis d'autres couples surgissent : la sérénade (Cat., 75), le joueur de flûte, les mangeurs de pastèques… dans lesquels les objets deviennent des substituts érotiques. En 1969, Picasso peint une série de natures plus vivantes que mortes, bouquets de fleurs et plantes voraces (Cat., 67, 69) qui sont encore une façon de dire la vision organique qu'il a de la sexualité.

Cette série constitue le dernier hommage du vieil homme aux plaisirs sensuels et charnels de la vie. Puis, l'Étreinte du 26 septembre 1970 (Cat., 74) présente la femme seule et une tête d'homme fantomatique ; le Couple du 18 août 1971 (Cat., 81) montre un vieillard impotent soutenu par une femme. Il semble que l'amour ne soit plus possible. Pourtant en juin 1972, surgit de nouveau une dernière Étreinte (Cat., 93) : un couple à l'étrange posture dont les membres s'entremêlent à tel point qu'il est impossible de distinguer l'homme de la femme, ni quoi est à qui, malgré les indications précises des deux sexes, des seins, la présence de quatre pieds, et de quelques mains… Sorte de bête à deux têtes, dont les visages s'effacent ou ne sont indiqués que sommairement, et qui sombre dans la mer. Ce recours à l'élément liquide, à l'hybride, est plus l'image d'une bisexualité primaire, d'un état fusionnel, que d'un érotisme en action. Picasso aura poussé jusqu'au bout les mystères de la vie.

L'HOMME - LA COMÉDIE HUMAINE

Si la femme est montrée dans tous ses états, jusqu'à celui, le plus terrifiant, de ce dernier Nu couché (Cat., 131), misérable sexe béant, araignée aux quatre pattes, mi-squelettiques, mi-masculines et poilues, dont le corps est tellement ramassé qu'il semble rentrer au sein de lui-même, l'homme, par contre, apparaît toujours jouant un rôle, ou déguisé, peintre au travail ou mousquetaire-matador, bardé de ses attributs de virilité : la longue pipe, le sabre ou l'épée. Un dernier personnage surgit en effet, en 1966, dans l'iconographie de Picasso, et domine cette période au point d'en devenir l'emblème, c'est celui du gentilhomme du Siècle d'Or, mi-espagnol, mi-hollandais, vêtu d'habits chamarrés, portant fraise, cape, bottes et grand chapeau à plume. «C'est arrivé, quand Picasso s'est mis à étudier Rembrandt», dit Jacqueline à Malraux[79]. D'autres sources ont été évoquées[80], mais qu'ils viennent de Rembrandt, de Velázquez, de Shakespeare, de la petite barbiche de Piero Crommelynck, ou de celle de son père, tous ces mousquetaires sont de toute façon des hommes travestis, des galants romanesques, soldats virils et arrogants, vaniteux et dérisoires malgré leur superbe. Vêtu, armé, casqué, l'homme est toujours vu en action. Le mousquetaire prend parfois un pinceau et redevient le peintre. Picasso revient en fait, avec cette série, à ses premières amours. Aux acrobates et saltimbanques de sa jeunesse - errants marginaux, fragiles et androgynes -, succèdent, à la fin de sa vie, les personnages de mascarade - gentilshommes burlesques du roman picaresque, héros baroques du Grand Siècle, aventuriers chevaleresques. Pierrot et Arlequin font une dernière apparition, mais la silhouette gracile de l'Arlequin mercuriel cède le pas à un personnage trapu, masqué et brandissant de façon agressive sa batte. Son goût du passé, qui le fait puiser ses thèmes dans l'Antiquité, puis dans le Moyen Âge, et le XVIIe siècle, son refus de la mode, l'incitent à faire revivre ces peintres d'un autre temps ou ces hidalgos aux riches atours. De surcroît, sentant ses forces viriles l'abandonner, Picasso puise une nouvelle jeunesse dans les équipées galantes de ses mousquetaires, qui surgissent, comme le fait remarquer Christian Geelhaar, pendant sa convales-

71
Zervos, XXV, 53-87.

72
K. Gallwitz, Picasso Laureatus (son œuvre depuis 1945), Lausanne/Paris, La Bibliothèque des Arts, 1971, p. 70.

73
«Chaque fois que je dessine un homme, involontairement c'est à mon père que je pense… Pour moi, l'homme c'est «don José» et ça le restera toute ma vie… Il portait une barbe… Tous les hommes que je dessine, je les vois plus ou moins sous ses traits», in Brassaï, op. cit., p. 71.

74
Ch. Geelhaar, «Themen 1964-1972», in cat. Picasso. Das Spätwerk, op. cit.

75
A. Malraux, La Tête d'obsidienne, Paris, Gallimard, 1976, p. 110.

76
H. Parmelin, Voyage en Picasso, Paris, Robert Laffont, 1980, pp. 82-83.

77
Picasso à Tériade, L'Intransigeant, 15 juin 1932, paru dans Verve, vol. V, n° 19-20, 1948.

78
A. Vallentin, op. cit., p. 268.

cence. Matisse lui aussi, après sa maladie, relisait Les Trois mousquetaires.[81] Rêveurs et nostalgiques, ils sont souvent associés au jeune Cupidon, armé de sa flèche meurtrière, rappel de l'aiguillon du désir (Cat., 56). Les fumeurs de pipe (Cat., 53, 57 et 62) - au-delà du goût personnel de Picasso pour cet objet qui remonte au temps du cubisme -, sont aussi une façon de pallier la frustration. «L'âge nous a forcé à abandonner (la cigarette), dit-il à Brassaï, mais le désir reste. C'est la même chose avec l'amour.»[82] L'homme n'est plus pour Picasso le sculpteur jupitérien, au faîte de sa maturité, ni le monstrueux Minotaure, symbole de la dualité, mais un personnage de fiction, un fantoche de carnaval dont l'identité, la vérité, se trouvent dans le masque et dans les signes. Malraux rapprochait à juste titre ces figures de celles, plates et emblématiques du tarot. Ce n'est pas sans humour enfin que Picasso crée ces personnages dont il suit les aventures amoureuses dans les gravures. Peindre en 1970 des mousquetaires! Figures ornementales dont les habits sont aussi prétexte à des flamboiements de rouge sang et de jaune d'or, à la résurgence d'une «hispanidad» retrouvée. Un autre personnage à l'épée voisine avec les mousquetaires, c'est celui du Matador, reconnaissable à sa coiffure, et dont la tragédie est réelle. Dernier souvenir de sa passion pour la corrida, il représente pour Picasso, le vrai héros, celui qui risque, qui affronte et qui tue.

Parallèlement à ces figures baroques, Picasso peint une galerie de portraits d'hommes «en majesté»: visage allongé et barbu, yeux immenses au regard interrogateur, cheveux longs avec ou sans chapeau, écrivant ou fumant, ces Têtes (Cat., 76, 78) sont une dernière concession du peintre au «trop humain». Par opposition aux mousquetaires qui ont tous le même visage, ces portraits sont de véritables portraits fortement caractérisés, invidualisés. L'un ressemble à un hippie, l'autre à un prophète, ou à un évangéliste... Picasso s'amusait d'ailleurs avec ses amis Édouard Pignon et Hélène Parmelin à les identifier, évoquant leurs particularités, leurs expressions, leurs personnalités. «Les personnages-peinture prennent le pas sur la peinture.»[83] Cette confrontation avec le visage humain,

qui fait de Picasso le grand portraitiste du XXe siècle, le ramène à la confrontation avec lui-même, avec le peintre, jeune ou vieux. Concession à l'expression humaine avec les Têtes, et hommage à la vie, à l'enfance avec la Maternité (Cat., 83) et la Paternité (Cat., 82). Mère et enfant, vieil homme et enfant, père, mère et enfant, Sainte Famille qui rappelle les thèmes de la période bleue et rose. Plus Picasso vieillit, et plus il se rapproche de son enfance. Dans les dessins et les gravures, l'adolescent innocent, opposé au vieillard (les âges de la vie), apparaît maintes fois, et l'un des derniers tableaux est celui du Jeune peintre. Au seuil de sa mort, Picasso se projette dans cette vision floue, brossée en quelques traits sur une toile blanche, d'un jeune peintre timide et étonné tenant son pinceau et portant l'éternel chapeau. Son pendant, légèrement antérieur est Le Vieil homme assis. Portrait fatidique du «vieux» peintre, ce tableau flamboyant (Cat., 73), qui condense en une seule image plusieurs références picturales, formelles et symboliques, représente en fait le plus émouvant et le plus tragique des autoportraits. Portrait du vieux peintre à la fin de sa vie[84], mais aussi de Matisse évoqué par La Blouse roumaine, de Van Gogh (le chapeau), de Renoir (la main tronquée), et de Cézanne (le jardinier Vallier); tous réunis ici pour dire le drame du peintre au seuil de la mort, l'accablement du savoir et le poids de l'être, la solitude et la nostalgie d'un regard qui a tout vu et au dernier moment se souvient des images essentielles, la passion violente enfin de la peinture à laquelle l'un sacrifia son oreille et l'autre les mains. Mais Picasso reste Picasso jusqu'au bout, et l'élan vital qui l'anime transforme la vieillesse en apothéose, dont témoignent la véhémence du pinceau, les tourbillons de couleurs fauves, les ratures et les dégoulinures de matière.

Il n'y a plus qu'un visage à affronter, c'est celui de la Mort, et pour ce faire, Picasso lui donne son propre visage, et la pluralité de ses styles.
Quatre dessins de 1972, dans lesquels Picasso associe ses traits ou des figures antérieures à une tête de mort, résument diverses écritures picturales qui surgissent du passé. L'un évoque le cubisme et le crâne des Demoi-

79
A. Malraux, op. cit., p. 11.

80
Cf. Ch. Geelhaar, op. cit., pp. 30-32.

81
P. Schneider, Matisse, Paris, Flammarion, 1984, p. 740.

82
Brassaï, «The Master at 90 - Picasso's Great Age Seems only to Stir up the Demons Within», The New York Times Magazine, 24 octobre 1971.

83
H. Parmelin, 1980, p. 81.

84
Équivalent en quelque sorte de La Tristesse du Roi de Matisse qui apparaît aussi comme un dernier Autoportrait.

Le Matador, Mougins,
4 octobre 1970.
Musée Picasso, Paris

Le Jeune peintre,
Mougins, 14 avril
1972. Musée Picasso,
Paris

selles d'Avignon, le deuxième inscrit un profil proche de ceux de Marie-Thérèse dans une tête minérale qui rappelle les Baigneuses de Dinard ; et le troisième (Cat., 123), tête de femme (Dora Maar) ou tête d'homme avec ses cheveux longs, reprend la torsion des deux parties du visage des années quarante. Le dernier (Cat., 124), le plus réaliste, rappelle les traits marqués, le nez, les grands yeux ouverts de l'Autoportrait de 1907. Des flèches bleues cernent le visage, la bouche muette est dite par trois barres, et les couleurs, le vert et le mauve, sont celles, comme le remarque Pierre Daix, de la Nature morte[85] faite après la mort de Gonzalez. Picasso regarde la mort dans les yeux, ne cache plus rien, a tout dit et atteint la vérité du masque. Quand les deux faces, celle de la réalité et celle de l'art, se superposent, c'est que la fin est proche. « J'ai fait un dessin, hier, je crois que j'ai touché à quelque chose…, ça ne ressemble à rien de déjà fait. » Et, raconte Pierre Daix, « il tint le dessin à côté de son visage pour bien montrer que la peur qui y est inscrite était inventée. »[86] L'Autoportrait de la mort en dessin, puis en peinture, un dernier mousquetaire dont le visage disparaît pour faire place à un oiseau[87], ce sont les « derniers » Picasso…[88]

LE STYLE TARDIF : UN LANGAGE D'URGENCE

Le caractère le plus frappant de la période tardive est sans conteste la vitalité. Elle se traduit par la prodigieuse quantité de la production et par la rapidité, la véhémence de l'exécution, l'une étant le corollaire de l'autre. À preuve de la quantité, quelques chiffres, chiffres à mettre au compte d'un homme de quatre-vingt-huit ans dont la fécondité à cet âge reste exceptionnelle dans l'histoire de la peinture : 347 gravures entre mars et octobre 1968, 167 peintures entre janvier 1969 et janvier 1970, 194 dessins entre décembre 1969 et janvier 1971, 156 gravures entre janvier 1970 et mars 1972, 201 peintures entre septembre 1970 et juin 1972. Autre exemple, sur les vingt-trois volumes du catalogue de Zervos, 13 sont consacrés aux vingt dernières années. Quant à la rapidité, une des causes de la quantité, l'autre étant le principe de la répétition, elle

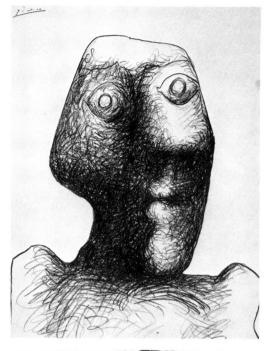

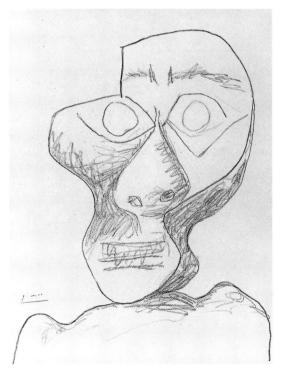

à gauche :

Personnage à
l'oiseau, Mougins,
13 janvier 1972.
Courtesy Thomas
Ammann Fine Arts,
Zurich

Tête, Mougins, 2 juillet
1972. Collection
particulière

à droite :

Tête, Mougins, 3 juillet
1972

Buste de femme au
chapeau, 9 juin 1941.
Musée Picasso, Paris

page suivante :

Le Peintre et nu assis,
Mougins, 3 décembre
1964 1

est le signe du sentiment d'urgence qui habite Picasso à ce stade de sa vie. Accumulation et vitesse sont les seuls moyens de défense qui lui restent dans sa lutte sans merci contre le temps. Chaque œuvre créée est une part de lui-même, une parcelle de vie, un point gagné contre la mort. «J'ai de moins en moins de temps, dit-il, et de plus en plus à dire»[89], ce qui lui permet de gagner du temps, d'aller plus vite, c'est le recours à la convention, à l'abréviation formelle, à la figure-archétype qui concentre l'essentiel de son discours.

Le style tardif, qui apparaît au cours de l'année 1964, se caractérise par la juxtaposition de deux écritures picturales : un style sténographique elliptique, fait d'idéogrammes, de signes codifiés dont on peut dresser un inventaire, et une peinture matérielle, épaisse et fluide, brossée hâtivement, avec des dégoulinures, des empâtements, des traces de pinceau apparentes. Picasso associe donc une écriture-peinture à une peinture-peinture, sorte de picturalité littérale qui met à nu et laisse agir la matière. L'élaboration du graphisme primaire s'est faite à travers les Ateliers, les Ménines, puis s'accomplit dans Le Peintre et son modèle de 1964 (Cat., 41). Le visage du peintre est alors suggéré par une sorte de X, qui relie les yeux, le nez et la bouche, et le modèle est réduit à ses contours essentiels. «Un point pour le sein, un trait pour le peintre, cinq taches de couleur pour le pied, quelques traits roses et verts... ça suffit, non ? Qu'est-ce que j'ai besoin de faire plus ? Qu'est-ce que je peux ajouter à cela ? Tout est dit.»[90] Ce schématisme, ces raccourcis, correspondent au désir de peindre et de dessiner dans le même temps : «Il faut à la fin, quand on regarde, que le dessin et la couleur, ce soit la même chose»[91], et à une volonté de simplification : «en ce moment, sur mes toiles, j'en fais de moins en moins»[92] ; de moins en moins de peinture aussi, d'où ces couches très minces et légères et l'importance accordée au blanc de la toile. Pour Picasso, peindre, c'est dire ; d'où ses propos : «ce qu'il faut, c'est nommer les choses...». «Je veux dire le nu, je ne veux pas seulement faire un nu comme un nu ; je veux seulement dire sein, dire pied, dire main, ventre... trouver le moyen de dire et ça suffit.»[93] C'est pourquoi au fur et à mesure de sa recherche, il adopte ces signes codifiés

qui résument et signifient chaque partie du corps, et dont l'image entière exprime le nu. «Il suffit d'un seul mot quand on en parle.»[94] Le recours à l'écriture est en effet une façon d'abolir la distance entre la chose à dire et le moyen de la représenter, afin que l'image soit l'objet. Ce besoin d'aller à l'essentiel, à la simplification est sans doute une caractéristique des œuvres tardives. De la même façon que Matisse à la fin de sa vie arrive à dessiner à vif dans la couleur, Picasso arrive à peindre en dessinant. Mais il ne se contente pas de cette écriture un peu sèche et la peinture gestuelle, souple, empâtée, qui apparaissait dans Les Femmes d'Alger et certains Déjeuners, envahit la toile du Peintre et son modèle de 1964 (Cat., 40). Cette peinture sans entraves, qui n'obéit à aucune règle, qu'aucun contour ne cerne, qui s'étale en tourbillons, arabesques, flammèches, ratures et giclées, est l'expression de l'énergie prodigieuse qui anime encore le vieux Picasso.

À partir de 1965, les deux styles se fondent, à tel point

85
Nature morte au crâne de taureau (1942), Kunstsammlung Nordrhein-Westfalen, Düsseldorf.

86
P. Daix, Picasso créateur, op. cit. p. 378.

87
Zervos, XXXIII, 274.

88
Il semble difficile de dire avec précision quelles furent les dernières œuvres exécutées par Picasso. Jacqueline confie à A. Malraux, op. cit. (p. 82), qu'il s'agit du Mousquetaire à l'oiseau, mais le Nu couché et tête (Zervos, XXXIII, 398) du 25 mai 1972 est considéré par J. Richardson comme le dernier Picasso. En dessin, on trouve un Nu et une Tête d'homme à l'oiseau, datés 5 et 11 novembre 1972 (Zervos, XXXIII, 531, 532).H. Parmelin publie dans Voyage en Picasso un dessin daté du 23.12.1972, Le clown et l'écuyère.

89
Cité par K. Gallwitz, op. cit., p. 166.

90
H. Parmelin, 1966, p. 19.

91
H. Parmelin, 1965, p. 40.

qu'on ne distingue plus ni dessin, ni forme, ni couleur, ni composition. Les traits épais et les lignes dynamiques qui suggèrent la tension et les formes sont pris dans la superposition des couches, qui, par le jeu de la transparence, crée de subtiles gammes de tons. La figure semble surgir de ce magma dans lequel peinture et dessin, unis dans la même surface, sont le corps de la peinture, sa chair et son armature. En fait, Picasso déforme plus qu'il ne forme. Si l'on compare ces toiles à celles de 1939-1942 qui en sont proches (on retrouve en effet le même patchwork décoratif fait de rayures, étoiles, quadrillages et gros traits, ainsi que les mêmes postures), on s'aperçoit que, jusqu'aux toiles de la dernière période, Picasso cernait les formes d'un contour, les inventait, les traçait, imposant ainsi sa vision à la matière, alors que désormais c'est la matière, la peinture elle-même qui «forme»[95]. Il semblerait que la figuration résulte plus d'une volonté de la figure elle-même, que d'une décision de la forme.

Parmi les signes caractéristiques de la période d'Avignon, on peut citer les yeux en forme d'épingle à cheveux, le sexe en forme d'arête de poisson, les pieds et les mains énormes en forme d'éventail avec des cercles pour les doigts et les orteils, des huit couchés (∞) pour le nez, des spirales pour les oreilles, des tourbillons pour les cheveux, les chapeaux en forme de double ellipse avec un pompon, et certains motifs décoratifs récurrents, comme les rayures, les carreaux, les étoiles, les flèches, les arêtes, et les gribouillis informes et nerveux. L'emploi de ces signes primaires qui évoquent le dessin d'enfant («il m'a fallu toute une vie pour apprendre à dessiner comme eux»[96], dit-il), associé à des modèles ornementaux répétitifs, crée une sorte de «pattern-painting». Certains éléments, comme la flèche, l'arête de poisson, le point et le trait ont une résonance symbolique d'ordre sexuel évidente. La peinture est le résultat d'une pénétration, de la fusion des éléments mâle et femelle. «Au début, le motif, insertion de l'énergie, sperme. L'œuvre en tant que créatrice de la forme matérielle : foncièrement féminin. L'œuvre en tant que sperme décidant de la forme : foncièrement mâle», écrit Paul Klee dans son Journal[97]. Cette nouvelle manière de peindre, dans laquelle cer-

tains à l'époque n'ont vu que «gribouillages incohérents exécutés par un vieillard frénétique dans l'antichambre de la mort»[98] - ce que contredisent la virtuosité et la sûreté d'exécution des dessins et des gravures -, est donc tout à fait délibérée. Elle est le résultat d'un long acharnement à faire «parler» la peinture, à se soumettre à ses propres lois. Il faut se débarrasser de l'art, disait Picasso, «moins il y a d'art, et plus il y a de peinture».[99] Ce désir de perdre le contrôle, de décider de moins en moins - «je ne choisis plus» dit-il encore -, est une autre caractéristique du style tardif, comme en témoignent les propos de Matisse, qui déclare, à la fin de sa vie, «vouloir céder à l'instinct», et regrette d'avoir été «freiné par sa volonté, d'avoir vécu la ceinture bouclée».[100] Le grand âge est en effet, pour certains, la possibilité d'une résurrection, d'un second souffle. Libéré du passé - et Picasso lui a magnifiquement réglé son compte -, le vieux peintre peut tout se permettre, transgresser les lois, enfreindre le métier, puisque plus rien ne lui est permis. Une des preuves de la nouveauté de ce style, en est le blocage perceptif de la part du public. Ce ne sont pas les déformations qui l'ont troublé (peut-être les sujets ?) - Picasso était allé autrement plus loin dans ce domaine entre 1939 et 1943 -, mais bien la manière de peindre, l'apparent «non-finito», le caractère d'esquisse, de brouillon, l'aspect «bad-painting», que seuls les peintres sachant peindre peuvent se permettre. «Il faut savoir être vulgaire, peindre avec des gros mots»[101], disait Picasso, et «chaque jour, je fais pire.»[102] Ce qui se traduit par une peinture sale, boueuse, avec des a-plats écrasés, des contrastes violents de couleur pure, et la création de monstres hybrides, dans lesquels l'humain se fond à l'animalité la plus frustre. Paradoxalement, ce style «bâclé» donne parfois naissance à une peinture onctueuse, fluide, raffinée, digne des grands Espagnols, à de subtiles gammes de rose, bleu, gris, pâles et tendres, couleurs de l'enfance. Cet «argot de l'art» dont parle David Sylvester, ce refus du conformisme, de l'enfermement dans un style, dans l'élégance, sont la dernière manifestation de l'anarchisme irréductible de Picasso. Après avoir tout appris, il faut tout oublier. «La peinture reste à faire», disait-il, comme si elle n'était

92
Ibid., 1965, p. 30.

93
H. Parmelin, 1966, p. 111.

94
Ibid.

95
«Il y a un moment dans la vie, quand on a beaucoup travaillé, où les formes viennent toutes seules, les tableaux viennent tout seuls. Tout vient tout seul, la mort aussi...», in P. Cabanne, Le Siècle de Picasso, t. II, Paris, Denoël, 1975, p. 412.

96
R. Penrose, Picasso, op. cit., p. 361.

97
Cité par Ch. Geelhaar, op. cit., p. 60.

98
Propos de Douglas Cooper, Connaissance des Arts, n° 257, juillet 1973, p. 23. Propos qui peuvent en fait être retournés comme un gant. «Gribouillages incohérents»... est une manière délibérée ; «vieillard», certes, mais a-t-on vu souvent «vieillard» animé d'une telle vitalité ? Et : «antichambre de la mort», bien sûr, puisque Picasso peint face à la mort.

99
H. Parmelin, 1964, p. 3

encore que dans une phase primaire, comme si le «Late Style» était la mise en forme du chaos, la peinture des origines qui donne de l'informulé les images essentielles.

L'autre élément symptomatique de la dernière période est le recours à la répétition comme mode de création. Picasso a toujours privilégié la série, et les variations, par rapport au concept de chef-d'œuvre, unique et achevé. Avec les variations sur les maîtres anciens, il systématise le procédé ; l'œuvre est l'ensemble des toiles sur le même thème, et chacune d'elle n'est qu'un maillon de l'ensemble, un moment suspendu de la création. Ce qui l'intéresse, «c'est le mouvement de la peinture, l'effort dramatique d'une vision à l'autre, même si l'effort n'est pas poussé jusqu'au bout,... J'en suis arrivé au moment où le mouvement de ma pensée m'intéresse plus que ma pensée elle-même»[103], dit-il. Ce vagabondage de l'esprit, ce refus de la fixité, de l'achèvement, qu'il traduit par la formule : «finir une œuvre, c'est l'achever, la tuer, lui enlever son âme, lui donner la puntilla comme au taureau»[104] est significatif de son rapport au temps, à la durée. «Le rôle de la peinture c'est d'arrêter le mouvement»[105], dit-il encore. «La vitesse, dira Octavio Paz, lui permet d'être à deux endroits à la fois, d'appartenir à tous les siècles sans lâcher le lieu et l'instant présents. Il n'est pas le peintre du mouvement dans la peinture, il est plutôt le mouvement devenu peinture. Il peint par nécessité urgente et surtout ce qu'il peint, c'est l'urgence. Il est le Peintre du Temps.»[106] La répétition, signe d'un art conceptuel qui s'intéresse plus au mécanisme de la création, au procédé qu'au résultat, est aussi pour lui une recherche de la perfection, une façon, en explorant la pluralité des styles, d'atteindre la vérité : «Si je cherche la vérité dans ma toile, je peux faire cent toiles avec cette vérité...»[107] «Je fais cent études en quelques jours, tandis qu'un autre peintre peut passer cent jours sur un seul tableau. En continuant, j'ouvrirai des fenêtres. Je passerai derrière la toile et peut-être quelque chose se produira.»[108] Extrapolation enfin du cubisme dans l'espace et la durée, puisque, dans la même toile, à la vision simultanée d'un objet sous toutes ses faces, succède la multiplicité des toiles sur le même sujet.

L'HÉRITAGE PICASSO

La dernière période de Picasso pose le double problème de la «vieillesse» en peinture et de la jeunesse de l'œuvre, de la fin et du commencement, c'est-à-dire de l'actualité de ces toiles ultimes, de leur résonance possible sur l'art d'aujourd'hui. Peut-on dire de Picasso, comme Baudelaire l'a dit dans une formule ambiguë de Manet, qu'il n'est «que le premier dans la décrépitude de [son] art ?»

Nous avons vu que le dernier Picasso présente toutes les caractéristiques du style tardif des grands peintres, que l'on trouve par exemple chez Titien, Rembrandt, Goya ou Cézanne. Tendance à la simplification, concentration sur l'essentiel, liberté totale vis-à-vis de la manière, du style, prépondérance du passé et retour tardif de l'initial, ce qui se traduit chez lui par la remontée, sous une autre forme, du sentiment expressionniste et des thèmes de la période bleue, par des couleurs crues aux contrastes aigus, une écriture primaire et véhémente, et surtout par l'identification du peintre à sa peinture, du sujet à l'objet. Le grand âge est souvent une forme de retour à l'immédiateté de l'enfance, à la force convaincante de la naïveté et à une certaine fraîcheur de vision. Juvénilité que la psychanalyse expliquerait par la «liquidation» du refoulé («meurtre du Père», a-t-on écrit à propos de sa relation avec les maîtres du passé) et l'affirmation du principe de plaisir, résultant de la libération de l'instinct vital qui coïncide enfin avec l'objet du désir.

Tout en restant prudent, et en ne se livrant pas à des interprétations psychanalytiques réductrices de l'œuvre, l'on ne peut s'empêcher de constater, à la lumière de cette dernière période, à quel point le cheminement de sa vie, comme les méandres de son art, sont proches du parcours de l'analyse freudienne. Comme si Picasso avait, dans les successives étapes de sa démarche créatrice, donné forme aux pulsions de l'inconscient, incarné et matérialisé «l'inconscient corporel...».[109] Étant en résonance étroite avec les forces externes cosmiques de l'univers - d'où son côté sorcier - et avec les structures internes psychiques de son être, c'est-à-dire avec les mythes initiatiques et les fondements du pouvoir créateur, Picasso suit, dans les

100
P. Schneider, Matisse, op. cit., p. 663.

101
P. Cabanne, op. cit., p. 347.

102
Ibid., p. 308 et 449.

103
Cité par K. Gallwitz, op. cit., p. 166.

104
R. Penrose, op. cit., p. 561.

105
H. Parmelin, 1966, p. 41.

106
O. Paz : Marcel Duchamp on the Castle of Purity, Londres, Cape Galiard Press, 1970.

107
H. Parmelin, 1966, p. 83.

108
R. Penrose, op. cit., p. 47.

109
Cf. M. Gagnebin : «Érotique de Picasso», Esprit, janvier 1982.

«chemins de la création», la cohérence et la logique du rêve, de ces associations multiples, à tiroirs et à double fond, qui font surgir l'image des voies les plus mêlées. Par ailleurs, à la fin de sa vie, l'impuissance menaçante puis réelle, le pousse à utiliser pleinement le ressort de la bisexualité[110]. Sous-jacente auparavant, elle apparaît de façon explicite pendant cette dernière période, dans la connaissance intime du corps féminin, dans la permutation qu'il fait souvent dans les dessins entre les deux sexes, et dans le désir de fusion avec la femme, comme avec la peinture : la bisexualité lui permet, en explorant le champ féminin, de compenser la puissance sexuelle par la puissance de créer.

José Bergamin[111] divise l'œuvre de Picasso en trois étapes : le repliement (cubisme), la fureur (Guernica) et l'extase (la dernière période) qui correspondent aussi aux trois âges de la vie. Et c'est bien d'extase qu'il s'agit dans cette œuvre où Picasso affirme plus que jamais la dimension érotique de la vie, dans l'amour comme dans l'art, et peint avec une furia jamais vue. Extase, cela veut dire transmutation et sublimation d'ordre physique et charnel que l'on peut opposer à l'état de grâce auquel Matisse parvient à la fin de sa vie, et qui est bien le signe de la spiritualité immanente à sa démarche créatrice (Que choisir, du paradis matissien ou de l'enfer Picasso ? De l'Âge d'Or ou de l'Âge d'homme ?). Picasso demeure en effet, jusqu'au bout, le peintre de l'homme, de la chair, de l'amour physique, d'où son attachement à la figure, à la densité matérielle des toiles, et cette obsession de la mort, comme seul obstacle à la vie. «Éros et Thanatos», Picasso est-il comme certains l'ont écrit, le dernier peintre de la Renaissance, «le dernier représentant de l'héritage grec ?»[112] Ce genre de propos, formulé en 1966, était dicté par une vision moderniste et progressiste de l'histoire de l'art, qui tendait à enfermer Picasso dans la culture classique humaniste dont il est certes issu, et lui opposait à tout bout de champ, Duchamp : «Ils pillent le magasin de Duchamp, répondait Picasso, et ils changent les emballages.»[113]

Or, il semble plutôt que le Picasso de la fin retrouve ses origines, son «hispanidad», se rapprochant ainsi des grands Espagnols, peintres et poètes du XVIIe siècle, qui allient leur souci du réalisme à la fiction, faite de fantaisie et d'imaginaire, et tirent leur spiritualité de la matière. Cervantès, Gongora, Quevedo, Calderón, Velázquez sont ses véritables pères, et il est sans doute le dernier représentant du Siècle d'Or espagnol, de ce baroque fait d'outrance, de prosaïsme, de dérision et de magnificence. Dans cette vision du monde où «la vie est un songe», une comédie, une pièce de théâtre (et c'est bien ce qui ressort, comme le dit Brigitte Baer, des dernières gravures), l'homme porte un masque, et le tableau est un miroir. Tour à tour arlequin, puis Minotaure et mousquetaire, l'artiste se déguise pour mieux se révéler. «L'art est un mensonge qui nous fait comprendre la vérité», écrit Nietzsche. Toute sa vie, rapporte Malraux, Picasso a cherché le masque, c'est-à-dire le signe, le symbole, le résumé, le fétiche : du masque nègre aux «tarots» d'Avignon, c'est en effet toujours la même quête. Mais si le masque primitif ou roman renvoyait à une autre réalité invisible d'ordre sacré ou divin, ceux de Picasso ne renvoient à rien d'autre qu'à la peinture, à lui-même, au pouvoir créateur. Prise au piège de ce jeu de miroirs et de masques, d'«auto-intoxication» par indigestion de peinture, la sienne et celle des autres, la démarche de Picasso justifierait-elle la sévère critique de Lévi-Strauss : «C'est une œuvre qui apporte moins un message original, qu'elle ne se livre à une sorte de trituration du code de la peinture. Une interprétation au second degré, un admirable discours pictural beaucoup plus qu'un discours sur le monde». «Picasso a contribué, dit-il encore, à resserrer cette espèce de monde clos où l'homme en tête à tête avec ses œuvres s'imagine qu'il se suffit à lui-même. Une sorte de prison idéale et plutôt morne.»[114] L'analyse structuraliste est tout aussi insuffisante que la critique moderniste, et toutes deux semblent faire bien peu de cas du courage exemplaire de l'homme, de l'originalité irréductible de l'œuvre : «un art essentiellement inapte à devenir le conformisme d'une époque ou d'une société quelle qu'elle soit», écrivait, en 1955, Maurice Jardot[115]. L'analyse de cette dernière période, des variations aux archétypes, montre qu'en fait Picasso n'est pas seulement Cronos

110
Cf. M. Gagnebin : «Picasso iconoclaste», L'Arc, n° 82, 1981. Il y a, dit-elle, un «lien entre le processus de la création et la conquête de la bisexualité psychique... la bisexualité, hantée par le manque, semble ordonner l'espace de la créativité» (on voit mal en effet Picasso se contenter d'un seul sexe).

111
J. Bergamin, préface à Picasso Laureatus de K. Gallwitz, op. cit.

112
H. Télémaque, Arts n° 61, 1966, p. 37.

113
H. Parmelin, 1980, p. 71.

114
C. Lévi-Strauss, Arts, n° 60, 1966, pp. 40-41.

115
M. Jardot, introduction au catalogue de l'exposition Picasso. Peintures 1950-1955, Paris, Musée des Arts Décoratifs, 1955.

évorant ses enfants afin d'arrêter le temps, ni Prométhée enchaîné, puni d'avoir volé le feu divin, mais plutôt - tel le Phénix - il renaît éternellement de ses cendres, puisant son énergie dans un processus constant de déconstruction-construction, de mort et de résurrection. «L'on est à soi-même son propre Prométhée, à la fois celui qui dévore et qui est dévoré.»[116] Il vit ses antagonismes et sa dualité comme une tension dynamique, ressort de sa vitalité, et assume avec lucidité, qu'après tout, «il n'y a rien derrière le miroir» que le vide et le néant. Picasso, peintre du vide (du néant, donc de l'Étant, si l'on en croit Heidegger)[117]. Vide ressenti et traduit de diverses façons; exprimé paradoxalement par son obsession accumulatrice, confirmé par sa vision cosmique de l'univers et suggéré enfin par la confrontation mentale et plastique que l'on trouve dans les derniers dessins et gravures entre le sexe féminin, matrice de vie, trou béant qui se montre, et le visage-masque qui cache la mort. D'où les malentendus et l'incompréhension du public d'Avignon, autant choqué par la forme, qu'insensible à un sens qui lui échappait. «Les héritiers de ses formes rejetaient son esprit, les héritiers de son esprit n'acceptaient pas ses formes», écrit Malraux.[118] «Picasso a confondu le plaisir de peindre avec la création», disait Martial Raysse en 1966 (lui qui le premier est revenu au plaisir de peindre).

AVIGNON: LE JUGEMENT DERNIER

Les deux expositions d'Avignon (décidément un nom magique pour Picasso... du «bordel» au Palais des Papes, en passant par la période de 1914) apparaissent comme une plaque tournante de l'histoire de la peinture de la fin du XXe siècle. Passées inaperçues aux yeux d'une génération d'obédience strictement formaliste et post-matissienne, violemment critiquées par certains, et louées seulement par quelques admirateurs inconditionnels[119], elles se révèlent aujourd'hui, par rapport au contexte artistique contemporain, dans toute leur richesse, leur nouveauté, leur audace. Picasso en Avignon: «le pape de l'art moderne en exil».[120] Un accrochage en hauteur et par séries, des

tableaux sans cadre, une mascarade exubérante et colorée d'hommes à l'épée, de couples, de femmes nues, et de portraits graves, défilant en rang serré sur les murs nus de la chapelle comme des ex-voto sacrilèges, constituent le Jugement dernier du vieux Picasso. Une peinture «pleine de bruits et de fureur» dans laquelle tout bouge et résonne, renvoyant d'une toile à l'autre, les cliquètements des sabres, le panache des plumes, la torsion des corps, l'hallucination des regards, la stridence de la couleur, la frénésie de la touche. Picasso nous livre là son testament artistique. Cette ultime étape est en fait la source de nouvelles potentialités picturales, l'ouverture vers un renouvellement du langage figuratif, un plaidoyer en faveur du pouvoir lyrique retrouvé de l'image peinte. Il semble que le dernier Picasso ait joué sur le développement des années quatre-vingts un rôle de phare, de référent comparable à celui que jouèrent les papiers découpés de Matisse sur la décennie soixante-soixante-dix. Redécouverte favorisée par la distance, «il faut l'oublier pour le

116
H. Parmelin, 1966, p. 120.

117
Heidegger: «la manière de questionner sur le néant a la fonction d'un instrument de mesure et d'un indice pour la manière de questionner vers l'Étant». Cité par M. Gagnebin, L'Arc, op. cit.

118
A. Malraux, op. cit. p. 78.

119
Voir à ce sujet le texte de Guy Scarpetta.

120
K. Levin, «Die Avignon-Bilder», in cat. Picasso. Das Spätwerk, op. cit., p. 68.

Exposition Picasso 1970-1972, 201 peintures, Palais des Papes, Avignon, 1973

redécouvrir»[121] (et Picasso a connu le Purgatoire), et par le contexte artistique contemporain, celui du retour à la peinture, à la figure, au néo-expressionnisme, à la subjectivité, qui rendent désormais possible la perception de ces toiles et en font mieux comprendre l'enjeu. Il semble même que l'avant-garde actuelle ait repris le problème là où Picasso l'avait laissé en 1973: invention d'une nouvelle écriture picturale, fondée sur la liberté et le spontanéisme absolus, expression d'un univers fantasmatique et obsessionnel, mythologie collective ou personnelle, esthétique brutale, primaire du «mal-peint», du non-fini, citations picturales et mise à nu de la matérialité de la peinture. Héritage qui contredit ainsi le verdict sévère de Roger Caillois, «je ne le vois, écrivait-il en 1975, à l'origine de rien!»[122] Leçon de peinture pure, donc, donnée par un peintre qui, séparant l'essence de la peinture de l'art de peindre, a ainsi évité l'éternelle question de «la fin de la peinture». Peinture qui en définitive n'en finit pas de «mourir». «Qu'est-ce qu'elle fera la peinture quand je ne serai plus là? Il faudra bien qu'elle me passe sur le corps! Elle ne pourra pas passer à côté, non?»[123]

Et l'on s'aperçoit aujourd'hui que les peintres «peintres», qu'ils soient «faiseurs» de peinture ou «discoureurs», sont toujours hantés par les problèmes fondamentaux soulevés par la démarche de Picasso, et que pose nécessairement le tableau: les infinies possibilités plastiques de la figure et son inscription dans l'espace de la toile, le fonctionnement symbolique de l'image (le masque, le miroir, le mur), l'identité de l'artiste, l'histoire de la peinture, etc. Leçon aussi de l'engagement total du créateur dans son œuvre: «chaque tableau est une fiole de mon sang», disait-il. Engagement qui n'est pas, comme le souligne Michel Leiris, l'expression d'un pathos romantique car il s'accompagne d'une lucidité ironique, consciente que l'enjeu de l'art est le jeu. Comme tout Espagnol, Picasso a le sens du comique, parfois cruel, grotesque et sombre. «Qu'est-ce que cela veut dire aller plus loin, franchir le mur du son avec une toile? Ça veut dire ne rien faire dessus? Faire n'importe quoi? ou bien ça veut dire être Van Gogh?»[124] En d'autres termes, le dépassement du réel, est-ce l'abstraction, le nihilisme, ou le drame intérieur de

l'artiste, son angoisse profonde? Plus l'artiste va loin en lui-même, plus il va loin en peinture. En agrandissant son univers personnel aux mythes universels, son histoire à l'Histoire, Picasso fit de son art «un discours sur le monde».

Enfin, le dernier message qu'il nous livre dans cette apothéose finale est tout simplement celui de l'enthousiasme, denrée devenue rare en ces temps de démoralisation esthétique. Picasso a vécu jusqu'au bout, aimé jusqu'au bout, créé jusqu'au bout, donnant l'exemple accompli du retour à «l'enfance» de l'art, ce moment où tout est toujours à commencer. «Cela s'appelle l'Aurore...», disait Godard...[125]

121
J. Hélion, «Le courage illimité de Picasso», L'Arc, n° 82, 1981, pp. 44-48.

122
R. Caillois, «Picasso le liquidateur», Le Monde, 28 novembre 1975.

123
P. Cabanne, op. cit., p. 411.

124
H. Parmelin, 1966, p. 24.

125
Citant Giraudoux (dans Électre) à la fin de Prénom Carmen, film également tourné vers la mémoire du cinéma, l'âge (ou la maladie) de l'artiste, le film dans le film...

L'ÉPOQUE JACQUELINE

John Richardson

Picasso fit la connaissance de Jacqueline Roque à l'été 1952, peu après que les Ramié eurent demandé à la jeune femme de s'occuper de leur Galerie Madoura, à Cannes. Au cours des deux années suivantes, Picasso allait voir de plus en plus souvent cette jeune et séduisante divorcée, mais il ne la fit entrer dans son œuvre qu'à l'été 1954. Les 2 et 3 juin, il exécuta deux peintures de Jacqueline (Zervos, XVI, 324 et 325) qui comptent parmi les plus radieux de tous ses portraits tardifs. Deux ans, c'était beaucoup plus qu'aucune autre femme avant elle n'avait dû attendre pour se manifester dans l'iconographie de l'artiste. Et pourtant, ces œuvres offraient de meilleures assurances que n'importe quelle déclaration d'amour, comme leur modèle devait me le dire des années après: «Comment aurais-je pu avoir le moindre doute sur les intentions de Pablo?»

La première fois que je vis ces formidables images aux allures de sphinx, peu après leur exécution, il me sembla difficile de les assimiler à la présence douce et modeste de Jacqueline. Mais j'ai appris à la longue à apprécier l'exactitude de la ressemblance. On pouvait faire confiance à Picasso pour percer à jour le singulier mélange d'innocence enfantine et de ruse, de masochisme, de passion et de possessivité, qui sous-tendait le tempérament de Jacqueline. Et puis, les traits étaient tellement plus accusés dans ces portraits hiératiques qu'en réalité. Jacqueline avait un petit cou, qui était devenu une sorte de colonne dans les peintures. Et elle tenait plus souvent les yeux baissés dans une attitude soumise que braqués devant elle de manière agressive. Faut-il en déduire que Picasso avait «voulu améliorer la situation du modèle» comme il l'avait fait de son propre aveu pour l'impécunieux Angel de Soto, peint en frac? Dans sa biographie de Picasso, Patrick O'Brian, qui gardait quelque rancune contre Jacqueline, affirmait que l'artiste devait penser à Sylvette David ou à Geneviève Laporte lorsqu'il exécuta ces portraits. On y perçoit assurément certains reflets des devancières de Jacqueline, mais les choses ne sont pas si simples en vérité. Picasso, qui avait une mémoire visuelle phénoménale, avait discerné instantanément la ressemblance entre Jacqueline et le personnage de droite dans Les Femmes

d'Alger de Delacroix, d'où la position accroupie à l'orientale. Toutefois, il affirmait aussi que Jacqueline était le portrait d'Alice Toklas. «Je ne plaisante pas. Pour moi, c'est un compliment, déclara-t-il. J'ai toujours eu envie de faire son portrait. Alice n'a pas toujours été voûtée et moustachue comme maintenant; quand je l'ai connue, elle faisait beaucoup d'impression, comme Jacqueline. Fais-lui enlever son chapeau, et tu verras.»

Dès qu'Alice revint le voir dans l'atelier, Picasso mit ses paroles à exécution: il arracha l'énorme chapeau noir à aigrette qui dissimulait le visage de la vieille femme et l'agita devant son chien, tout en faisant remarquer malicieusement la ressemblance de sa visiteuse avec Jacqueline et les portraits. Malgré la moustache et la longue cigarette, il était possible de comprendre ce qu'il voulait dire, et pourquoi il avait conféré à Jacqueline l'apparence hiératique d'Alice. Dans les mois qui suivirent, une transformation typiquement picassienne s'opéra. Tout comme, un demi-siècle plus tôt, Gertrude Stein s'était mise à ressembler de plus en plus au célèbre portrait que Picasso avait fait d'elle, Jacqueline allait prouver la justesse des prémonitions de l'artiste manipulateur en se conformant à la nouvelle personnalité qu'il lui avait assignée. Et les innombrables peintures, dessins et gravures de Jacqueline que Picasso exécuta dans les deux décennies suivantes restent remarquablement fidèles à la conception première, à cela près que la sérénité originelle se voile de douleur ou d'inquiétude, et est souvent teintée d'angoisse.

Trois mois devaient encore s'écouler entre l'exécution des deux premiers portraits et les débuts officiels de l'«époque Jacqueline». Picasso attendit son retour de vacances (il allait passer quelque temps chez ses amis les Lazerme à Perpignan, puis il était descendu à l'auberge des Templiers à Collioure) pour partager son toit avec Jacqueline. La maison de Vallauris était au nom de Françoise Gilot. La villa Ziquet que Jacqueline habitait à Golfe-Juan était trop petite. Aussi allèrent-ils s'installer à Paris, dans l'atelier de la rue des Grands-Augustins. Et là, Picasso peignit une suite de Jacqueline inspirée des deux grands prototypes réalisés en juin. Ces peintures confirmaient une fois pour toutes que la «petite Roque» était devenue la nouvelle _inamorata_, une femme aimée qui allait rester aux côtés de l'artiste jusqu'à sa mort sans jamais s'éloigner plus de quelques heures, comme elle devait l'affirmer plus tard. Ces premiers portraits sont marqués au sceau de la tendresse mutuelle, une tendresse teintée de mélancolie, comme si le peintre et le modèle ressentaient l'un pour l'autre une certaine compassion. Celui de _Jacqueline à l'écharpe noire_ (Zervos, XVI, 331) daté du 11 octobre 1954 renvoie, par le biais du dessin de Rosita Manolo exécuté un ou deux mois auparavant, aux jeunes filles étiolées de la période bleue. Certaines de ces images donnent à penser que Jacqueline éprouvait déjà les ennuis de santé qui assombrirent ses premières années auprès de l'artiste, et aussi que, malgré son amour esclave et extatique, certains aspects de leur vie commune la contrariaient, à commencer par la façon dont les amis de Picasso qui lui battaient froid naguère étaient soudain devenus tout sucre et tout miel avec elle. «Je ferais bien de m'en méfier, me dit-elle, ils arrivent toujours avec des cadeaux.»

À Paris, Picasso se lança dans une série de variations sur _Les Femmes d'Alger_ de Delacroix (la version plus tardive de Montpellier comme celle, plus célèbre, du Louvre) auxquelles il songeait depuis quelque temps. «Il m'avait souvent parlé de faire une interprétation libre des _Femmes d'Alger_», écrit Françoise Gilot, ajoutant que Picasso l'emmenait au moins une fois par mois au Louvre. Toutefois, Françoise n'avait pas le type de Delacroix. Alors que Jacqueline en était l'incarnation même, et pas seulement par sa physionomie. Les trois _Femmes d'Alger_ de Delacroix ont toutes ce torse court et ramassé que nous trouvons dans d'innombrables peintures de Jacqueline, surtout les dernières, et manifestent pareillement la docilité patiente de Jacqueline à l'égard de ce pacha absent mais constamment présent qu'est le peintre. Et puis il y a le rapport avec l'Afrique. Comme le fit observer Picasso, «Ouagadougou n'est peut-être pas Alger, mais Jacqueline a tout de même une origine africaine».

Cette poussée d'orientalisme avait un autre aspect, plus sombre. Le 3 novembre, Matisse, le seul artiste que Picasso considérait comme un rival sérieux, mourut à Nice. «Au fond, il n'y a que Matisse», aimait à dire Picasso, comme en écho à l'avertissement de Matisse à une religieuse de Vence : «Il y a une seule personne qui ait le droit de critiquer ma chapelle, c'est Picasso.» L'ironie était son seul recours face au chagrin. «Il est mort, et moi je continue son travail», déclara-t-il. Et il annonça à Roland Penrose, sur le ton de la boutade sardonique : «Matisse m'a légué ses odalisques». Matisse était le seul autre artiste depuis Delacroix à avoir exorcisé «le sentimentalisme pittoresque qui est la malédiction de l'orientalisme en général», devait-il dire à Douglas Cooper. Le fait est que _Les Femmes d'Alger_ de Picasso n'ont rien de pittoresque ni de sentimental. Outre Delacroix et Matisse, elles rappellent le cubisme ; ainsi les jambes s'entrecroisent littéralement.

Le 11 février 1955, trois jours avant la fin de cette série, Olga, son épouse abhorrée dont il était séparé depuis vingt ans, mourut à Cannes. Pour échapper à d'anciennes maîtresses qui brûlaient de l'épouser maintenant qu'il était enfin libre, l'artiste s'enfuit de Paris. Il retourna dans le Midi avec son nouvel amour pour chercher à s'y installer. De fait, la maison qu'il trouva, la grandiose villa La Californie (que la reine Géraldine d'Albanie avait louée quelques années) avait une allure orientale. Picasso expliqua à Pierre Daix qu'à force de penser aux _Femmes d'Alger_, il avait fini par tomber sur une maison assortie, pour ainsi dire. «C'est toujours comme ça avec la peinture. D'ailleurs, Delacroix avait déjà rencontré Jacqueline...» Et, aurait-il pu ajouter, on était en pleine guerre d'Algérie.

Comme à chaque changement de maîtresse, tout le reste changea dans la vie de l'artiste : pas seulement son domicile, mais aussi son poète, son cercle d'amis, son chien et, surtout, son style. Il voyait de plus en plus Jean Cocteau, pour qui son affection serait toujours mêlée d'un certain mépris, et de moins en moins les intellectuels et communistes parisiens, même s'il devait rester membre du parti jusqu'à la fin de ses jours. Il se lia avec une société bigarrée de toreros, photographes, collectionneurs, imprimeurs et potiers. Il entra en possession d'un teckel nommé Lump et d'une chèvre baptisée Esmeralda. Le train de vie de Picasso s'accordait avec son environnement. Le seul ennui, c'était que sa gloire grandissante l'obligeait à subir des sièges répétés dans sa villa. Heureusement, Jacqueline apportait un soutien indéfectible.

La ressemblance entre Jacqueline et Les Femmes d'Alger continua à donner une inflexion orientaliste au style de Picasso. Témoin, les peintures de Jacqueline en costume turc ou en djellaba, sur fond de houppe de palmier et de fenêtres mauresques de La Californie. De nombreuses peintures de Jacqueline dans l'atelier reflètent par leur caractère décoratif la fierté que Picasso tirait de sa nouvelle maison et de sa nouvelle maîtresse. L'artiste était plus satisfait, ou moins insatisfait, que depuis quelques années, et cela contribua largement à faire de cette période l'une des moins démoniaques, et donc des moins dévorantes qu'il ait connues. Mais les nuages ne tardèrent pas à s'amonceler. Un soixante-quinzième anniversaire arriva fort inopportunément. Dans le même temps, le mouvement insurrectionnel en Hongrie indisposa Picasso à l'égard de l'URSS, sans aller jusqu'à ébranler sa foi dans le communisme. Entre-temps, Jacqueline était tombée malade à plusieurs reprises. L'artiste, loin de compatir, lui en voulait pour ces défaillances. «Quand les femmes sont malades, c'est leur faute», me dit-il un jour devant sa maîtresse souffrante. Et s'il avait su lui donner le beau rôle dans ses premiers portraits d'elle, il était tout aussi capable de faire l'inverse. De subtiles modulations des portraits permettaient à Picasso de vénérer Jacqueline, de l'humilier ou de la mettre à l'épreuve, de traduire l'amour, la colère ou le désir et même, à l'occasion, de prédire l'une de ses fréquentes rechutes. Cette prédiction pouvait prendre la forme d'un dessin comme celui qu'il exécuta à la Saint-Valentin de 1957 (Zervos, XVII, 330), où le portrait torturé de Jacqueline est superposé à un réseau de zigzags roses évoquant une feuille de température. Jacqueline, qui était influençable au possible, tomba malade dès le lendemain, et Picasso put s'enorgueillir de ses pouvoirs prophétiques. Un jour, il m'a montré un portrait particulièrement «souffrant» de cette période, en remarquant non sans cruauté qu'un bon médecin pouvait s'en servir pour faire un diagnostic.

Malgré ces soucis continuels, Picasso se lança hardiment, dès l'année suivante, dans un corps à corps avec

Les Ménines, le chef-d'œuvre de Velázquez. S'il avait tiré un excellent parti du Greco dans sa jeunesse, Picasso avait jusque-là reculé devant Velázquez (tout comme devant Goya). Cela se comprenait : le génie du maître résidait pour une large part dans la pure splendeur de sa peinture. Et Picasso était résolu à s'approprier l'alma española de Velázquez, pas sa facture. Le combat de titans dura quatre mois, du 17 août au 30 décembre 1957. Nuit après nuit, Picasso s'enfermait dans un des greniers de La Californie, un ancien pigeonnier où seule Jacqueline était autorisée à pénétrer. L'artiste devint si absorbé et si irritable que Jacqueline et les Pignon le surnommèrent l'«abominable homme des neiges». Au bout du compte, cinquante-huit peintures (offertes par la suite au musée Picasso de Barcelone) furent consacrées aux Ménines. La série commença par un formidable coup d'éclat : un exercice sur l'espace cubiste à la fois énorme (194 × 260 cm) et extrêmement ambigu, où le personnage de Velázquez est transformé en un géant à facettes qui domine de toute sa hauteur et les ménines et leur suite. «Regarde et tâche de découvrir où chacun [des personnages] est vraiment situé», dit Picasso à Penrose. À n'en pas douter, la Variation I est un sommet de l'investigation. À côté d'elle, les cinquante-sept autres semblent tourner autour du pot. Mais bien des étincelles ont jailli, qui annoncent les préoccupations de Picasso : l'atelier comme théâtre de la création, les relations équivoques entre l'artiste, le modèle et le spectateur, et les rapports non moins équivoques entre l'art et l'illusion. Il y a là en outre les premiers signes du retour de Picasso, dans son grand âge, à ses racines espagnoles méridionales, car Velázquez était aussi un Andalou.

Dès l'été suivant, les immeubles et les paparazzi avaient eu raison de l'isolement de Picasso. Il était temps de partir de Cannes. En 1958, Douglas Cooper et moi-même avons suggéré à l'artiste d'acheter le château de Vauvenargues, sur le flanc de la montagne Sainte-Victoire chère à Cézanne. Il l'utilisa d'abord comme un refuge à la campagne, mais c'est là qu'il exécuta certaines de ses plus belles peintures de 1959-1960, aisément reconnaissables à leur alliance héraldique d'émeraude et de carmin. Quant à la montagne Sainte-

Victoire, il la représenta sous les espèces d'un nu gigantesque (Cat., 15), telle une sculpture dont les contours épousent la ligne de faîte de la montagne. Sur quelques-uns des portraits faussement solennels de Jacqueline, dans le style de l'âge d'or espagnol, Picasso écrivit en grosses lettres : «Jacqueline de Vauvenargues». Le titre a bien pris, si l'on peut dire. Jacqueline se plaisait dans son rôle de châtelaine. Et elle caressait l'idée que Picasso (sans parler d'elle-même) serait enterré au pied du perron du château.

Finalement, le 2 mars 1961, Picasso et Jacqueline se marièrent en grand secret. En juin, ils allèrent habiter une maison élégante et bien protégée[1], dans le décor idyllique d'une colline en terrasses à la sortie de Mougins. C'était un ancien mas que Benjamin Guiness avait transformé en villa luxueuse avant la guerre. Elle portait le nom d'une chapelle de pèlerinage voisine, Notre-Dame-de-Vie, ce qui la recommandait certainement aux yeux de quelqu'un qui allait fêter ses quatrevingts ans et qui ne redoutait rien tant que la mort. Le mas de Mougins se montra digne de son nom propitiatoire. Picasso y passa les douze dernières années de sa vie, en travaillant à ce qui devait être en fait une nouvelle page de son œuvre. Ce travail, brocardé par la plupart des pontifes de la critique à l'époque, apparaît aujourd'hui (grâce surtout à deux expositions pionnières organisées par Christian Geelhaar au Kunstmuseum de Bâle en 1981, et par Gert Schiff au Guggenheim Museum de New York en 1984) comme le point d'orgue phénoménal d'une œuvre phénoménale.

À partir du Déjeuner sur l'herbe, les grands thèmes de la dernière décennie procèdent les uns des autres selon une logique en dents de scie éminemment picassienne. En l'espace de deux ans et demi (1959-1962) entrecoupés d'intermèdes, l'artiste réalisa plus de cent variations sur le chef-d'œuvre de Manet, pour finir par tourner en rond en cherchant un moyen de mener la série à une apothéose, et de conjurer définitivement le fantôme encombrant de Manet. Quoi de plus approprié et de plus ironique qu'une scène de rapt, ou plutôt une série de scènes de rapt (1er août 1962 ; cf. Je suis le cahier, n° 165)[2] où les pique-niqueurs barbus de Manet menacent des dames callipyges de leurs membres roses en

érection ? À la fin de ce carnet, Picasso exécuta une autre série de rapts (29 août 1962) : des projets pour le rideau de scène de L'Après-midi d'un faune commandé par Serge Lifar, maître de ballet à l'Opéra de Paris, que refusa le directeur Georges Auric. Le thème du rapt occupa l'artiste un ou deux mois plus tard, lorsqu'il passa une soirée, «dans le délire de peinture et l'enthousiasme», à projeter sur le mur d'un des ateliers des diapositives de L'Enlèvement des Sabines de David (Louvre) et du Massacre des Innocents de Poussin (Chantilly) que les Pignon avaient apportées de Paris à la demande de Jacqueline. La visite des Pignon coïncidait avec le quatre-vingt-unième anniversaire de Picasso (le 25 octobre) et, ce qui nous intéresse davantage, avec la «crise des fusées», un événement qui réveilla l'anti-américanisme de l'artiste pour tout ce qui concernait Cuba[3]. Ces grandes évocations néo-classiques de la violence, ajoutées à des souvenirs de ses propres scènes de rapt, incitèrent Picasso à entreprendre encore une autre dénonciation de la guerre.

La nouvelle série commença le 24 octobre, avec une variante de L'Enlèvement des Sabines qui «fait fusionner des motifs de la version de Poussin avec des emprunts à l'œuvre de David»[4]. Il fit également un plein carnet de dessins, certains d'après L'Enlèvement des Sabines de Poussin, d'autres d'une jeune fille tombant de son vélo, et d'autres enfin, qui associaient ces deux images. Dans les dix jours qui suivirent, l'artiste produisit une profusion de peintures qui mélangeaient ces motifs et leurs époques respectives : la Rome antique, la France de Louis XIII et celle de Napoléon, ainsi que la période contemporaine. Le 25 octobre, la jeune fille qui tombe de sa bicyclette et s'empale dessus (comme dans l'Histoire de l'œil de Georges Bataille, un des livres de chevet de Picasso) affronte un centurion chaussé de grandes sandales qui lui écrase les seins sur la figure avec son pied. Puis, entre le 2 et le 4 novembre, elle succombe sous les sabots de ce qu'il faut bien appeler un cheval phallocéphale monté par un guerrier phallocéphale. Le même jour (4 novembre), Picasso se lance dans une énorme mêlée générale, qui se soldera par le rapt des Sabines, plus celui de Poussin et David pour ainsi dire, et celui de l'ancien moi de l'artiste. Le seul

1
Elle n'est plus aussi bien protégée. Picasso avait fait l'erreur de ne pas acheter le terrain en contrebas de sa propriété et Jacqueline fut horrifiée lorsqu'on y construisit des bâtisses prétentieuses.

2
Je suis le cahier, Les carnets de Picasso, Paris, Grasset, 1986.

3
L'anti-américanisme de Picasso remontait au conflit hispano-américain de 1898 qui avait mis fin à la présence espagnole à Cuba. Barcelone s'était préparée à une invasion américaine. Picasso demanda à David Douglas Duncan : «Est-ce que les compagnies yankees dominent toujours Cuba, comme du temps de Maquinli et du Maan [sic] ? Il faisait allusion au président McKinley et au croiseur américain Maine dont l'explosion avait déclenché le conflit armé entre l'Espagne et les États-Unis.

4
Gert Schiff, «Les Sabines, 1962», Je suis le cahier, Les carnets de Picasso, op. cit.

défaut de ces peintures, c'est que Picasso, comme bien souvent, était parti pour fustiger la violence mais il a fini par s'en délecter apparemment. Dans son analyse magistrale de cet ensemble de peintures, Schiff reconnaît cette «fâcheuse ambiguïté. Les victimes et les agresseurs [...] sont tous traités avec une égale cruauté par le peintre. [Toutefois] le 7 février, il a achevé une grande toile qui résolvait la contradiction. Comme s'il avait exorcisé la cruauté de son âme, Picasso fut en mesure de créer l'un des témoignages contre la guerre et la violence les plus émouvants que l'on ait jamais peints». Assurément, cette vision baroque exubérante de L'Enlèvement des Sabines (Cat., 30) était sa peinture de guerre la plus saisissante depuis Guernica. Mais, sans vouloir contredire Schiff, l'artiste n'est-il pas en train de nous «assourdir la tête de son tintamarre», comme l'écrivait Wilde à propos de Swinburne? Et le «méchant» de l'histoire, le guerrier sur la droite, qui brandit son épée et piétine la mère et l'enfant avec un plaisir non dissimulé, ne présente-t-il pas une ressemblance suspecte avec l'artiste? Certes, la force des dernières œuvres de Picasso provient pour une large part de ce qu'il n'a jamais «exorcisé la cruauté de son âme». Au contraire, cet homme converti sur le tard aux principes de l'homéopathie sentait bien que le seul remède à la violence est la violence.

La peinture du Guerrier, a dit Picasso, «a failli avoir ma peau». Mais en fin de compte, elle a eu un effet cathartique sur ses angoisses politiques et personnelles, concernant la crise des fusées à Cuba et aussi, on peut l'imaginer, une crise des fusées dans son for intérieur. Mais loin de s'apaiser, la violence a engendré encore plus de violence. Tout en restant «engagé», Picasso n'a plus jamais stigmatisé la guerre[5]. Il se retourna contre l'art. Car, écrit Hélène Parmelin, «il se déclare prêt à tuer l'art moderne, donc l'art tout court, pour retrouver la peinture. C'est l'art, ce maudit art qui lui a rendu les Guerriers si tragiques à obtenir en fin de compte [...] Alors, à bas tout le monde, à bas tout ce qu'on a fait, à bas Picasso! Car c'est aussi et en même temps et tout naturellement à Picasso qu'il s'en prend et à ses manières de peindre». Et puis, conclut Hélène Parmelin, «au mois de février 1963 - plus exactement le lendemain

de son dernier Enlèvement des Sabines -, Picasso se déchaîne. Il peint Le Peintre et son modèle. Et à partir de ce moment, il peint comme un fou. Jamais encore peut-être avec cette frénésie.» Comme Picasso l'écrivit sur la toute dernière page d'un carnet (Musée Picasso, Paris, MP 1886), en prenant soin de noter la date du 27 mars 1963: «La peinture est plus forte que moi; elle me fait faire ce qu'elle veut.»

Le fait que la plupart des œuvres postérieures à 1963 gravitent autour de l'atelier reflète la vie recluse à laquelle la grande gloire et le grand âge contraignaient le vieil artiste et sa jeune épouse. Aux fléaux de la célébrité et de l'âge s'ajoutait la position inconfortable d'un peintre figuratif dans une époque vouée à la peinture non figurative. Hélène Parmelin résume ainsi le dilemme de Picasso: «Il faut donc être plus solitaire que jamais, plus acharné que jamais [...] quand on fait des figures à une époque où personne n'en fait [...] Il faut être peintre avant tout, mener une vie de peintre. Tout le reste est accessoire.» Aussi les visiteurs qui affluaient à La Californie comme à la cour d'un prince se réduisirent-ils à quelques amis intimes et collaborateurs. Hormis le voyage forcé de novembre 1965, pour subir une intervention chirurgicale à l'Hôpital américain de Paris, Picasso renonça à tous les déplacements. Il s'éloignait rarement des environs immédiats, ne fût-ce que pour aller à Vauvenargues, en s'accordant une seule dérogation pour les corridas de Fréjus (la dernière en 1970). Notre-Dame-de-Vie, et plus particulièrement ses ateliers, devint le monde tout entier de l'artiste, un microcosme de l'univers que Schiff appelle le teatrum mundi de Picasso.

Picasso pouvait faire régner autour de lui une atmosphère de bonne humeur sardonique, et il le faisait souvent, mais l'âge n'avait pas tempéré ses humeurs noires, et de fait, il avait souvent des motifs d'irritation. Entre autres la «confession» Papini. Pierre Daix, qui est de loin le biographe le plus perspicace et le plus fiable de l'artiste[6], a démenti une bonne fois pour toutes ces propos fictifs soi-disant recueillis par Giovanni Papini[7]. Dans les pires moments de cette affaire Papini, Picasso eut un motif d'indignation encore plus grave: la publication, par son ancienne compagne Françoise Gilot, de

5
Pierre Daix, qui comprenait mieux que personne l'attitude politique de Picasso, écrit que l'artiste a «suivi avec passion» les événements du printemps de Prague et de mai 1968, qu'il a lu L'Aveu et qu'il était aussi indigné par ce qui se passait en Espagne que par les points communs entre le régime soviétique et le despotisme à la française.

6
Pierre Daix, Picasso créateur: la vie intime et l'œuvre, Paris, Éd. du Seuil, 1987.

Life with Picasso[8] dont l'artiste essaya vainement d'empêcher la traduction en France.

Outre le choc causé par le livre de Françoise Gilot, Picasso constatait amèrement que d'anciens partisans le lâchaient, et d'autant plus amèrement qu'il avait le sentiment d'avoir accompli une percée colossale. Au lieu de se reposer sur ses lauriers et de produire des «Picasso» à la chaîne, il réalisait une œuvre porteuse de grandes innovations. Il éprouvait aussi de l'amertume parce que de jeunes artistes l'avaient délaissé pour de nouveaux dieux, de faux dieux, pensait-il, à commencer par Marcel Duchamp. Picasso n'a jamais pris Duchamp au sérieux, et encore moins ses sympathisants. Il disait des néo-dadaïstes qu'ils avaient «pillé le magasin de Duchamp» mais s'étaient contentés de «changer l'emballage». Pour ce qui était des expressionnistes abstraits : «Quand on veut dire du bien [de l'art abstrait], on parle musique [...] Je crois que c'est pour ça que je n'aime pas la musique.» Picasso aurait dû écouter un peu plus les conseils de Matisse, qui lui avait dit autrefois : «On ne peut bien juger ce qui vient après soi.»

Ce n'était pas la moindre cause d'amertume pour Picasso que de voir certains de ses meilleurs amis lui accorder un soutien des plus tièdes.Les vieux amis qui ne le trahissaient pas semblaient mourir l'un après l'autre. Cela aussi, c'était impardonnable. Et puis, il y avait le début de l'impuissance, et l'imminence de la mort. Malgré tous ces nuages sombres, l'œuvre de Picasso gagnait en force. Celle du début des années soixante était forte, mais celle de la fin des années soixante l'était davantage encore. Pendant ce temps, Jacqueline s'avérait une épouse idéale : patiente, avisée et absolument impitoyable dans la protection des intérêts de l'artiste. Picasso, pour sa part, s'avérait extraordinairement vigoureux pour son très grand âge. Son ouïe n'était plus aussi fine, mais il avait l'œil et l'esprit aussi vifs que jamais. Et si une grande partie de l'avant-garde s'était éloignée de lui, il pouvait encore compter sur quelques alliés dévoués. En premier lieu Edouard Pignon, avec qui il parlait peinture à longueur de temps, et sa femme polonaise, Hélène Parmelin, dont les livres sur Picasso dans l'intimité[9], depuis les années quarante jusqu'à sa mort, jettent un éclairage précieux sur une période trop récente pour avoir fait l'objet d'une documentation complète. Hélène Parmelin «est la seule personne qui ait saisi la parole de Pablo», disait Jacqueline avec raison, la seule personne à consigner les paradoxes, les feux d'artifice et les saccades de son discours, la seule à évoquer les tempêtes et passions au même titre que les menus plaisirs de la vie quotidienne de l'artiste.

Les frères Piero et Aldo Crommelynck comptaient aussi parmi les principaux habitués de Notre-Dame-de-Vie. Picasso les avait rencontrés dans l'atelier de Lacourière, où Aldo avait fait son apprentissage. Non seulement ils collaborèrent aux gravures, qui sont un des trésors de la dernière période de l'artiste, mais ils furent une deuxième famille pour lui. Les Crommelynck, leurs femmes et leurs enfants figurent dans de nombreuses gravures[10] et de nombreux dessins de l'époque. Le physique aquilin de Piero a inspiré l'aspect de certains des mousquetaires et des couples qui s'embrassent (1969) en emboîtant leurs profils et leurs langues aussi exactement que les pièces d'un puzzle. Les Crommelynck, déjà installés à Paris, avaient ouvert un autre atelier de gravure dans une ancienne boulangerie de Mougins, à l'automne 1963. Quand ils étaient là, ils venaient voir Picasso presque tous les après-midi pour lui demander s'il avait besoin de leurs services. La plupart du temps, ils étaient attendus, et ils restaient sur place pour préparer les plaques, tirer les épreuves et effectuer les corrections jusqu'à une heure avancée de la nuit. On ne saurait surestimer le rôle que ces jeunes graveurs et leurs charmantes femmes ont joué dans l'art de Picasso (témoin les 347 gravures) ainsi que dans sa vie de tous les jours. Il y avait bien sûr d'autres vieux amis qui fréquentaient régulièrement l'atelier, et le fréquentaient encore peu de temps avant la mort de Picasso. Notamment, le grand écrivain Michel Leiris et sa femme Zette (associée de Kahnweiler), David Douglas Duncan, le photographe officiel de l'artiste, des marchands suisses, tels que les Cramer et les Rosengart, des historiens d'art venus de Paris comme Pierre Daix, de Londres comme Roland Penrose, de Genève comme Jean Leymarie ou de New York comme William Rubin, et les copains catalans, à commencer par Manuel Pallarés, un ancien condisciple

7
Publiés à l'origine dans Il libro nero (1951, traduction française Le Livre noir, 1953), composé d'interviews imaginaires menées par le héros Gog auprès de personnalités diverses dont Picasso, mais aussi Stendhal, Kafka ou Valéry.

8
Ce livre rédigé avec Carlton Lake, critique d'art au Christian Science Monitor, parut en 1964, et fut traduit en 1966 sous le titre Vivre avec Picasso, Paris, Calmann-Lévy, 1965.

9
Picasso sur la place, Paris, Julliard, 1959. Secrets d'alcôve d'un atelier : Les Dames de Mougins; Le Peintre et son modèle; Notre-Dame-de-Vie, Paris, Éd. Cercle d'Art, 1966 (repris sans les reproductions dans Picasso dit, Gonthier, 1970). Voyage en Picasso, Paris, Laffont, 1980.

10
«Eh oui, j'ai gravé mon graveur et toute sa famille», déclara Picasso à Pierre Daix. Dans une des images érotiques de Raphaël faisant l'amour avec la Fornarina, le pape-voyeur a les traits de Piero Crommelynck.

de Barcelone, qui maintenaient Picasso en contact avec ses racines et son passé espagnols.

Lors d'un passage à Notre-Dame-de-Vie, autour de 1965, je trouvai Picasso en veine de confidences... de confidences sur les choses de la vie qui influençaient son travail. Il me dit que si on prenait la peine de vérifier les dates, on s'apercevrait qu'il exécutait presque toujours ses scènes de corrida le dimanche, jour traditionnel des courses de taureaux. Pour compenser son absence des arènes, il s'offrait sur le papier le spectacle qu'il avait manqué. Et comme l'imagination de Picasso était constamment en prise sur la vie réelle («Je peins comme certains écrivent leur autobiographie», a-t-il dit à Françoise Gilot), les scènes étaient en général très précisément situées dans les arènes romaines d'Arles. La silhouette du torero, svelte, élégant, figé avant l'estocade, correspondait en général à celle de Luis Miguel Dominguin. Picasso expliqua à Cocteau que Dominguin apparaissait toujours dans son dessin, même contre sa volonté. Pourtant, ajouta-t-il, «sa véritable arène, c'est la place Vendôme ; on croit qu'il n'est pas comme les autres, mais il est exactement pareil.» Cocteau s'y entendait à susciter les rosseries de Picasso.

Ce système de compensation n'était plus valable pour les corridas, me dit-il, pour la raison bien simple qu'il avait quasiment cessé d'en voir. Certes, il y faisait encore des allusions, mais surtout sous la forme de portraits de toreros, apparentés aux mousquetaires, et habillés dans le style des Tauromachies de Goya. Le taureau, symbole de puissance sexuelle, avait pratiquement disparu de l'œuvre de Picasso. L'arène ne figure pas, non plus, dans sa dernière peinture tauromachique, le grand portrait d'un matador noir originaire du Mozambique, qui lui fut inspiré par une corrida de Fréjus en octobre 1970. Ce chef-d'œuvre halluciné et hallucinant, sur lequel il avait travaillé de manière «obsessionnelle» (d'après Jacqueline), représentait son adieu aux arènes. Picasso y attachait une telle importance qu'il lui avait donné une place d'honneur à Notre-Dame-de-Vie, juste à côté de la grande Nature morte aux oranges de Matisse, et qu'il l'offrit cérémonieusement à Jacqueline. «Tu es la seule personne capable de le comprendre», déclara-t-il. Je demandai à Jacqueline si Picasso songeait au Zouave de Van Gogh en peignant ce portrait. Sa réponse fut affirmative.

Picasso ne recevant plus de stimulations de l'extérieur, puisait de plus en plus dans sa mémoire incomparable, surtout la mémoire de son enfance espagnole, et dans ce qu'il appelait son côté «romancier». Comme il l'expliqua à Otero[11], quand il dessinait, il passait des heures à observer ses «créatures» en imaginant ce qu'elles manigançaient, et c'était sa façon à lui d'écrire des romans. La littérature fut d'ailleurs une source d'inspiration constante. Il possédait plusieurs éditions espagnoles de La Célestine, tragi-comédie de Calixte et Mélibée, l'œuvre libertine de Fernando de Rojas (1499) dont le personnage de l'entremetteuse Célestine est l'héroïne d'une magnifique série de gravures picaresques (1968), illustrant un Rojas réécrit par Picasso. À côté des classiques espagnols, on trouvait dans la bibliothèque de l'artiste l'essentiel de la littérature française, des auteurs anglais comme Swift et Sterne (Picasso avait aussi un faible pour les chroniques démodées de Douglas Jerrold), des Américains comme Hawthorne et Melville, d'innombrables policiers, et bien sûr des livres d'art de toutes sortes, qui s'entassaient par terre plus souvent que sur les étagères. Cette bibliothèque éclectique recèle une mine de renseignements sur l'iconographie picassienne.

Même la télévision joua un rôle dans l'évolution du style tardif de Picasso. Jacqueline avait acheté un récepteur pour se distraire durant les longues heures de travail de son mari. Tous deux prirent goût aux vieux films. Il y en eut un en particulier, Les Lanciers du Bengale, qui fut le point de départ d'une suite de dessins, pas vraiment inspirés par les lanciers eux-mêmes mais plutôt par quelque vision orientaliste de leur adversaire, car ils représentent un sultan entouré d'odalisques aux gros seins (1968). Il se pourrait aussi que Picasso ait trouvé des idées dans de fastueux péplums hollywoodiens du genre de Spartacus. «Je ne sais pas ce qui m'arrive ces derniers temps, confia-t-il à Otero. Je ne fais que des lanciers, des mousquetaires, des guerriers et des toreros.» Mais ce qu'il aimait par-dessus tout à la télé, c'était le catch. Les rituels de ces rencontres sportives parodiaient dans une

11
Roberto Otero,
Forever Picasso,
an Intimate Look
at his Last Years,
New York,
H.N. Abrams, 1973.

certaine mesure ceux de la corrida. Il y avait de la violence, mais elle était plus burlesque que solennelle. Il y avait des costumes fétichistes, mais ils relevaient davantage de la bande dessinée que de la célébration hiératique. Il y avait des connotations sexuelles, mais elles étaient plus grossièrement tapageuses que mystérieusement sacrificielles. Picasso, qui a toujours eu une passion pour le cirque, goûtait tout particulièrement les aspects bouffons du catch. Plus les gesticulations des catcheurs étaient grotesques, et plus il se régalait, surtout quand il y avait plus de deux participants engagés dans une mêlée confuse. À la surprise de Jacqueline, Picasso devint un mordu du catch. C'était la seule chose qui pouvait le retenir hors de l'atelier. Pignon aussi adorait le catch, et les deux artistes s'avertissaient mutuellement des prochaines émissions. D'où tous ces personnages qui semblent lutter alors qu'en réalité ils font l'amour. Cela ne vient pas seulement de l'enchevêtrement des corps; il y a aussi l'impression générale de violence burlesque (Les Trois mousquetaires façon Mack Sennett) qui évoque le climat surréaliste du catch dans les dernières œuvres graphiques.

Mais revenons à ce que disait Picasso à propos des dessins qui compensent la privation d'un plaisir. Cela s'applique de toute évidence à la vie sexuelle de l'artiste, ou plutôt à son absence de vie sexuelle. Picasso confia à Brassaï: «chaque fois que je te vois, mon premier mouvement est de t'offrir... une cigarette - même si je sais très bien qu'aucun de nous ne fume plus. C'est l'âge qui nous a forcés à arrêter, mais il reste l'envie de fumer. C'est la même chose que pour faire l'amour. On ne le fait plus mais on en a encore envie.»[12]

Ainsi, l'érotisme des dernières œuvres pourrait être, à certains égards, une compensation de l'incapacité physique de faire l'amour. Mais il ne s'ensuit pas nécessairement, comme l'affirme Douglas Cooper, que les nus inquiétants qui exhibent leurs organes sexuels sont des allégories de l'impuissance. Cette interprétation négative occulte certains aspects très positifs des dernières œuvres de Picasso.

Car Picasso avait peut-être perdu sa vigueur sexuelle d'antan, mais certainement pas sa vigueur artistique. Que les premiers signes d'impuissance l'aient perturbé

ou non, le phénomène de compensation qu'il avait diagnostiqué lui permettait de considérer l'art comme une métaphore du sexe et vice versa. Les outils professionnels de l'artiste (ses pinceaux) devenaient des substituts sexuels sur une toile qui était elle-même un substitut du modèle. Parlant de son travail pour les ballets de Diaghilev, Picasso disait en 1960 à Clive Bell: «Le moment venu, on doit en général peindre le costume sur les danseurs.» Il se rappelait la soirée de la première de Parade, où il avait voulu apporter des retouches de dernière minute au costume de Lydia Lopokova. «La petite Lydia était abominable. Elle ne pouvait pas rester tranquille un instant.» Elle gâcha tout à force de gigoter et de se trémousser. Bell alla vérifier les dires de Picasso auprès de l'intéressée. «Ah oui, je vous crois, dit-elle, il me chatouillait le bout des seins avec son pinceau.» Apparemment, la danseuse s'était rebiffée, déclarant à Picasso qu'elle n'était ni une de ses toiles ni une de ses petites amies.

Quarante ans après, Picasso avait toujours le même comportement, transposé sur le mode pictural. Ainsi les nombreuses scènes d'atelier (1963-1964) où l'artiste manie ses pinceaux sur l'image peinte du modèle comme s'il lui faisait l'amour, et où il estompe la différence entre modèle «réel» et modèle «peint». À maintes reprises, un pouce phallique ou un assortiment de pinceaux planté dans le trou d'une palette en forme de bourse renvoie par analogie aux organes masculins. Très souvent aussi, l'artiste pénètre littéralement son modèle avec son pinceau. Plutôt que de voir dans ces peintures des allégories de l'impuissance, disons que l'impuissance avait fait comprendre à Picasso comment la création et la procréation pouvaient se remplacer l'une l'autre.

Il faut attribuer à l'atavisme cette obsession du sexe manifestée par Picasso, qui trouve son expression la plus exacerbée et la plus comique à la fois avec les personnages-phallus que nous voyons batifoler dans une série de gravures exécutées en novembre-décembre 1966. Picasso, ne l'oublions pas, était né à Malaga, et il restait profondément andalou dans l'âme. On s'en rend bien compte à la lecture d'une étude que David Gilmore a consacrée récemment à l'agressivité andalouse (Aggression and Community, Paradoxes of Andalusian

12
Brassaï, «The Master at 90. Picasso's Great Age Seems only to Stir up the Demons Within»,
The New York Times Magazine, 24 octobre 1971.

Culture, Yale University Press, 1987). Dans son analyse très éclairante du «machisme», Gilmore met en évidence le phallocentrisme de la société andalouse. «La conception andalouse de la sexualité souligne la primauté fonctionnelle du pénis dans l'excitation sexuelle comme dans l'orgasme. L'organe viril est l'instrument de l'instruction et les gonades mâles sont le cerveau. Le sexe est un monopole masculin. L'homme est la charrue qui laboure, la femme le sol fertile [...]. L'agressivité phallique [de l'Andalou] rétablit son intégrité menacée, sa dignité masculine [...]. Cette agressivité jointe à l'amour physique et à une curieuse haine sexuelle issue de plusieurs siècles d'écrasement l'unit au monde extérieur tout comme elle l'en protège.» Outre le machisme, Gilmore cite une autre caractéristique de l'agressivité andalouse, la notion de mirada fuerte (mot à mot «le regard fort»). «Si on parle d'une chose précieuse à un Andalou, il veut la voir, il veut la regarder. Pour dire que quelque chose est valable ou vrai, il montre son œil en se frappant la tempe[13]. Il a besoin de voir les choses, et en les voyant de les sentir, de les éprouver [...] Quand l'Andalou braque son regard sur une chose, il s'en empare. Ses yeux sont des doigts qui saisissent et explorent [...] Il y a dans la mirada fuerte de la curiosité, de l'hostilité [...] et de l'envie. Mais la dimension sexuelle n'est pas absente [...] La luminosité de l'œil est éminemment érotique [...] Dans une culture où la ségrégation sexuelle interdit même de se voir, les yeux deviennent la zone érogène par excellence. En Andalousie, l'œil s'apparente à un organe sexuel [...] un regard appuyé sur une femme s'apparente à un viol oculaire.» Gilmore parle d'un club de voyeurs dans le village de Fuenmayor. Ses membres allaient à l'église pour consulter les bans de mariage, puis le soir venu, ils épiaient les nouveaux mariés qui étaient censés «négliger quelque peu les précautions normales». Le nom de Picasso ne figure nulle part dans le texte de Gilmore, mais l'artiste n'illustrait-il pas ces théories de manière frappante (la mirada fuerte en particulier), surtout dans sa vieillesse où son imagination se ressourçait à ses racines andalouses qui faisaient sa fierté et sa honte? Il conseilla à Françoise Gilot de porter une robe noire et se couvrir la tête d'un fichu, pour que personne ne puisse voir son visage. «Comme ça, tu appartiendras encore moins aux autres. Ils ne t'auront même pas avec leurs yeux.»

Les œuvres d'art engendrent des œuvres d'art (William Butler Yeats). Si la sexualité qui imprègne l'œuvre tardive de Picasso a dissuadé de la prendre au sérieux (surtout quand des éditeurs indélicats s'en servaient pour titiller un public lubrique), les emprunts ostensibles de l'artiste à des maîtres du passé proche et lointain (Velázquez, Rembrandt, Delacroix, Van Gogh, Manet et Ingres, pour ne citer qu'eux) eurent le même effet. Encore un symptôme de ses capacités amoindries et de son imagination tarie, nous disait-on. Ce n'était pas cela du tout, en fait.

Pourquoi Picasso s'empoigna-t-il successivement avec tous ces grands peintres? S'agissait-il d'une épreuve de force comparable à une partie de bras de fer? Était-ce admiration ou insolence, hommage ou ironie, rivalité œdipienne ou chauvinisme espagnol? La situation fut différente chaque fois, mais il y eut invariablement une part d'identification et une part d'appropriation, deux aspects d'un même phénomène comme l'a signalé Freud. Freud parlait même de «cannibalisme psychique» à propos de l'identification. En s'identifiant à quelqu'un, on se l'assimile, on s'attribue ses pouvoirs. Quelle meilleure description de ce que le vieux génie prédateur s'apprêtait à faire dans ses dernières années? Picasso cannibalisait aussi ses amis. Il faisait fonctionner le magnétisme, et son moi se nourrissait de toutes les réactions affectives qu'il pouvait obtenir de ses compagnons, depuis le jugement critique jusqu'à l'adoration béate. Une journée passée avec le grand homme aboutissait à un épuisement intellectuel total. Picasso agit de même avec les grands artistes. Il engagea avec eux un combat à mort, par-delà la mort, et les dévora l'un après l'autre. Cet homme très vieux, très petit et très fragile ayant ajouté leurs pouvoirs aux siens se sentait plus puissant qu'aucun autre artiste ne l'avait jamais été, si puissant même qu'il entreprit à lui seul de mener la peinture de l'époque moderne à une apothéose. Paradoxalement, Picasso fut l'artiste le plus célèbre au monde et il eut de très nombreuses expositions, mais très rares furent ceux qui comprirent son travail, et plus rares encore ceux qui l'apprécièrent.

13
Un geste typiquement picassien.

De tous les artistes à qui Picasso s'identifia, Van Gogh est celui que l'on cite le moins souvent, et pourtant ce fut sans doute le peintre qui compta le plus dans ces dernières années. Picasso en parlait comme on ferait d'un saint tutélaire, avec une admiration et une compassion immenses, jamais avec son ironie coutumière. Van Gogh était sacré, comme Cézanne l'était autrefois. «Le plus grand de tous», disait Picasso. Hélène Parmelin raconte comment il s'était procuré auprès du conservateur du musée d'Arles la photocopie d'un article de journal, le seul document sur le geste de Van Gogh qui s'était coupé l'oreille et l'avait portée ensuite à la prostituée Rachel. Il avait l'intention de l'encadrer, chose qu'il faisait rarement. Hélène Parmelin raconte aussi un incident auquel j'assistai. On parlait d'un certain marchand qui obligeait ses artistes, ou leurs veuves, à échanger une peinture contre une Rolls-Royce. Picasso demanda assez sombrement : «Vous imaginez Van Gogh dans une Rolls-Royce ?» Ce qui devint une plaisanterie rituelle : «Vous imaginez Velázquez dans une Rolls ?» Là, je crois me souvenir que la réponse était oui. Mais Van Gogh, jamais, pas même dans une 2 CV.

À première vue, Van Gogh ne se manifeste pas très ouvertement dans l'œuvre de Picasso, en tout cas pas aussi ouvertement que Manet ou Velázquez. C'est surtout parce que cette influence ne se situe pas au niveau du style, des procédés de composition ou des fioritures anecdotiques, mais participe d'une profonde identification spirituelle. Certes, quelques-uns des paysages et les bords de mer de 1967 rappellent les turbulences orageuses, sinon l'aspect menaçant, des derniers Champs de blé de Van Gogh. Mais ce sont les peintures de l'artiste à son chevalet (1963-1964), portant une barbe rousse et un chapeau de paille, qui permettent de mesurer tout ce que le vieil Espagnol devait au Hollandais damné, par leur ressemblance générale avec les autoportraits de Van Gogh (Picasso en avait un en diapositive, qu'il aimait à se projeter sur toute la surface du mur de l'atelier).

On peut se demander pourquoi un grand artiste éprouvait le besoin de peindre des autoportraits en se donnant les apparences d'un autre grand artiste. Picasso commençait-il à perdre la notion de son identité ? Il s'agissait sans doute de bien autre chose : en abandonnant son identité pour une autre, on acquiert un certain pouvoir sur l'autre. Ces autoportraits par personne interposée donnent à penser que Picasso cherchait à s'attribuer un peu de l'identité de Van Gogh, et par osmose un peu de cette angoisse protestante qui rend les gens du Nord si sympathiques, ou si antipathiques, aux méridionaux.

Au temps mélancolique de sa période bleue, Picasso considérait Van Gogh comme un frère en esprit, le «peintre maudit» par excellence. Vers la fin de sa vie, il avait une attitude moins sentimentale à l'égard du Hollandais. Ce qu'il voulait, c'était s'allier l'âme ténébreuse de Van Gogh, pour rendre son art aussi instinctif et «paroxystique» que possible, comme il l'avait déjà fait grâce à la sculpture africaine en 1907 et grâce aux surréalistes dans les années vingt. J'ai idée que Picasso voulait aussi insuffler à ses surfaces picturales, qui n'étaient pas toujours l'aspect le plus exaltant de son art juste avant l'époque de Jacqueline, un peu de la ferveur dionysiaque du Hollandais. Le résultat fut concluant. Dans les dernières peintures, les effets de matière sont d'une liberté et d'une plasticité sans précédent. Ils sont plus spontanés, plus expressifs et plus instinctifs que dans presque toutes ses œuvres antérieures. L'imminence de sa propre fin contribua peut-être à le rapprocher de Van Gogh. Plus on examine ces dernières peintures, et plus on comprend clairement qu'elles représentent, à l'instar des paysages ultimes de Van Gogh, une suprême affirmation de vie jetée à la face de la mort.

Si Van Gogh fut un fantôme impétueux enfoui dans les profondeurs de la psyché de Picasso, que dire de Rembrandt, cet autre Hollandais dont la présence plane sur l'œuvre tardive ? Il fut plutôt, me semble-t-il, une figure de Dieu le père que Picasso devait intérioriser avant de mourir. Comme Gert Schiff et Janie L. Cohen ont analysé l'influence de Rembrandt sur Picasso[14], je ne reviendrai ici que sur un détail. Janie L. Cohen suggère que Picasso a dû travailler d'après le livre de Ludwig Munz consacré aux eaux-fortes de Rembrandt. C'est tout à fait possible, même si je n'ai pu trouver ce livre à

Notre-Dame-de-Vie en 1985. En revanche, j'y ai trouvé les six volumes du catalogue des dessins de Rembrandt établi par Otto Benesch[15]. Ce sont eux qui, selon toute apparence, ont retenu l'attention de l'artiste pendant sa convalescence en novembre 1965, à son retour de l'hôpital. Le catalogue de Benesch ouvre quelques pistes intéressantes, mais au lieu de traquer les correspondances stylistiques, il me semble plus fructueux d'essayer de déterminer la nature de l'attirance de Picasso pour Rembrandt.

L'artiste nous a donné un indice sous la forme d'une fanfaronnade œdipienne rapportée par son secrétaire Jaime Sabartés[16] et admise par tous les biographes, à l'exception de Pierre Daix : l'année de ses treize ans, déclare Picasso, son père lui «a donné ses couleurs et ses pinceaux, et plus jamais il n'a peint». Il va de soi que Don José avait fourni à son prodige de fils ses instruments de travail. Quant au reste, l'affirmation de Picasso est d'autant plus révélatrice qu'elle est inexacte, enjolivée en toute bonne foi. Car il est indéniable que, loin de se retirer devant son fils, Don José continua à peindre. Ainsi, il peignait chaque année le pigeon primé par la société colombophile de Barcelone dont il était le président. Étant donné la façon dont Picasso fantasmait sur le don symbolique de son père, rien n'interdit de penser qu'il nourrissait un fantasme analogue à l'égard d'un ancêtre autrement plus impressionnant, Rembrandt, et qu'il avait décidé de s'approprier les «pinceaux» du Hollandais. Picasso s'amusait à dire qu'il avait remboursé son père colombophile des «millions» de fois, en nature, c'est-à-dire en pigeons et colombes. Son œuvre tardive ne fut-elle pas aussi une manière de rembourser Rembrandt... en mousquetaires ? Car ses cohortes de mousquetaires prennent sans nul doute leur origine chez Rembrandt[17]. Picasso se projetait La Ronde de nuit dans toute son immensité sur le mur de son atelier, faisant ainsi passer les mousquetaires de l'Amsterdam du XVIIe siècle à son teatrum mundi où les siècles se télescopaient.

«Tous les artistes se prennent pour Rembrandt», avait dit Picasso à Françoise Gilot. Il parlait surtout pour lui-même. Quand il dédicaçait des livres (notamment à ses amis les Rosengart), il lui arrivait souvent de des-

siner un autoportrait de Rembrandt sur sa signature, comme pour que nul n'ignore cette identification. Bien avant l'apparition des allusions régulières à Rembrandt dans son œuvre, Picasso disait que le Hollandais était son type de peintre, et il exprimait volontiers son goût pour les Hollandais, qu'il préférait aux maîtres italiens jugés trop «pompiers» et trop «artistes» (une épithète péjorative dans sa bouche). Les Hollandais savaient rappeler aux gens les réalités de la vie. Je pense aussi que Picasso s'identifia d'autant mieux à Rembrandt que tous deux connurent un sort comparable vers la fin de leur vie. L'un et l'autre se replièrent dans l'isolement après avoir été des chefs d'école extrêmement entourés. L'un et l'autre furent accusés de bâcler leurs œuvres. L'un et l'autre furent délaissés pour de nouveaux dieux. Et puis, comme le suggère Janie L. Cohen, Picasso s'identifiait à l'«artiste vieillissant. Le témoignage pictural sur son propre vieillissement que Rembrandt donnait dans ses autoportraits ne laissa sûrement pas Picasso indifférent». Certes, mais nous pouvons essayer d'aller plus loin en examinant l'identification de Picasso à Rembrandt par rapport à la notion de grande œuvre tardive dans l'histoire de l'art. Picasso connaissait parfaitement cette espèce de vénération quasi religieuse que les historiens d'art éprouvent quelquefois pour la période tardive de certains artistes. Et il devait soupçonner les critiques de considérer son œuvre tardive comme une déchéance plutôt qu'une apothéose. C'était le point de vue formulé par John Berger dans La Réussite et l'échec de Picasso (dont l'édition originale parut en 1965). Selon lui, alors que Bellini, Michel-Ange, Titien, Tintoret, Rembrandt, Goya, Turner, Degas, Cézanne, Monet, Matisse et Braque avaient fait une œuvre de plus en plus profonde et originale en vieillissant, Picasso «devint un monument national et produisit des fadaises». Avec son œuvre tardive, ajoute Berger, l'artiste s'est réfugié dans un «panthéisme idéalisé et sentimental [...] Picasso est une exception marquante à la règle concernant les vieux peintres.» Ces propos firent d'autant plus mal qu'ils venaient d'un auteur marxiste que l'on pouvait croire bien disposé à l'égard de Picasso.

Dans ces conditions, il était normal que Picasso se soit

14
«Picasso's Exploration of Rembrandt's Art», Arts Magazine 58, n° 2, octobre 1983.

15
Londres, Phaidon Press, 1954.

16
Picasso : portraits et souvenirs, Paris, 1946

17
Jose L. Barrio Garay propose une deuxième origine possible dans son introduction au catalogue Picasso in Milwaukee (Milwaukee Art Center, 1970-1971). Il signale que le mot mosquetero désignai également les spectateurs du parterre dans les théâtres espagnols d XVIIe siècle. «Comme si Picasso était à présent un spectateu de sa vie et de son œuvre», remarque-t-

identifié à un maître dont l'œuvre tardive fut dénigrée par ses anciens thuriféraires, puis réhabilitée par la postérité et enfin vénérée pour son avance de plusieurs siècles sur son temps. Il était normal aussi qu'il se soit arrogé d'office les attributs de l'un des plus grands artistes de tous les temps, lui qui se considérait comme le plus grand de son époque.

Parmi les divers maîtres du XIXe siècle qui figuraient au panthéon de Picasso, Ingres occupa une place privilégiée pendant plus de soixante-dix ans. Robert Rosenblum a démontré toute l'ampleur de l'influence d'Ingres sur l'imaginaire de Picasso[18]. Je ne reviendrai donc pas là-dessus, ni sur les multiples allusions à Ingres dans l'œuvre tardive (notamment les éblouissantes variations sur Le Bain turc en 1968), ou sur la façon dont Picasso, cinquante ans après avoir convoqué Ingres pour présider à son passage du cubisme au néoclassicisme, se servit de lui pour se moquer de Raphaël. Ces correspondances iconographiques ne sont certes pas à négliger, mais elles n'expliquent pas pourquoi, encore un mois avant sa mort, Picasso parlait d'Ingres à Pignon de manière obsessionnelle. «Il faut qu'on peigne comme Ingres», déclarait-il. «Il faut que nous soyons comme Ingres.» Picasso ne voulait certainement pas parler de l'académisme d'Ingres ou du néoclassicisme qui l'avait tenté autrefois, et encore moins des positions absurdes de l'Ingres chef d'école. Comme il évoquait précisément la peinture, il ne songeait pas à la passion d'Ingres pour le dessin, même s'il a toujours partagé sa conviction que le dessin était en quelque sorte la charpente de la peinture. Alors, que voulait dire Picasso au juste?

Une réponse se présente à nous grâce à une exposition Ingres conçue dans une optique nouvelle[19]. Jusque-là, Ingres passait pour un grand peintre qui avait la fâcheuse habitude de galvauder les compositions historiques pour lesquelles il était célèbre en exécutant réplique sur réplique (une vingtaine de peintures, dessins et estampes échelonnés, sur quelque trente-cinq ans pour le merveilleux Paolo et Francesca). Aussi les historiens d'art en étaient-ils arrivés à considérer les versions successives comme des resucées sans grand intérêt. Marjorie B. Cohn a renversé ce point de vue traditionnel

dans sa préface au catalogue. Elle y démontre que, loin de faire intervenir des stéréotypes infiniment répétés, des copies de copies de copies, la démarche d'Ingres visait souvent à affirmer et peaufiner l'image originale, à la rendre plus expressive sur le plan du style, des formes et de l'anecdote. Quand Marjorie B. Cohn écrit qu'«une toile d'Ingres pouvait être achevée, mais un tableau ne l'était jamais», ne nous fait-elle pas penser au Picasso de la dernière période? De même, quand elle dit qu'«Ingres âgé ne rendait de comptes qu'à lui-même, et méprisait superbement les attentes traditionnellement suscitées par un artiste 'original'», cette remarque s'applique à merveille au Picasso âgé dont l'originalité tenait à sa capacité de réinvestir l'histoire de l'art dans une inlassable quête personnelle.

Les historiens d'art avaient peut-être perdu de vue la double orientation, vers le passé et vers l'avenir, de la trajectoire d'Ingres. Pas Picasso, qui connaissait l'œuvre d'Ingres sur le bout des doigts et devait percevoir instinctivement les similitudes avec son propre cheminement, la façon dont tous deux, au lieu de progresser d'œuvre achevée en œuvre achevée, composaient des séries de séries en perpétuel devenir. Picasso ne disait-il pas lui-même que finir une œuvre, c'était la «tuer»? Et tuer aussi une part de soi-même.

La nature de cette dynamique interne m'est apparue clairement lorsque Picasso a montré à un groupe d'amis, dont j'étais, l'impressionnante série de grands portraits de Jacqueline au lavis d'encre qu'il avait exécutée la veille ou l'avant-veille (c'était le 12 novembre 1960). Selon son habitude, il présentait ses œuvres comme si c'étaient celles de quelqu'un d'autre, analysant les dessins avec un recul qui ressemblait presque à du détachement. Lequel était «le plus fort»? Celui-ci? Pourquoi pas celui-là? Nous devions peser chaque mot, parce qu'avec sa mémoire phénoménale, Picasso était capable de nous rappeler une réponse irréfléchie (ou non) plusieurs mois, voire plusieurs années après. Bien entendu, les seules préférences qui importaient étaient celles de Picasso. Alors, quels dessins préférait-il? Presque toujours le premier de la série, et puis l'avant-dernier, celui que l'on pouvait encore modifier avant «le coup de grâce», comme il disait. Mais ce qui l'inté-

18
«Picasso and Ingres», conférence donnée à l'initiative de l'International Foundation for Art and Research le 10 janvier 1983.

19
«In Pursuit of Perfection: The Art of J.A.D. Ingres», Louisville (Kentucky), J.B. Speed Art Museum, déc. 1983-janv. 1984, et Fort Worth (Texas), Kimbell Art Museum, mars-mai 1984.

ressait par-dessus tout, c'était d'examiner la série dans son ensemble. Ainsi, il pouvait observer le fonctionnement mystérieux (même pour lui) de son génie, l'élaboration et la transformation d'une idée. D'où la datation et la numérotation scrupuleuses qui lui permettaient d'établir ce que Braque appelait «les jalons de la recherche»; une recherche dont nous suivons le déroulement, beaucoup plus lent, dans l'œuvre d'Ingres. D'où, aussi, ces carnets de la dernière période (par exemple Je suis le cahier, n° 165)[20] où Picasso a mis à profit la semi-transparence du papier pour mieux repérer les modifications successives de l'image, afin de suivre pas à pas la marche de sa pensée.

Autres similitudes entre Ingres et Picasso: les deux artistes donnaient une dimension sculpturale à leurs sujets avant de les peindre. Tous deux considéraient leur propre passé sous le même jour que le passé historique, y trouvant des sources d'inspiration inépuisables. À leurs yeux, leur passé était déjà de l'histoire. C'est ainsi que nous voyons Ingres puiser dans le répertoire de son œuvre de la même manière qu'il puise dans l'Antiquité ou dans la Renaissance. Picasso avait un comportement identique, mais bien sûr il alla beaucoup plus loin. Il suffit de comparer le célèbre Autoportrait de 1907 conservé à la Galerie nationale de Prague avec l'Autoportrait face à la mort de juin 1972 (Cat., 124) pour comprendre comment il prolongeait des œuvres antérieures dans son œuvre tardive (souvent inconsciemment) non pas parce qu'il en était réduit à rabâcher comme De Chirico ou Dalí, mais parce qu'il essayait de se surpasser sur son propre terrain. Le tableau de Prague fait figure de manifeste. Il semble dire: «Voici Picasso, le nouveau messie de l'art, Matisse n'a qu'à bien se tenir!» Soixante-cinq ans après, Picasso s'apprête à prendre son congé, et il revient tout naturellement au style et à l'esprit de cette proclamation symbolique. Les yeux énormes de l'artiste nonagénaire continuent à étinceler farouchement dans un masque peut-être plus intraitable encore que le précédent. Pierre Daix nous livre un témoignage émouvant sur ce magnifique autoportrait. Picasso lui dit incidemment: «J'ai fait un dessin hier. Je crois que j'ai touché là quelque chose... Ça ne ressemble à rien de déjà fait.» Et,

ajoute Pierre Daix, «il tint le dessin à côté de son visage pour bien montrer que la peur était inventée». Trois mois plus tard, Daix revit l'autoportrait chez Picasso. Cette fois, l'artiste lui demanda son sentiment. «Je lui dis que c'était dans les couleurs [bleu, vert, mauve et noir] de la Nature morte au crâne de taureau après la mort de Gonzalez. Il ne cilla pas. J'eus brusquement l'impression qu'il regardait sa mort en face, en bon Espagnol.»

Si Picasso se sentait libre de puiser aux sources les plus disparates pour s'approprier ce que bon lui semblait, il se sentait tout aussi libre de manipuler le temps à la manière d'un écrivain de science-fiction. Il n'hésitait pas à réunir par-delà les siècles des artistes célèbres et leurs sujets célèbres, ainsi que des personnages de son passé, réels ou imaginaires. Les protagonistes de La Ronde de la nuit de Rembrandt (ou seraient-ce les membres du Syndic des drapiers?) frayent avec un groupe hétéroclite de prostituées de Degas et d'amies de l'artiste dans la maison Tellier de Maupassant... ou serait-ce dans le bordel malaguène de Lola La Chata, ou dans l'atelier de Notre-Dame-de-Vie? Quelquefois, l'entremetteuse Célestine pose sur eux son regard impénétrable. De temps à autre, c'est le pape qui les regarde, ou Michel-Ange. À la fin (1971), l'observateur est Degas, et cela nous amène à une autre figure qui hante l'œuvre tardive de Picasso.

Gert Schiff et Christian Geelhaar[21] ont analysé avec beaucoup de sensibilité les rapports entre Picasso et Degas. Toutefois, j'aimerais ajouter quelques précisions, car Douglas Cooper et moi-même avons contribué dans une modeste mesure à raviver l'intérêt de Picasso pour les monotypes de Degas. En 1958, Maurice Exteens vendit le superbe ensemble de monotypes que son beau-père Gustave Pellet avait acheté lors de la vente Degas aux deux marchands Hector Brame et César de Hauke (les éditeurs du catalogue raisonné de l'œuvre de Degas établi par Paul André Lemoisne). Parmi les nombreuses scènes de maison close, il y en avait une, particulièrement crue, intitulée Sur le lit, que j'obtins pour une bouchée de pain étant donné son sujet. Peu après cet achat, Picasso vint dîner à la maison. Il remarqua tout de suite le monotype.

20
Op. cit.

21
Christian Geelhaar, compte rendu de l'exposition Pablo Picasso: 156 graphische Blätter 1970-1972 à la Kunsthaus de Zurich, 1978, dans Pantheon vol. 36, juillet-août-septembre 1978. Cf. également la préface de Geelhaar au catalogue Das Spätwerk - Themen 1964-1972, Kunstmuseum de Bâle, 1981.

«Les peintures de Degas ne m'ont jamais beaucoup intéressé, avoua-t-il. Mais les monotypes, ce n'est pas pareil. C'est ce qu'il a fait de mieux.» Il leur reconnaissait le caractère direct de la photographie en noir et blanc et l'«éclat» des dessins de Rembrandt. Picasso me dit qu'il avait toujours souhaité en posséder un, mais que Vollard refusait d'en céder un seul. Que pouvais-je faire d'autre que lui donner le mien? Un cadeau dont il me remercia, selon son habitude, par un dessin tout aussi remarquable. Ce petit monotype aiguisa l'appétit de Picasso. Avec l'aide de Cooper, il entreprit d'acheter ce qu'il restait de la collection Exteens chez Hector Brame et chez Reid et Lefèvre à Londres. Il ne voulait que des scènes de bordel, dédaignant les paysages qu'il trouvait trop «artistes» et trop «abstraits».

Picasso était très fier de ses nouvelles acquisitions. Il les montrait souvent à ses amis, et une fois, il remarqua malicieusement que Degas était son contemporain (c'était exact dans la mesure où il avait trente-six ans à la mort de Degas). Mais il allait attendre dix ans avant de les exploiter dans son travail, c'est-à-dire 1968, l'année où le Fogg Museum de Harvard présenta une exposition de monotypes de Degas. À cette occasion, Eugenia Parry Janis publia un catalogue abondamment illustré dont j'ai retrouvé un exemplaire à Notre-Dame-de-Vie[22]. Le fait que les premières allusions, encore vagues, à Degas (dans quelques-unes des 347 gravures) ne se rapportent pas aux monotypes de la collection de Picasso mais aux illustrations du catalogue prouve que ce livre fut sa source d'inspiration, du moins dans un premier temps.

Trois ans plus tard (au début de 1971), Picasso sortit ses monotypes de Degas pour les montrer à William Rubin et les garda à portée de la main. Il avait aussi une photographie encadrée de Degas dans son atelier, où l'artiste présentait une singulière ressemblance avec le père de Picasso. Dans les semaines qui suivirent, les monotypes et la photographie inspirèrent à Picasso une série de gravures sur le thème du bordel où Degas tenait le rôle du voyeur, mais d'un voyeur qui regardait des prostituées au repos ou dans des poses aguichantes plutôt que des actes sexuels à strictement parler. «Tu crois qu'il vient seulement prendre des notes? demanda Picasso à Pierre Daix. On n'a jamais très bien su ce qu'il faisait avec les femmes.» Et de s'imaginer Degas en homosexuel qui s'ignorait, ou en pervers venu assouvir quelque vice. «Impossible de s'en débarrasser [de Degas]», conclut Picasso.

Toutes ces gravures, qui datent pourtant de la quatre-vingt-dixième année de Picasso, sont pleines de fraîcheur, d'ironie et de verve. Elles témoignent d'une identification à Degas qui va de pair, paradoxalement, avec une prise de distance. Picasso joue un mauvais tour notable à une figure quasi paternelle: dans l'une des gravures, il dessine des rides sur le visage de Degas pour le faire paraître encore plus âgé que l'artiste nonagénaire qui grave son portrait. Et pourquoi pas? Comme Picasso le disait à Brassaï: «Chaque fois que je dessine un homme, je pense à mon père... je vois tous les hommes... avec ses traits.»[23] De fait, la ressemblance entre Degas et le père de Picasso est si frappante que Patrick O'Brian, dans ses commentaires des gravures, a pris le premier pour le second. Comme quoi une confusion peut être éclairante.

George Moore avait surnommé Degas le «maître du trou de serrure», et c'était à cet aspect de l'artiste que Picasso s'identifiait. Cela lui permettait de faire des observations sur son propre voyeurisme. Quand Pierre Daix évoqua cette question, Picasso reconnut que la gravure était un moyen d'expression voyeuriste. «Devant ton cuivre, tu es toujours le voyeur... C'est pour ça que j'ai gravé autant d'étreintes.» Et il déclara, à propos de la célèbre gravure du Faune dévoilant une femme de 1936: «Je suis aussi le voyeur qui voit le faune en voyeur [...] C'est ça la gravure. Tandis que la peinture, elle peut vraiment faire l'amour.» Cette différence bien tranchée nous ramène encore une fois à la mirada fuerte. Car c'est bien de cela qu'il s'agit dans les gravures de bordel de 1971: de la façon, toute andalouse, dont l'artiste (ou son substitut) prend possession des choses et des gens avec son regard, fait l'amour avec son regard, manipule les êtres avec son regard. Encore à quatre-vingts ans passés, Picasso usait des pouvoirs de son regard magique. Il rivait ses yeux énormes sur quelque victime ensorcelée et la contrai-

22
Eugenia Parry Janis, Degas Monotypes: Essay, Catalogue, and Checklist, Cambridge, Fogg Art Museum, Harvard University, 1968.

23
Brassaï, Conversations avec Picasso, op. cit., p. 71.

gnait à une réaction passionnelle, à la limite des larmes. Non, il n'y avait rien de sénile ni de furtif dans le voyeurisme de Picasso. Il était au contraire avide et agressif, mais c'est le propre de la mirada fuerte. Quelle formule heureuse que celle qu'Hélène Parmelin a choisie pour caractériser l'œuvre tardive de Picasso: la «période-regard».

Quant aux filles de joie, la description des monotypes de Degas par Félix Fénéon s'applique aussi bien aux gravures de Picasso un siècle plus tard: «S'abattent une chevelure sur des épaules, un buste sur des hanches, un ventre sur des cuisses, des membres sur leurs jointures, et cette maritorne [...] semble une série de cylindres, renflés un peu, qui s'emboîtent.» Picasso suit l'exemple de Degas jusque dans le frisage des cheveux, qui retombent sur des fronts coupablement bas. Il emprunte à Degas la tenue classique des prostituées: un ruban autour du cou, des bas noirs, des bottines et une chemise destinée à dévoiler plus qu'elle ne dissimule. Malgré toutes ces similitudes, Picasso élargit un sujet que Degas maintenait dans des limites étroites, et referme l'espace que Degas avait ouvert. Les ressemblances et les dissemblances deviennent évidentes quand on compare un monotype de Degas utilisé pour illustrer La Maison Tellier de Maupassant, et que Picasso possédait, avec les variantes espiègles qu'il a commises. Prenez la tenancière, par exemple. Alors que Degas avait dépeint une petite vieille douillettement vêtue d'un lainage noir, Picasso nous présente une harpie baroque qui appartient davantage au XVIIIe siècle qu'au XIXe. Dans certaines gravures, son visage se désagrège pour former un écheveau de rides en arabesques, de verrues et de poils follets. Ailleurs, sa perruque surmontée de plumes d'autruche et d'un énorme papillon orné de pierreries menace d'exploser comme une pièce d'artifice. Les mains jointes dont Degas avait doté sa tenancière satisfaite se métamorphosent en un emblème vaginal que Picasso dessine en réunissant le pouce et l'index tendus: encore un calembour visuel bien dans sa manière. La «tranche de vie» évoquée par Maupassant et Degas débouche sur le théâtre de l'absurde.

Si bon nombre des prostituées de cette série prennent leur origine chez Degas, d'autres proviennent des œuvres antérieures de Picasso. Comme nous l'avons vu à propos d'Ingres, Picasso puisait volontiers dans son passé, dans son propre répertoire de personnages. C'est ainsi que nous retrouvons la Célestine de 1903, déjà citée, en compagnie de l'Homme au mouton de 1943 et de personnages issus de la Suite Vollard de 1939, de la suite Antipolis de 1946 ou de la série de 1953 pour la revue Verve. Picasso introduit également des personnages réels (d'anciennes maîtresses pour la plupart) dans son bordel. Les visions de prostituées qui ressemblent à Marie-Thérèse Walter, Dora Maar ou Geneviève Laporte nous rappellent qu'il avait identifié deux des Demoiselles d'Avignon à Fernande Olivier et Marie Laurencin respectivement. Quant à la femme de l'artiste, elle est traitée sans plus de ménagement que la première prostituée venue. Cette façon d'impliquer ostensiblement Jacqueline peut être mise sur le compte de l'humour noir de son mari, de son ironie espagnole ou de sa misogynie andalouse. Mais là encore, Picasso établit une équivalence entre le sexe et l'art. Sa chère Jacqueline incarne l'éternel féminin. Non pas simplement modèle et maîtresse, mais putain, monstre, créature de rêve et muse. Le bordel devient ainsi une métaphore de l'atelier et réciproquement. Ce sont les lieux où l'on peut réaliser des fantasmes, exalter et dégrader les femmes, les aimer et les haïr, et, pour finir, les sacrifier sur l'autel de l'art.

La présence physique des prostituées au visage porcin de Degas faisait l'admiration de Picasso. Cette présence physique était au cœur de l'art de Picasso. Dans sa jeunesse, il avait inventé le cubisme avec Braque pour rendre la réalité plus palpable qu'elle ne l'avait jamais été dans la peinture. Dans son grand âge, il aspirait toujours à cette même vérité. Ce qu'il faudrait, dit-il à Hélène Parmelin, c'est «qu'on ne fasse pas la différence entre une femme assise sur une chaise et une peinture de cette femme.» Faire une peinture si vraie qu'elle contiendrait tout de cette femme, et cependant ne ressemblerait à rien de ce que l'on connaît. «Les gens en la voyant diraient 'bonjour madame'.» Quand il avait montré à Braque sa grande Femme en chemise dans un fauteuil de 1913 (Collection Mme Victor W. Ganz, New

York), Picasso lui avait demandé: «Est-ce que cette femme est vraie? Est-ce qu'elle peut aller dans la rue? Est-ce que c'est une femme ou un tableau?» Et il insistait: «Est-ce que ça sent sous les bras?» Dès lors, l'odeur des aisselles était devenue pour les deux artistes un étalon de la vérité en peinture. «Oui, celle-là, ça sent un peu», disaient-ils. Ou: «Non, là, ça ne sent pas tellement.» La présence physique que Picasso sut conférer à ses œuvres tardives explique en partie le mépris qu'elles ont rencontré. Les gens étaient choqués et, par un réflexe habituel dans ces cas-là, ils se réfugiaient dans le dédain. Picasso se faisait une idée de la féminité qui était infantile, sénile, vulgaire. Comme par hasard, c'étaient les accusations qu'un public déconcerté avait déjà formulées à l'encontre d'un autre artiste qui occupait une place d'honneur dans le panthéon de Picasso, et avec qui il s'identifiait: Manet. Mais si les philistins du Second Empire avaient l'excuse de l'ignorance face au Déjeuner sur l'herbe et à l'Olympia, un siècle plus tard, on aurait pu croire les critiques tout à fait vaccinés contre le choc du nouveau.

Ce sentiment commun d'être rejetés par un public déconcerté explique pour une large part l'identification durable de Picasso à Manet. Comme Picasso comprenait instinctivement l'histoire de l'art et percevait très nettement la place qu'il occupait, lui Picasso, par rapport au passé et au présent, il n'avait aucune difficulté à reconnaître en Manet le premier artiste moderne, celui qui s'était employé à épater le bourgeois et que l'on avait cloué au pilori pour son châtiment, celui dont on dénonçait l'«impudence» et la «vulgarité», car il avait peint une «odalisque au ventre jaune», un «gorille femelle en caoutchouc». Si Manet avait fait de son Olympia une esclave macédonienne ou une Bethsabée provocante, on ne lui aurait rien reproché. Le danger, c'était précisément la nudité éhontée de cette femme, qui n'avait rien à voir avec un nu artistique. Picasso admirait l'Olympia et Le Déjeuner sur l'herbe pour cela même qui avait scandalisé le public du Second Empire, à commencer par la rencontre d'une femme complètement nue et d'hommes habillés de pied en cap. Et il entreprit de peindre des nus bien plus dangereux et bien plus choquants que ceux de Manet.

Car il ne fait aucun doute que les femmes «super-réelles» (comme il disait) de Picasso constituent un danger. Si elles avaient servi de prétexte à des peintures aussi sublimement mozartiennes que les Odalisques de Matisse ou, dans un tout autre registre, à des visions dénaturées de la sensualité comme les anthropoïdes ectoplasmiques de Dalí et de Bellmer, elles auraient eu d'emblée une légitimité artistique. Mais ces créatures robustes et odorantes, qui se grattaient les parties intimes et se curaient les ongles de leurs effroyables orteils avec leurs doigts aussi grands que des bananes, représentaient un danger pour une génération nourrie d'art désodorisé et aseptisé, qui avait tourné le dos à toute réalité sauf celle, factice et artificieuse, du pop'art et du photoréalisme.

Un autre aspect ingrat de ces œuvres est l'apparente maladresse de la technique. Certaines personnes pourtant non dénuées de jugement laissèrent entendre que l'artiste, atteint de sénilité, se laissait aller et n'avait plus toute son habileté manuelle. Picasso apportait de l'eau à leur moulin en clamant que «chaque jour je fais pire». Bien entendu, il voulait dire que chaque jour il faisait mieux, qu'il allait débarrasser son œuvre de tous les clichés artistiques (y compris ceux de Picasso) et de toutes les traces de «belle» peinture ou de virtuosité. Picasso, qui connaissait l'œuvre d'Oscar Wilde depuis sa jeunesse studieuse, connaissait-il aussi son célèbre aphorisme? «J'ai résolu l'énigme de la vérité. La vérité en art est celle dont le contraire est également vrai.»

Non, Picasso n'avait rien perdu de son habileté, loin s'en faut. Il éprouvait toujours le besoin de se rendre les choses aussi difficiles que possible, à lui-même et au spectateur par contrecoup. Certes, sa dextérité ou plutôt ses efforts ingénieux pour la dissimuler, l'avaient trahi quelquefois. Dans le passé, mais pas dans ses dernières peintures. La technique est toujours là, surtout l'infinie diversité des inventions formelles et la merveilleuse plasticité de la peinture, mais elle ne représente jamais une fin en soi.

La maladresse des toutes dernières peintures de Picasso est si bien maîtrisée qu'elle nous abuse. La technique est importante, disait Picasso, «à condition d'en avoir tellement qu'elle cesse complètement d'exister». Il n'y a rien de désinvolte dans son style apparemment désinvolte. Il s'agissait en fait de préserver la spontanéité du premier élan d'inspiration, d'être aussi libre, aussi disponible et aussi expressif que possible. Dans son grand âge, Picasso avait fini par trouver le moyen de se donner toute liberté vis-à-vis de l'espace et de la forme, de la couleur et de la lumière, de la réalité et de la fiction, du temps et du lieu, sans compter l'identité.

Un an environ avant sa mort, Picasso entreprit une extraordinaire composition quasiment monochrome, Nu couché et tête (Cat., 91) qui fut une de ses deux ou trois dernières peintures. Elle est datée du 25 mai 1972, mais d'après Jacqueline, Picasso la travailla et la retravailla pendant un certain temps, d'où l'épaisseur inhabituelle de l'empâtement, un peu dans la manière de Braque. C'est à mon sens le chef-d'œuvre de la dernière période de Picasso, où tout ce qui a précédé est décanté (à commencer par le cubisme et la sculpture) comme dans un testament codé. Zervos donne le titre de Nu couché et tête, mais même Jacqueline, qui avait appris à percer toutes les subtilités de l'œuvre de Picasso, trouvait cette peinture difficile à déchiffrer. La forme rectangulaire en bas à droite, avec sa croix énergique, lui faisait penser à un cercueil. Pourtant, elle représente certainement un personnage couché, sinistrement sépulcral, il est vrai. Les autres éléments semblent composer une structure. Mais on ne peut nier la présence d'une image de Jacqueline au milieu : deux yeux à la mirada fuerte placés sur un socle en forme de nez colossal, lequel est soutenu par une minuscule bouche et un vagin. Jacqueline ne savait pas si Picasso avait songé au Chef-d'œuvre inconnu de Balzac, mais étant donné l'intérêt qu'il avait manifesté naguère pour Frenhofer, c'est tout à fait probable. S'était-il inspiré aussi des Ateliers de Braque, des peintures dont la profondeur l'avait dérouté et irrité autrefois ? J'imagine que Picasso avait fini par saisir leur message métaphysique. Du vivant de Jacqueline, il y avait une autre toile du même format (130 × 195 cm) à côté du Nu couché et tête dans l'atelier. Elle était totalement vierge, à cela près qu'elle était signée : la dernière œuvre de Picasso. Un autre Chef-d'œuvre inconnu, ou une façon de laisser envisager une suite possible ?

Peu après la mort de Picasso (le 8 avril 1973) dans sa quatre-vingt-douzième année, la grande exposition de deux cent une peintures récentes fut inaugurée au Palais des Papes, à Avignon (23 mai-23 septembre). Elle attira des foules de touristes et de curieux, mais laissa indifférents les critiques de part et d'autre de l'Atlantique. Pierre Daix fut une exception remarquable. La plupart des anciens admirateurs de Picasso se dédouanèrent en prodiguant de timides éloges à l'œuvre graphique récente, notamment les 347 gravures qu'il eût été difficile de dénigrer. Quant aux peintures de cavaliers, mousquetaires, amants et peintres, elles furent soit fustigées (par Douglas Cooper et d'autres), soit passées sous silence. « À peine évoquées dans les écrits spécialisés, note Gert Schiff, mal représentées dans les expositions, peu cotées sur le marché [...] les œuvres de la dernière période de Picasso furent pratiquement occultées, car personne ne savait répondre aux questions qu'elles soulevaient. »

La mort de Picasso déclencha une série de conflits entre Jacqueline et les divers héritiers. La situation était d'autant plus compliquée que la veuve restait inflexible sur pratiquement toutes les questions litigieuses, et qu'elle finissait par s'identifier à la masse colossale d'œuvres que son mari laissait à sa mort[24]. Jacqueline ne pouvait supporter l'idée des estimations et des inventaires, et encore moins celle d'un partage. Elle devenait de plus en plus nerveuse et susceptible. N'avait-elle pas été une épouse parfaite pour Pablo ? demandait-elle aux visiteurs de Notre-Dame-de-Vie. Ne l'avait-elle pas protégé contre le monde extérieur afin de lui permettre de travailler en paix jusqu'à sa quatre-vingt-douzième année ? Ne figurait-elle pas plus souvent dans son œuvre (pas moins de 160 fois pour la seule année 1963) que n'importe laquelle des autres femmes ? Il n'y a qu'à voir les dédicaces ferventes sur les innombrables œuvres qu'il lui avait données. Et quels talents elle avait dû déployer : elle s'était faite tour à tour interprète, secrétaire, courtier, cuisinière, poétesse, chauffeur et photographe, sans parler de son rôle de modèle. Étant donné les sacrifices qu'elle avait consentis, pourquoi les gens s'acharnaient-ils contre elle ?

Picasso l'avait exposée à recevoir presque tous les re-

24
D'après Pierre Daix, la succession comprenait 1876 peintures, 7089 dessins indépendants, 4659 dessins répartis dans 149 carnets, 1355 sculptures, 2888 céramiques et 18 000 gravures, à quoi s'ajoutaient encore tous les livres illustrés, planches de cuivre, etc.

roches pour son refus de reconnaître ses enfants na-
turels, refus qui lui avait valu des procès interminables
dans ses dernières années. À en croire Jacqueline,
«Pablo ne m'a pas laissé le choix», car reconnaître ses
enfants, c'était aussi reconnaître la réalité de la mort à
venir, et cela, il en était foncièrement incapable. Il
n'était même pas question de rédiger un testament. «Je
sais que je mourrais le lendemain», disait-il.

Étant donné l'énormité de son sacrifice, c'est la
moindre des choses que de désigner par «l'époque Jacqueline» les deux dernières décennies de l'œuvre de
Picasso. C'est l'image de Jacqueline qui hante l'œuvre
de Picasso de 1954 à sa mort, soit deux fois plus longtemps que celle de toutes les femmes précédentes.
C'est le corps de Jacqueline qu'il nous est donné d'explorer plus complètement et plus intimement que tout
autre corps dans l'histoire de l'art. C'est sa patience
dévouée qui a soutenu l'artiste aux prises avec l'affai-
blissement physique et la mort, et qui lui a permis de
poursuivre jusqu'à sa quatre-vingt-douzième année une
œuvre plus prolifique que jamais. Enfin, c'est la vulné-
rabilité de Jacqueline qui a fait redoubler d'intensité ce
mélange de cruauté et de tendresse, d'où les peintures
de femmes de Picasso tirent leur force et leur charge
affective. Les enfants de l'artiste avaient quelques raisons de la considérer comme une sorte de déesse Kali,
mais pour Picasso, Jacqueline fut à proprement parler
Notre-Dame-de-Vie.

Traduit de l'anglais par Jeanne Bouniort

Nu couché et tête,
25 mai 1972 (I).
Collection particulière

SEPT ANNÉES DE GRAVURE : LE THÉÂTRE ET SES LIMITES

Essai d'explication de texte

Brigitte Baer

«Il faut que tout
soit rangé
à un poil près
dans un ordre
fulminant.»

A. Artaud,
Œuvres complètes, XIII, p. 66

Pour Picasso, la gravure est un art à part entière, indépendant, jamais utilisé comme simple manière de multiplier une œuvre. Un art, de plus, qui, nous le verrons, lui a permis, surtout à la fin de sa vie, de mettre de l'ordre en lui-même.

Les commissaires de cette exposition ont choisi de ne montrer que des œuvres datant d'après la grave opération que l'artiste a subie fin 1965. Il nous faut cependant remonter un peu en arrière, ne serait-ce que pour établir que, depuis l'automne 1963[1], il a de nouveaux imprimeurs, les frères Crommelynck. Il les connaissait depuis longtemps : ils avaient travaillé chez Lacourière. Mais comme avec les femmes, Picasso prend son temps, teste, expérimente ses imprimeurs ; il l'avait fait avec Lacourière ; il recommence avec les Crommelynck. Toutefois, la série du Peintre et son modèle de 1963-1965 comporte de fort belles planches et insiste sur ce motif, qu'il semblait avoir épuisé dans la «Suite Vollard», mais qui surgit à nouveau, transformé, et pour cause : le modèle n'est plus Marie-Thérèse mais Jacqueline et ses relations avec elle sont différentes.

Notons ici que seules Marie-Thérèse et Jacqueline se mêlent, sous forme de signe, à la mythologie personnelle de Picasso. De Fernande, d'Olga, de Dora Maar, de Françoise, il y a, certes, de superbes portraits mais elles n'apparaissent que peu (ou pas) dans des scènes fantasmées par lui, aux prises avec le minotaure, par exemple, ou mêlées à ses santons, aux «histoires» qu'il raconte, recréées mais reconnaissables, muses et signes en somme en même temps qu'amantes.

Pendant cette période 1963-1965, Picasso va réexpérimenter des techniques comme l'emploi du vernis en bâton (sorte de crayon lithographique) pour tracer des réserves sur le cuivre ; il va pousser à fond le système qui consiste à obtenir des gammes de blancs, gris, noirs en mordant à la main ses aquatintes, etc.

En 1966, après sa convalescence, Picasso va se remettre au travail avec la gravure : planches souvent étranges où il semble se tester, comme s'il voulait être certain que ce choc ne lui avait rien enlevé de sa «puissance de créer» ; il l'exprime d'ailleurs avec ces compositions où il anime d'immenses phallus qu'il transforme en des sortes de «culbutos» d'enfant sur une scène de théâtre (Bloch, II, 1418 ; fig. 1). Il se pose à lui-même des gageures techniques, le gongorisme de la façon semblant primer l'inspiration proprement dite. Voir par exemple la belle planche (Bloch, II, 1416 ; fig. 2) où l'effet de graffiti très contemporain est rendu simplement (mais non sans péril) en dissolvant à l'essence le vernis des réserves ; ça donne ces zones savonneuses et cette gamme très riche du blanc au noir qui permettent d'évoquer comme fantomatiquement l'arrière-train de la femme qui retrousse son jupon ; allusion peut-être au beau monotype de Degas du Cabinet des dessins du Louvre (Cachin, 158).

Cette période de gestation, parallèle à celle de 1932, va cesser brusquement en 1968. Dans la série des «347», la technique est littéralement éblouissante parce qu'elle est tellement maîtrisée que, comme il l'a dit lui-même, il n'y a qu'à la laisser faire son travail, ce qu'on pourrait traduire par : l'intendance suivra. Et elle suit. L'économie des moyens est quasi magique. C'est seulement alors que la recherche et le baroque technique prennent fin. Sûr de lui, Picasso fait confiance aux Crommelynck pour la morsure, ne s'occupe plus que de ce qu'il voit et fait voir, et des «histoires» qu'il raconte.

Il montre d'ailleurs lui-même sa joie de créer, sa liberté, son énergie vitale retrouvées - et augmentées - dans une composition intéressante (Bloch, II, 1681 ; fig. 3). Hommage à Goya, vieux, autoportrait en même temps. À gauche un enfant, avec une femme qui semble sortir tout droit de la belle toile du Musée Picasso, Femmes à leur toilette, 1956 (Zervos, XVII, 54).

1
Il ne faudrait pas en conclure que Picasso a négligé la gravure entre 1953 et 1963. De 1953 date le grand Torse de femme (L'Égyptienne) un superbe portrait de Françoise Gilot ; de 1955, la série des Femmes d'Alger, ce des Maisons closes (Baer, 908-91 et 921-926) et le beau portrait de Jacqueline, mordu directement à l'acide sur planche grainée. Puis au long des années, des œuvres aiguës pour illustrer les livres d'Iliazd, pleines de virtuosité pour la Tauromaquia... En 1959 et en 1962, c'e la linogravure qui l'occupe et dont il bouleverse la technique traditionnelle en travaillant chaque couleur l'une après l'autre sur un seul linoléum.

fig. 1
Aquatinte et
eau-forte,
15 novembre 1966 VI
Galerie Louise Leiris,
Paris
Cat., 137

fig. 2
Aquatinte et
eau-forte,
12 novembre 1966 V
Galerie Louise Leiris,
Paris
Cat., 135

fig. 3
Aquatinte et grattoir,
5 juillet 1968 II
Galerie Louise Leiris,
Paris
Cat., 144

À droite une odalisque qui évoque en même temps les Femmes d'Alger et Matisse. Au fond, une sorte de Velázquez, en tout cas un peintre espagnol. Et puis, au centre, un homme sur une balançoire, solide, frisé et agrémenté d'une «puissance» gigantesque. Cet homme-là fait allusion à la gravure célèbre de Goya, à Bordeaux (G.W., 1825 ; fig. 4) où un petit vieux, ravi, riant comme un enfant, se balance sur une escarpolette ; et sans doute aussi au vieillard du non moins célèbre dessin Aun apprendo (G.W., 1758), dont Picasso retourne les cannes pour former les deux grosses cordes de la balançoire. Joie de vivre retrouvée, liberté de Goya en France ; reprise de la joie de vivre et de faire, liberté augmentée chez Picasso ; destin parallèle pour les deux artistes qui, peu de temps auparavant, avaient été très malades. Picasso a donné à l'homme le visage plein et les cheveux ébouriffés et frisés de Goya jeune (G.W., 666 ; fig. 5). La facture forte et libre, avec ces espaces de demi-teinte au grattoir autour de l'homme, fait aussi référence aux gravures de Goya et donne sa beauté à cette composition si gaie qui semble confronter la sévérité du peintre espagnol du fond à la découverte de la France et de Paris, d'Ingres et de Delacroix, commune, à des âges et à des époques différents, à Goya et à Picasso.

On peut d'ailleurs se demander jusqu'à quel point l'opération de 1965, avec les années, ou du moins les mois de doute qui ont suivi, sorte de mûrissement de l'arrière-saison, n'a pas été finalement vécue par lui comme une acceptation de la «castration», pénible sans doute à vivre mais combien fructueuse ensuite, et en particulier pour la liberté de son expression. Le «père» en tout cas, sous les déguisements les plus divers, réapparaît alors sans cesse ; il est donc redevenu un élément du discours et quelqu'un qu'on peut évoquer, avec qui on peut tergiverser ; il n'est plus enfermé dans une chambre murée par le refoulement.

Dans la série des «347» qui, toutes, datent de 1968, on sent surtout le plaisir de faire. L'économie avec laquelle Picasso manipule l'aquatinte au sucre, en lui enlevant son aspect lourd, plat et, pourrait-on dire, un peu mort, par le graissage du cuivre, donne, aux endroits choisis, un mordu en gouttelettes qui permet de faire jouer les ombres et les lumières sans pourtant qu'il y ait des différences de valeur dans le noir. Voir le bel arbre du Bloch, II, 1761 (peut-être une des seules allusions à Van Gogh) ou tout simplement la halte des comédiens ambulants du Bloch, II, 1618 ou du Bloch, II, 1641 (fig. 6), où il campe, en infante, la petite «pisseuse» de Rembrandt. Pas une retouche. Voir aussi le rendu absolument diabolique de la peinture impressionniste des Bloch, II, 1807, 1808 ou 1827 (fig. 7), obtenu presque seulement en écrasant sur le cuivre graissé le bout d'un pinceau, probablement chinois. Voir enfin la superbe planche (fig. 8) où Picasso pose dans un espace vide une Jacqueline au fauteuil (le fauteuil de la Femme en chemise de 1913) avec, d'un côté, la vieille Célestine, et, de l'autre, des caricatures de Manet par Fantin-Latour, de Marcellin Desboutin par Manet. Outre le vide autour de la femme qui évoque peut-être tout ce blanc autour de l'Olympia, remarquons la façon dont les deux visiteurs sont rendus, avec ces ombres et ces lumières, pur noir-et-blanc qui suggère des gris : virtuosité extrême mais qui paraît si simple que la beauté de la composition n'en souffre pas. En effet la technique qui semble aller de soi n'attire pas le regard et, seuls, l'équilibre, le rythme et le sens de la gravure séduisent et intriguent.

Ailleurs (Bloch, II, 1565 ; fig. 9), il y a une inversion de la technique classique tout à fait remarquable, non tant par l'adresse nécessaire que par l'effet obtenu : les nuances de blancs et de gris (cuivre nu et réserves) modèlent et font luire le corps de la jeune femme, orchestrent les noirs et les blancs et rappellent certains des Désastres de la guerre de Goya. Picasso commence par tracer son sujet au vernis comme si tout le fond allait être grainé et mordu à l'aquatinte, le sujet venant alors sur l'épreuve en blanc sur noir. Puis il se contente de griser à l'eau-forte les réserves au vernis (personnages, à l'exception du corps nu de la fille, décor du théâtre, nuages, lune voilée), en laissant le cuivre à nu sur le fond. Le résultat manifeste a un rythme fort étrange ; cela évoque une lune à halo et sa lumière noire : véritable «oxymoron» plastique.

à gauche :

fig. 4
Goya
Vieillard se
balançant, 1825-1827
Eau-forte et aquatinte

fig. 5
Goya
Autoportrait,
1795-1797
The Metropolitan
Museum of Art,
New York

à droite :

fig. 6
Aquatinte,
15 juin 1968 III
Galerie Louise Leiris,
Paris
Cat., 143

fig. 7
Aquatinte,
5 octobre 1968 I
22,5 × 32,5 cm
Galerie Louise Leiris,
Paris

fig. 8
Aquatinte,
1er octobre 1968 I
Galerie Louise Leiris,
Paris
Cat., 168

Ou bien, comme dans le Bloch, II, 1686 (fig. 10), Picasso se débrouille pour rendre certains beaux dessins de Goya (L'Avenir parlera ; fig. 11 ; ou Intérieur de prison, G.W., 1343 et 1530) en faisant sortir par quelques taches d'aquatinte les chairs blanches des deux grosses femmes perdues dans tout ce noir de la prison ; le soupirail n'éclaire que leur nudité et l'anxiété de la jeune fille (tirée de El Tiempo hablára) évoquée par ce profil perdu et ce sein blancs, tandis que le corps tendu, pathétique, est simplement tracé en gris, au grattoir, sur l'aquatinte.

Gageure technique également, la drôle (et si contemporaine avec son côté graffiti) petite eau-forte (Bloch, II, 1704), où l'artiste a retiré le vernis au pinceau de fer, créant, en deux coups de cuiller à pot, un duel du genre Trois Mousquetaires ; seul le voyeur, le soleil levant qui a les yeux perçants de Rembrandt, est soigneusement tracé à l'aiguille.

Les «156 gravures» (1970-1972) sont bien différentes. Sauf certaines audaces fulgurantes, elles sont classiques, comme si l'histoire devait aller vite, comme si, en tout cas, le sujet importait plus que l'effet. L'effet, quand il y en a, obéit à une raison bien précise et s'impose comme la seule solution, ceci du moins dans les plus belles planches de la série.

«Il est très remarquable que le travail du rêve s'en tienne si peu aux représentations de mots ; il est toujours prêt à substituer les mots les uns aux autres jusqu'à ce qu'il trouve l'expression qui se laisse le plus facilement manier dans la mise en scène plastique.» Et oui, encore Freud ! On va constater en examinant la plus belle planche des «156» que c'est, aussi bien, le cheminement de la pensée de Picasso, à travers les états de la planche.

Devant un minuscule Picasso assis au centre du fond de la composition, un spectacle va se dérouler au long des quatre états du Bloch, IV, 1870 (fig. 12 et 13). L'artiste est en même temps le spectateur et le metteur en scène de l'ensemble, à la fois le rêveur et le rêvé («Je crie en rêve/mais je sais que je rêve/et sur les deux côtés du rêve/je fais régner ma volonté.» Artaud, Le Théâtre et son double), en même temps le machiniste et l'acteur. Un personnage androgyne, jeune homme, puis femme au double sexe, montre aux femmes de droite, Demoiselles d'Avignon ou filles de la Maison Tellier, un spectacle qui semble avoir pour thème : qu'est-ce que l'homme pour nous/vous autres femmes ? Donc spectacle dans le spectacle à la Hamlet. Le petit spectateur, sa compagne et les femmes de droite ne changent pour ainsi dire pas au long des états. En revanche, le spectacle se transforme, à mesure que le petit Picasso fantasme ou rêve le désir de la femme, le désir de l'autre. D'abord c'était le pantin, une marionnette à ficelles, la main tendue pour offrir un bijou ; ensuite le pantin se scinde en un jeune garçon fasciné, un homme adulte qui applaudit ou tend les mains et un vieux qui offre le bijou. Enfin, au IVe état, au IVe acte, coup de théâtre qui donne en même temps son sens et sa beauté à la planche : par larges a-plats d'aquatinte au sucre dense et opaque, Picasso supprime le gamin et le vieux (l'homme aux mains tendues reste là) et campe, côté spectacle, le capitaine Frans Banningh Cocq de La Ronde de nuit (fig. 14), noir et comme démantibulé, qui représente finalement «le mot juste» : ce qu'elles veulent, les femmes, c'est le militaire, l'homme puissant et sûr de lui, connu, voire le peintre célèbre à travers sa création. L'hermaphrodite prend peut-être même alors une autre valeur, celle de l'enfance et, maintenant, fait allusion à la petite fille au coq de La Ronde... Quoi qu'il en soit, la planche devient quelque chose de lourd, de plein, de fini et de puissant, avec ce rythme étrange, et ce déséquilibre entre les deux côtés dont la soudure est l'espèce d'Athéna androgyne et le petit Picasso avec sa compagne.

On va retrouver ce même coup de théâtre sur une des dernières planches de Picasso, très spectaculaire et mystérieuse, le Bloch, IV, 2010 (fig. 15 et 16). Ici aussi, travail traditionnel, à l'eau-forte, à la pointe-sèche, au grattoir, pendant six états ; et puis, soudain, la même technique en même temps situe le sujet et le résume, résume aussi l'humeur de Picasso ; l'anecdote

page suivante,
à gauche :

fig. 9
Eau-forte,
14 mai 1968 III
29,5 × 34,5 cm
Galerie Louise Leiris,
Paris

fig. 11
Goya
L'Avenir parlera, entre
1814-1820
Lavis d'encre de
Chine et de sépia
Prado, Madrid

à droite :

fig. 10
Aquatinte,
16 juillet 1968 I
31,5 × 39,5 cm
Galerie Louise Leiris,
Paris

fig. 12
1er état
16 février 1970
Voir fig. 13

fig. 13
IVe état (définitif)
Eau-forte, aquatinte,
pointe-sèche et
grattoir, 16 février,
2, 4 mars 1970
Galerie Louise Leiris,
Paris
Cat., 172

fig. 14
Rembrandt
La Ronde de nuit,
1642
Rijksmuseum,
Amsterdam

fig. 15
1er état
1er mars 1972
Voir fig. 16

fig. 16
VIIe état (définitif)
Eau-forte, pointe-
sèche, aquatinte et
grattoir, 1er, 5 mars
1972
Galerie Louise Leiris,
Paris
Cat., 193

prend enfin figure d'icône, le sens, plus précis et plus général à la fois, donne à l'image sa puissance d'évocation tandis que l'équilibre tout entier de la planche bascule.

Le projet initial, en effet, est presque anecdotique. À droite une femme assez terrifiante, écuyère de cirque bottée, comme fabriquée en tôle: elle ne changera pas tout au long du cheminement de la pensée. À gauche comme en miroir, une «fille» en bas noirs, potelée avec des cheveux frisés qui lui descendent jusqu'aux reins, une femme de chair, effrayée cependant; car au centre, sous les trois boules de lumière de la «Maison Tellier», un grand molosse hérissé de rage, tous crocs dehors, terrifié par la femme «de tôle», est prêt à la mordre. On sait que Kaboul, l'afghan de Picasso, se plaisait à entamer les fesses des visiteurs, mais seulement des hommes, ce qui éclaire un peu l'identité étrange de cette femme qui éveille sa rage, et la peur de l'autre jeune femme, la tendre putain.

Puis la rage du chien passe à l'artiste, qui saccage, biffe, détruit, et le chien, et la plus grande partie de la jolie petite femme de chair. Un bout du chien, pourtant, reste là encore pendant deux états; il a refermé sa gueule, tourné la tête, et il regarde avec de bons yeux ce qui reste de la petite femme saccagée. Au IVe état, rien ne va plus: plus de boules de lumière, plus de chien; la femme prend un immense visage de cauchemar, elle mute mais on ne sait pas encore en quoi.

Ce n'est qu'aux Ve et VIe états que son visage sort de l'ombre, de la gravure et de la main de Picasso. De profil, ce visage va prendre son aspect d'idole: une beauté majestueuse avec, sur la joue, d'étranges scarifications, presque rituelles, qui vont devenir sept yeux. La pensée semble se préciser ailleurs également... et de façon inattendue autour du chien. Esquissée d'abord au grattoir, puis soulignée à l'eau-forte, une grande tête d'homme crépusculaire apparaît au centre. Les boules de lumière reviennent mais sous la forme des yeux de l'homme, espèce de cyclope doté d'un troisième œil au milieu du front, «un œil en trop», comme le roi Œdipe: c'est l'artiste, le voyeur, ou plutôt le voyant, qui prend la place du chien entre ces deux femmes.

Enfin, dernier état : si le visage de la femme est précisé, c'est cependant la tête de l'homme qui subit, par le même genre de coulure d'aquatinte opaque, une transformation dramatique : mystérieuse et sombre, elle a un long nez très sexué, une bouche sensuelle, deux yeux en tire-bouchon (ceux que Picasso a toujours donné à Rembrandt et que les boules de lumière, ainsi transformées, rapprochent de Degas), et une étrange coiffure égyptienne qui rappelle la sculpture pour le Civic Center de Chicago, et dont un des pans englobe la tête de la femme, l'autre étant orné de quatre boules. Ici aussi, «le mot juste». Cette étrange coiffure ferait-elle allusion à la dénomination de «peintre égyptien» attribuée à Picasso par le Douanier Rousseau ? Peut-être. Mais ces deux pans sont aussi les oreilles de Kaboul, ce qui nous ramène, à travers la rage du chien, et celle du graveur Picasso au cours des états antérieurs, à une sorte d'homme-bête, somme toute une nouvelle version du minotaure.

On voit qu'ici ce sont les états de la gravure qui racontent «l'histoire», d'ailleurs impénétrable. Qui est cette femme ronde et potelée qui devient la compagne hiératique de Picasso-Kaboul ? Que veulent dire ces sept yeux sur sa joue ? Peut-être les yeux de toutes celles que Picasso a «eues». Cette femme, en même temps «fille» et idole, est-elle simplement le dédoublement de la femme, contrepoint à l'homme/chien-en-rage ? Et la femme de tôle, immuable, qui effraie le chien, et l'autre femme ? Est-ce encore une autre image de la femme, qui se croit fragile mais est armée, terrifiante ? Le doublé Kaboul-femme montrerait-il que la femme aussi est un minotaure, une bête ?

James Joyce a dit qu'il occuperait longtemps les «professeurs». Picasso, qui comme lui a torturé les images, les styles, les œuvres et les langages, les occupera longtemps aussi. Le tout est de poser la question.

Impossible de quitter le sujet de la technique utilisée comme syntaxe sans quand même évoquer la petite planche Bloch, IV, 1879 ; fig. 17. Ici Picasso a utilisé le stylo d'architecte pour faire, à l'encre de Chine, de fines réserves sur un cuivre grainé. Ces spirales lui permettent de rendre l'effet de ces épaisseurs de peinture dans les blancs et les jaunes avec lesquels Rembrandt fait scintiller les chaînes d'or sur les vêtements des personnages de sa période «enturbannée» : voir par exemple les chaînes et le dessous du chapeau d'Aristote contemplant le buste d'Homère. Picasso, en outre, coiffe son vieil homme d'un étrange chapeau en forme de gâteau de noce, que Rembrandt lui-même avait emprunté à Pisanello pour le planter sur la tête de son centurion au dernier état des Trois croix.[2] La femme penchée sur l'encolure du petit cheval à droite était très hardiment croquée en demi-réserve, probablement à l'encre de Chine, au Ier état. Le cheval une fois repris au grattoir, plus grand et plus fier, l'ancien tracé donne au fond une sorte de mouvance, de grouillement mystérieux, qui suggère qu'il se passe des choses, dans la nuit. On distingue encore, mais à peine, la tête de la femme qui se penche pour parler au vieux. L'effet obtenu est une sorte de clair-obscur rembranesque qui laisse supposer que le sujet est peut-être tout simplement le Départ de la Shunamite (fig.18).

Enfin, pure gageure délibérée de l'artiste, le Bloch, IV, 1871 ; fig. 19. Mais, pour s'en rendre compte, il faut savoir qu'il n'existe aucun état, qu'il a donc travaillé cette très grande planche jour après jour, sans jamais vérifier, sans jamais reprendre, gratter, ni effacer. Véritable performance et première évocation de la Maison Tellier, avec dès février 1970, les boules de lumière, et ces personnages, en haut à droite, qui sont sans doute déjà des caricatures de Degas.

Étrange spectacle où Picasso mêle la «Maison Tellier» à la Côte d'Azur avec ce décor qui évoque les halls des grands hôtels de Cannes, la patronne qui a tout d'une vieille joueuse de baccara, un homme en uniforme qui ressemble au Ferdinand VII de Goya, le roi de la répression. Et puis un homosexuel couvert de bijoux, une sorte de Cocteau, qui regarde sans émotion le sexe que lui présente une «femme du monde», blonde et très coiffée, qui est peut-être une allusion, quelque dix ans après, à Francine Weisweiller. Bref, un «drôle de

2
Voir, à propos du chapeau, Janie Cohen, «Picasso's exploration of Rembrandt's art», Arts Magazine, New York, octobre 1983.

3
André Malraux,
La Tête d'obsidienne,
Paris, Gallimard,
1974, p. 101.

monde»[3] vu par le «vieux» Picasso qui a vécu à une époque où, du moins, on voyait la différence entre les «honnêtes femmes» et les «filles», où les sexes et les façons, malgré tout, étaient possibles à reconnaître. À gauche, un peintre accroupi dessine une jolie Jacqueline absente ; il a la tête de Piero Crommelynck (donc, à cause de la barbiche, et de la cravate d'autrefois, de don José, et de la jeunesse de Picasso). Une jeune fille quitte cette scène («Il n'y a plus de jeunes filles !»), et la compagne du peintre, la seule féminine, a le bracelet de la Grande odalisque : elle aussi, bien qu'elle soit présente, fait partie du passé, d'il y a longtemps, très longtemps. Peut-être ce mélange du passé (Ingres, Degas, don José, la jeunesse de Picasso) et du présent est-il la raison pour laquelle Picasso a travaillé si longtemps sur la même planche, sans jamais vérifier, sans jamais effacer : ainsi travaille la vie, ainsi travaille aussi le rêve.

TEXTE, CITATIONS, MISE EN SCÈNE ET COMIQUE

Comme on devrait commencer à le sentir, Picasso, dans ces dernières gravures, cite sans cesse. Ce qu'il voit, c'est lui-même, déguisé, dédoublé, démultiplié. Mais ce n'est pas tant à travers les personnes réelles qui l'entourent que par l'intermédiaire des peintres, de leurs tableaux, ou d'un personnage qu'il extirpe d'une composition, généralement pour lui faire vivre sa vie. Il met en scène Degas, Raphaël, en partant d'un «texte» : les monotypes de Degas, le tableau d'Ingres. Il cite, il cite sans arrêt : Ingres et son Bain turc (par exemple Bloch, IV, 1974 ; fig. 20 . Notons d'ailleurs qu'Ingres est «voyeur» avec ce tableau où il n'y a que des femmes, les hammams ayant toujours été alternativement réservés à l'un ou l'autre des deux sexes), mais surtout la baigneuse debout au fond à gauche ; Delacroix et ses Femmes d'Alger, mais surtout la femme de droite (Bloch, IV, 2004) ; Manet et son Déjeuner sur l'herbe, mais surtout la femme qui se penche en avant, les pieds dans l'eau. Ces femmes semblent prendre pour lui valeur de signe, de clin d'œil aussi. Il cite Goya, il cite Rembrandt, il cite el Greco, Velázquez. Ingres encore et sa Grande odalisque, dans Bloch, IV, 1858 et 1859 ;

fig. 21 et 22, où il nous montre, à tous les points de vue, les coulisses puisqu'il se place côté face par rapport au modèle mais côté pile par rapport au tableau, et qu'il exagère la «manigance», l'artifice de la création : il met en scène, en effet, deux femmes qui n'ont certes pas les vertèbres en trop de l'Odalisque, et dont l'une, réellement vieille, laide et vulgaire, caricature de l'autre, porte au poignet, non pas la torsade d'or de l'Odalisque, mais une affreuse montre à bracelet élastique.

En fait, il ne s'inspire plus, il ne dissèque plus, il établit avec le peintre du passé, le père en somme, une sorte de dialogue, de peintre à peintre, dont le sujet est «la peinture», et son secret.

Il semble bien, par exemple, que le «texte» du Bloch, II, 1604 ; fig. 23, soit Les Ménines, en même temps sans doute que ses Demoiselles d'Avignon à lui, que Les Femmes d'Alger, etc. Le dais étrange qui les abrite, dans ce patio de quartier pauvre, est probablement la notoriété. Lui-même, le peintre, il est là sous la forme d'un vieux bébé qui rêve dans la position même des «bébés sur un coussin» qu'on retrouve dans tous les albums de photos de famille. Mais il est là aussi sous la forme d'un Velázquez débraillé (comme Picasso), qui ressemble un peu à Rembrandt, et qui ne regarde pas le sujet, comme dans Les Ménines. Enfin il est là encore sous la forme d'un jeune dieu grec couronné de feuillage qui peut signifier «tel qu'en lui-même enfin…», mais qui peut aussi, puisqu'il est coiffé de feuilles de vigne, indiquer le désir du peintre pour les femmes qu'il peint, désir bacchique transposé. Seul un petit escalier, l'échelle des Fileuses, celle de la Minotauromachie, celle aussi des «Descente de croix», mène à l'extérieur. Comme dans Les Ménines où cette unique petite porte du fond ouvre sur le «dehors» de cette sorte de prison qu'est le palais, vers la liberté ; de même que, finalement, la descente de croix, c'est la fin des mésaventures de Jésus, de même que le sculpteur et le minotaure de la célèbre gravure de Picasso «choisissent la liberté», puisqu'ils s'en vont tous les deux.

Autre «texte» que Picasso choisit de traiter par le comique, la Vénus avec un organiste, un amour et un petit chien de Titien (fig. 24) : Bloch, IV, 1906 ; fig. 25. Telle quelle, la scène de gauche est déjà extrêmement drôle et le spectateur de droite «s'en tient les côtes» de rigolade : un guitariste frénétique gratte, gratte à perdre haleine, en beuglant une sérénade à une belle personne indifférente et, malgré le bruit, somnolente, une Vénus dont l'Amour, lui aussi, dort à poings fermés, en se bouchant les oreilles, la tête tournée vers le sexe de la dame, que «reluque» également le guitariste. Mais il y a un second degré dans la blague : le célèbre tableau de Titien, et très précisément celui de Berlin et non celui du Prado que Picasso connaissait mieux. L'amour est plus moderne, donc plus osé et, au lieu d'être couché sur l'épaule de Vénus, la bouche près de la sienne, il a préféré dormir sur le voile qui ne voile pas grand chose des charmes de la Vénus de Titien, tout près du sexe de sa mère et patronne. Toutefois ce qui, à juste titre, semble avoir davantage frappé Picasso, c'est le profil fasciné et concupiscent de l'organiste qui ne regarde ni son clavier, ni sa musique, mais uniquement le bas du ventre de Vénus, tandis que celle-ci semble profondément imperméable et à la musique, et au désir du jeune homme, pourtant fort beau. Elle «connaît la musique» !

Il cite aussi sa sculpture à lui dans de nombreux auto-portraits des «156», il cite l'Espagne et les fêtes de rue de son enfance, ses anciens thèmes avec Salomé, etc. Comme si maintenant, la nuit, seul, à travailler, il s'entourait de ces amis toujours disponibles, plus proches, mieux connus que ses familiers : son œuvre, les peintres, leur peinture. Faute de vieux copains avec qui il peut discuter sans être appelé «Maître», c'est avec les peintres du passé qu'il choisit de parler peinture, et cela se passe, en grande partie, dans la gravure.

Bien sûr il est fort et «gai», comme il le disait lui-même à Malraux, mais il y a aussi la «tristesse espagnole… Une drôle de tristesse. Comme l'Escurial.»[4] Une tristesse qui parle de la mort, telle qu'on la vit, jour après jour, depuis qu'on est né.

On a l'impression qu'il utilise l'énumération mélancolique qu'illustre Borges, dans L'Aleph et Le Zahir, comme pour tourner autour de l'objet perdu, pour le transformer, par invocation, en «objet magique», tout en répétant interminablement par la série de synecdoques et de métaphores qu'il est bel et bien mort et perdu. La litanie de Picasso n'est pas celle de la Vierge, mais celle de la peinture. Comme s'il conjurait ainsi le doute, la peur de ce trou où il savait bien que Van Gogh avait regardé, où il ne regarde pas mais dont il sait qu'il est là, le néant, la mort, celle de son père, la sienne, celle de sa peinture, de la peinture, la nuit, «le noir»…

Donc plus que dévoration ou avalement des peintres, il y a maintenant chez Picasso convocation magique. Ces grands peintres sont finalement toujours là, et la preuve, c'est que Picasso peut les faire vivre, eux et leur peinture. Le théâtre créé par lui est là pour ça : il suffit de les mettre en scène pour qu'ils revivent, il suffit de re-présenter leurs compositions pour qu'il n'y ait pas répétition, donc pas mort mais évolution de la vie, pour que tout soit toujours possible.

LE RÔLE DE LA GRAVURE DANS L'ŒUVRE DE PICASSO

Comme ça avait été le cas entre 1933 et 1936, Picasso, dans les gravures de la fin de sa vie, raconte des histoires, et bien entendu il parle de lui. Plus que le dessin, beaucoup plus que la peinture, la gravure est bavarde et semble révéler «l'homme lui-même», comme s'il laissait parler, tant par «l'image» que par la technique, sinon son inconscient, du moins, déguisé comme par le rêve, quelque chose qui sourd d'un profond lui-même. En quelque sorte, il transforme la gravure en «écrit», en littérature. C'est elle qui remplace maintenant ces textes surréalisants qui l'avaient occupé entre 1935 et 1942, et qui devaient avoir leur raison d'être dans son organisation psychique. Elle lui sert, en somme, d'exutoire, mais d'exutoire maîtrisé, transformé par «la puissance de créer», transformé en œuvre d'art. Il ne s'agit plus du tout d'écriture automatique, plutôt d'une sorte de poésie.

4
André Malraux,
La Tête d'obsidienne,
op.cit., p. 117.

Pourquoi la gravure ? Difficile à cerner.

La gravure lui a toujours servi de confident, certes, mais… on ne fait ici que repousser la question. Il y a la technique elle-même qu'on peut mettre en parallèle avec les inversions du rêve : le sujet est tracé à l'envers et va «se retourner» lors de l'impression ; même si Picasso y est si habitué que l'inversion se fait automatiquement dans sa main, il ne voit pas d'une façon immédiate ce qu'il a dit et c'est seulement le lendemain, puisqu'il travaille la nuit, que, médiatisé par la morsure et l'impression faites par Crommelynck, le véritable sens de son travail va lui apparaître.

Autre explication : le cuivre demande une concentration ; l'attention consciente et la main sont requises par un travail difficile, en partie artisanal et physique. Le cuivre résiste, il faut l'attaquer, le plier à sa volonté, il faut lutter contre lui pour qu'il accepte finalement de n'être plus vierge, le séduire aussi, comme une femme. Toute cette tension de travail permet peut-être à l'imagination de fonctionner plus librement, d'autant que Picasso possède la technique tellement à fond que son anxiété ne peut se brancher sur la facture qui requiert seulement de l'attention. Une autre partie de lui, déconcentrée, est donc plus libre.

On sait également que le ton, le style, et même en grande partie l'insight de Henry James changèrent lorsque, ne pouvant plus écrire, l'auteur de Ce que savait Maisie se mit à dicter à un sténographe à qui, du seul fait de la dictée, il était comme forcé de s'adresser. De même, dans le cas qui nous occupe, Picasso ne mord plus que rarement ses planches lui-même, il ne tire plus non plus. Il a donc une sorte de public immédiat à qui il s'adresse directement : l'imprimeur qui va voir se révéler «l'histoire», dès le lendemain matin, lors de la morsure et du tirage de la première épreuve. En tout cas la gravure semble bien, maintenant, lui permettre d'écrire, de raconter, ce qui lui fait faire une immense économie : éviter de le faire dans sa peinture qui, elle, n'est pas anecdotique. La gravure est entre l'écriture et la peinture, elle est entre le mot et la

fig. 23
Aquatinte,
28 mai 1968
Galerie Louise Leiris,
Paris
Cat., 141

fig. 25
Eau-forte,
16 mai 1970
27,5 × 35 cm
Galerie Louise Leiris,
Paris

fig. 24
Titien
Vénus avec un
organiste, un amour
et un petit chien, 1550
Staatliche Museen,
Berlin

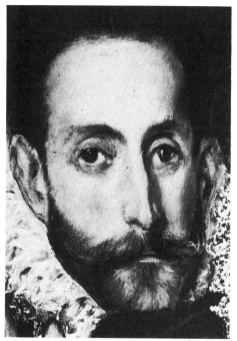

en haut, à gauche :

fig. 26
El Greco
Enterrement du
Comte d'Orgaz, 1586
Eglise San Tomé,
Tolède

en haut, à droite :

fig. 28
El Greco
Enterrement du
Comte d'Orgaz
(détail)
Autoportrait présumé
du Greco

en bas :

fig. 27
Aquatinte et eau-
forte, 30 juin 1968 I
28 × 39 cm
Galerie Louise Leiris,
Paris

:hose : «C'est qu'au moment où tu le fais, ça te soulage. Et c'est ça l'essentiel.»⁵

Ces «histoires» ont, bien entendu, un langage codé. Ce n'est plus le monde des significations, fondé en grande partie sur les Écritures, des peintres anciens. Le code est très XXe siècle, très contemporain. Sa mythologie, comme la nôtre, est frappée au coin de la référence et du «freudisme». Lui-même, d'ailleurs, malgré tout ce qu'il a pu dire sur l'impossibilité pour un autre d'entrer dans ses rêves, ses fantasmes, sa pensée, ne se prive pas d'appliquer la méthode à l'œuvre d'autres peintres, el Greco, par exemple. Évidemment il n'explique pas, il montre, il interprète, il met en scène, parfois aussi «sauvagement» qu'un Mesguish.

Prenons par exemple sa mise en scène de l'Enterrement du comte d'Orgaz (fig. 26) : Bloch, II, 1676 ; fig. 27. La veille, il avait extrait du tableau le personnage qui se trouve au centre au-dessus de la mitre de l'évêque, celui qui regarde en l'air si fort qu'il en a les yeux révulsés. Puis il avait aussi soigneusement sorti celui qui est connu comme l'autoportrait du Greco ; il l'avait comme entouré de fil de fer barbelé, étudiant également les yeux qui, eux, «nous» regardent, et regardent le peintre. Le 30 juin, c'est le tableau tout entier qu'il passe au crible.

Il cueille la rangée de têtes qui forme une frise entre le ciel et la terre et la groupe en bouquet sur la gauche, multipliant seulement l'homme aux yeux révulsés, pour lui le prototype des autres ; à la place de l'autoportrait du Greco, il se met lui-même, avec son maillot rayé (à côté de la tête de la femme). La présence du Greco parmi les spectateurs, il la gonfle comme un ballon : le portrait du Greco (fig. 28), avec ses yeux de voyant, occupe presque la moitié de la composition, à droite comme dans le tableau. Et puis, au centre, il y a la scène, et la Cène : l'Enterrement, c'est évident, ressemble à une «Descente de croix». Picasso transforme donc le cadavre en un poulet rôti («Ceci est mon corps») présenté par le fils du Greco, qui désigne le corps dans l'Enterrement. Jorge Manuel devient donc le Fils, le Christ. S'il est le Fils, c'est donc la tête du

Greco (qui a d'ailleurs quelque chose d'un Zeus) qui représente Dieu le Père. La Vierge, seule femme du tableau, devient cette femme nue, sur laquelle louchent tous les hommes (comme dans le tableau) ; elle se sert un verre de vin (i.e. le calice et la burette de la messe). Quant aux pommes de terre qui garnissent le poulet, elles ne peuvent être que les prêtres du tableau ! Blague tant soit peu iconoclaste, certes, mais réflexion, hommage, admiration pudiquement cachés sous l'ironie, et sans doute aussi, lâchons le mot, envie.

C'est donc Picasso lui-même qui nous ouvre le chemin de l'interprétation. Comme il n'a jamais été hermétique, comme il se soucie de son public et essaie de donner valeur universelle à ses rêves et à ses fantasmes, il nous parle, même si parfois nous ne savons ni quoi ni qu'est-ce : c'est le langage parallèle de l'art. De même, au théâtre, s'il y a une vraie représentation, si nous sommes réceptifs, le sens fonctionne entre nous et ce qui se passe sur la scène, comme une balle de ping-pong renvoyée sans cesse d'un côté à l'autre du filet : la rampe.

Picasso a dit à Pierre Daix, à propos de la série sur Degas⁶, que c'était la gravure qui était le vrai voyeur. Qu'on se méfie : il ne faut pas prendre cette phrase au pied de la lettre, il ne faut pas l'appliquer tout simplement à la série Degas, ou à celle sur Raphaël et la Fornarina. Le cuivre lui sert à se voir lui-même, voyeur dans ces deux séries du voyeur, voyeur de lui-même épiant le voyeur. Ce qu'il dit, c'est sa propre curiosité, celle, sexuelle, qu'il prête à Degas ou au pape, mais également celle qui consiste à vouloir deviner le secret de la création, de la création artistique, de la fabrication des enfants. Raphaël, le peintre par excellence, Degas qui ressemblait à son père, son père qui, finalement, peintre lui-même, l'avait aussi fait, lui Picasso. Et toutes ses gravures, la plus simple comme la plus complexe, sont, aussi bien, question et essai de réponse, trou de serrure au travers duquel on ne voit que du noir, et qui force à deviner, à imaginer le secret de la chambre-des-parents.
Le cuivre est pour lui la lunette de Coppola/Coppelius

5
Hélène Parmelin, Picasso dit..., Paris, Éd. Gonthier, 1966, pp. 98, 99.

6
Pierre Daix, Picasso créateur. La vie intime et l'œuvre, Paris, Éd. du Seuil, 1987, p. 375.

(Hoffmann, L'Homme au sable); il voit au travers des gens et des choses; il soupçonne ce qu'Hoffmann a montré dans cette terrifiante histoire, qu'il y a des choses qu'il ne faut pas voir. Picasso, cependant, n'a jamais approché de ce «mur du son» qu'avaient passé Hoffmann ou Van Gogh, il n'a jamais vu «au-delà», il ne regarde pas dans le trou sans fond, et donc ne se jette pas, comme le héros du conte, du haut de la tour de l'hôtel de ville, rendu fou par ce qu'il «voit». Parfois, cependant, il approche d'une vision du monde, de la femme en particulier, assez terrifiante, mais d'une part c'est seulement du théâtre, d'autre part il met en scène, alors, une Athéna qui conforte, un «père» qui protège (voir plus bas Bloch, IV, n° 1868), ou qui met de l'ordre, et cela bien plus dans les «156» qu'ailleurs.

Dans le Bloch, IV, 1876; fig. 29, c'est Natân le prophète, immense et tonnant comme Iahvé lui-même, qui est le père. Recroquevillé sous ses semonces et par le remords, le roi David est devenu minuscule mais il tend quand même la main vers une Bethsabée extrêmement belle qui ressemble à la Donna velata de Raphaël, mais qui se dédouble en une femme nue, aguichante et consommable.

Ailleurs, comme dans le Bloch, IV, 1865; fig. 30 et 31, c'est Rembrandt lui-même qui est le père, «le texte», que Picasso retourne comme une peau de lapin, mais qui demeure le texte. Planche souvent commentée, elle mérite cependant qu'on en résume l'analyse. Ici Picasso épie le travail de Rembrandt, en s'appropriant la composition et le titre de sa célèbre gravure, «Ecce homo», dont il détourne le sens à son profit: autoportrait donc avec, incluse dans la proposition, son envie pour le plus grand graveur de tous les temps dont il inverse le cheminement, dont il triture la planche qu'il avale, digère et expulse, parce que «ça te soulage», sous la forme d'une création à lui et le représentant lui-même.

Emprunts. Emprunt de Rembrandt à Lucas de Leyde et à Marcantonio, d'après Bandinelli: l'architecture de sa composition du Ecce homo. Voir Ier et VIIIe états: fig. 32 et 33.

Emprunts de Picasso à Rembrandt: l'architecture et la mise en scène de sa planche. La scène centrale, dont il avait fait situer l'espace par Crommelynck, contrairement à toutes ses habitudes, en lui demandant de tracer au vernis un rectangle «un peu décentré» sur son cuivre, cette intrusion d'une main étrangère prenant valeur de signe: l'emprunt. Mais aussi, légèrement décalé, le sens du titre. Également certains personnages: le vieux au turban à gauche, à moitié dans les coulisses, à moitié sur la scène, qui tient la place de Rembrandt (Rembrandt qui voit le spectacle et en même temps le «machine») et qui est aussi le seul personnage que Rembrandt laisse au pied du podium après le Ve état de sa planche. Et puis, la cariatide qui se trouve à droite sous l'entablement qui surmonte la porte du palais de Pilate, que Picasso transforme en une immense femme enturbannée, à droite de la scène centrale: comme on sait c'est une amazone, symbole de la prudence et gardienne de la liberté. Les spectateurs qui se penchent aux fenêtres de la planche de Rembrandt, que Picasso remplace par ces spectateurs du «paradis» qui sont en même temps les machinistes dans les cintres, tous des autoportraits, en haut de sa composition. Enfin le personnage de l'Homme (ici lui-même), celui de Pilate (lui-même aussi qui «s'en lave les mains»), la femme de Pilate qu'il a fait descendre de sa fenêtre, le hallebardier, le vieux en bas à droite de la gravure de Rembrandt qu'il a replacé sur la scène à droite, au milieu de ses santons à lui (écuyère, baigneuse, pierrot).

Emprunts aussi de Picasso à d'autres peintres: le petit garçon qui désigne l'Homme rappelle le fils du Greco dans l'Enterrement; la jeune femme agenouillée derrière l'homme qui figure Rembrandt semble être la Thétis d'Ingres, vierge-mère qui implore pour son fils: elle a remplacé la femme suppliante, très Guernica, qui se trouvait, presque seule, sous le podium, au Ier état de sa planche.

Vol et inversion. Picasso avait dit à Zervos[7], en 1935: «Auparavant... un tableau était une somme d'additions. Chez moi, un tableau est une somme de destructions.» Ici, c'est Rembrandt lui-même qui lui a volé par anticipation sa célèbre formule, car il procède par des-

7
Christian Zervos, «Conversation avec Picasso», Cahiers d'art, Paris, vol. X, n° 7/10.

à gauche :

fig. 29
Aquatinte, pointe-
sèche et grattoir,
(12 mars 1970 II),
31 mars 1970,
2 avril 1970
51 × 54 cm
Galerie Louise Leiris,
Paris

fig. 30
1er état
3 février 1970 IV
Voir fig. 31

à droite :

fig. 31
VIIe état (définitif)
Eau-forte, aquatinte
et grattoir,
3 février 1970 IV
(5, 6 mars 1970)
Galerie Louise Leiris,
Paris
Cat., 170

fig. 32
Rembrandt
«Ecce homo»
1er état
Voir fig. 33

fig. 33
«Ecce homo», 1655
VIIIe état (définitif)
Pointe-sèche et
grattoir

truction. Picasso, en conséquence, va faire «une somme d'additions».

Rembrandt coupe le haut de son cuivre au IVe état: Picasso, en le remplissant des têtes claires des spectateurs/machinistes, utilise une illusion d'optique pour le hausser.

Rembrandt, pendant cinq états de sa planche, montre au-dessous du podium où se trouve Jésus, la masse mouvante et hurlante de la foule qui crie «Barabbas». Puis il la supprime pour la remplacer par ces deux voûtes sombres qui mettent en relief la nudité du mur et la solitude du Christ mais qui sont aussi, si c'est bien Neptune qui se trouve entre les arcs, le symbole du cloaque des égouts[8] qui clapotent en dessous, donc de l'inconscient haineux, enragé et envieux de cette foule. Il ne sauve que la tête et la main du jeune garçon à gauche, et l'homme barbu à la main levée à droite, au coin du mur.

Picasso, lui, laisse le bas de sa composition presque vide au Ier état, puis la peuple de la foule dense de «sa vie». Les deux personnages du dernier état de Rembrandt, l'enfant et le vieux qui semble compatir et qui est peut-être l'artiste lui-même, sont transformés au Ier état de Picasso en une femme désespérée qui implore et en un homme qui éjacule de plaisir à la vue de ce qui se passe sur la scène (plaisir de créer, si c'est Rembrandt; plaisir de voir un spectacle qui n'est pas clair puisqu'il est quand même à mi-chemin entre l'étalage narcissique picassien et celui, plus complexe en tout cas, de ce dieu souffrant et humilié, qui va mourir). La foule haineuse des premiers états de Rembrandt est remplacée, aux derniers états de Picasso, par lui-même encore (mais c'est logique: d'une certaine façon, Rembrandt est aussi dans la foule), avec ses amours: profil de Dora Maar, à gauche; puis de gauche à droite, profil de Françoise Gilot; tête presque cubiste qui évoque peut-être Fernande et Eva; en bas cheveux blonds et nez grec de Marie-Thérèse; puis une grande Jacqueline nue. Quant au «baiser», en principe signe d'amour et non de haine, il a été un des thèmes de la peinture de Picasso, il a été féroce aussi en 1931, et il lie entre elles toutes ces femmes sous les paupières closes de l'homme.

Envie et théâtre. Admiration, dialogue avec «le père» (Rembrandt), destruction et reconstruction de son œuvre, certes. Mais envie aussi: envie destructrice de la foule, envie de Pilate pour le Christ, envie de Rembrandt, montrée par Picasso sous la forme de cet homme du Ier état qui jouit devant le spectacle de la déchéance de l'homme-dieu, envie aussi de Picasso qui prend toute cette envie à son compte et lui additionne (encore) la sienne propre pour la création de Rembrandt (qui, lui aussi, est «partout» dans sa composition: dans la foule, sur la scène, Christ, Pilate, etc.). Il «s'exhibe» donc, presque à la façon d'un enfant qui fait son numéro, couvert de femmes et de succès, et en même temps le créateur de tout ça, en tout cas le metteur en scène tout puissant et le machiniste.

Ce qu'il montre en outre c'est que c'est du théâtre: la gravure, c'est du théâtre, ce qu'il fait, Rembrandt, c'est du théâtre (et d'ailleurs il est à moitié en scène et à moitié dans la coulisse); ce qu'il dit, Pilate, c'est du théâtre; à la limite ce qu'il fait, Jésus, c'en est aussi puisque ça va cesser et qu'il va retrouver «son royaume». En se montrant lui-même à la place du Christ, peut-être va-t-il jusqu'à induire, chez Jésus, un plaisir théâtral à se montrer nu, ce plaisir que lui, Picasso, réclame. Heureusement, toute cette envie, c'est du théâtre, et la représentation, la gravure, le rêve vont s'achever. Rembrandt, Jésus, Picasso seront toujours là, entiers.

LES DÉGUISEMENTS

Eh, oui! On peut se demander pourquoi tous ces déguisements? Ces mousquetaires enroulés dans leur cape, à l'Espagnole, ces hommes à la fraise du XVIe siècle, ou au col rabattu, aux souliers à boucle, au chapeau emplumé du XVIIe, ces arlequins, ces Guignol, ces pierrots, ces militaires flamboyants du XIXe siècle, ces personnages enturbannés sortis de Rembrandt, des Mille et une nuits ou des Trois lanciers du Bengale, ces Degas, ces Manet en tenue de l'époque, ces peintres qui portent les petites lunettes rondes à monture noire

8
Voir Kenneth Clark, Rembrandt and the Italian Renaissance, Londres, éd. par John Murray, 1966, p. 92.

de Goya ou du cardinal de Guevara, ces Grecs et ces Romains sortis tout droit des «péplums» d'Hollywood... Évidemment, c'est plus beau et plus romanesque que le complet veston, ou le short et le T-shirt de la Côte d'Azur. Et puis Picasso vit plus avec Velázquez, el Greco, Degas, Goya, Rembrandt ou Ingres qu'à Notre-Dame-de-Vie, et leur présence est plus forte pour lui que celle de son entourage. Explication trop logique et trop superficielle, quoique valable. Remarquons d'ailleurs qu'hormis la vieille Célestine et la patronne de la Maison Tellier, les femmes sont rarement déguisées, mais nues ou à peine voilées. La patronne, la Célestine ne sont plus des femmes, seulement des caractères.

Le rêve déguise, il démultiplie un personnage trop chargé de sens, il se joue du temps qui n'existe plus, et mélange les gens «de tous les jours» à Thésée, au Minotaure ou à Tintin, selon la mythologie personnelle du rêveur, ce qu'il lit, ou le spectacle qu'il a vu la veille. Le rêve clive et multiplie les identifications, les représentations de soi-même, de façon que le méchant soit réellement méchant, le gentil vraiment gentil, le vieux très vieux, l'enfant très petit, etc. L'image de la mère, de la femme, autre projection de soi-même, se scinde aussi : fée et sorcière, douce et dévoreuse, séductrice et maternelle...

On retrouve ainsi le voyeurisme : le cuivre est le voyeur parce que Picasso s'y met en scène, toujours déguisé, en mousquetaire, en gladiateur, en Christ, en Degas, en Rembrandt, en Léon X et en même temps en Raphaël, en bébé, en vieillard, en marin, en chien, et même parfois en lui-même. Seule la féminité, celle des femmes mais la sienne aussi, celle qui sourdait, primaire et dévorante dans le cycle du minotaure, reste nue, plus acceptée sans doute maintenant, moins primaire aussi, mais quand même plaie vive.

THÉÂTRE

Déguisées comme dans le rêve, ces identifications de lui-même, certes, mais déguisées aussi comme au théâtre. On l'a vu plus haut, le théâtre est là, partout.

Picasso y était revenu avec son illustration du Cocu magnifique de Fernand Crommelynck. Et, de fait, bien des planches de 1966 nous montrent, séparées des spectateurs par ces sortes d'étoiles qui sont les feux de la rampe, des scènes de théâtre, souvent brutales : assassinats, bourreaux, décapitations, pensées de meurtre avec David qui regarde Bethsabée en préméditant la mort d'Urie...

La plupart des planches des «347» sont aussi spectacle. Illustration de La Célestine, qui se présente sous la forme d'une pièce de théâtre, ne l'oublions pas. Mais aussi ces planches où l'artiste délimite soigneusement l'espace de la scène en traçant un rectangle à quelques centimètres du bord de son cuivre, plaçant souvent des spectateurs, ou des acteurs, à demi dans les coulisses, entre le spectacle représenté et celui de la composition (voir Bloch, II, 1565 et 1567...).

Picasso annonce d'ailleurs qu'il va s'agir de spectacle, de théâtre avec la première planche de la série, le Bloch, II, 1481 ; fig. 34.

Ici il se place, il nous place, dans les coulisses, derrière un décor, transparent il est vrai : c'est là que se tient le personnage narcissique, androgyne, qui, étendu au premier plan, rêve ou fantasme le tout. Au fond les centaines d'yeux du public, un public de corrida, mais dont le spectacle est simplement une Jacqueline en écuyère, et non le spectacle total de la corrida qui implique la vraie mort. Une Jacqueline en écuyère qui est aussi une «peinture», ne serait-ce que par référence au portrait équestre d'Elizabeth de Bourbon par Velázquez, par l'intermédiaire du dessin de 1959 (Zervos, XVIII, 367).

Un pied dans le spectacle, un pied en dehors, un superbe hercule de foire porte la besace du minotaure et ressemble au sculpteur de la Minotauromachie : les deux ici recollés l'un à l'autre en une seule boule d'argile ; c'est «le théâtre des années 30» de Picasso. Il s'en va lui aussi, d'ailleurs ; en tout cas il quitte la scène.

Et puis à gauche, Picasso lui-même, en costume de

en haut :

fig. 34
Eau-forte
16, 17, 18, 19, 20, 21,
22 mars 1968
Galerie Louise Leiris,
Paris
Cat., 139

en bas, à gauche :

fig. 35
Aquatinte,
25 mai 1968 I
Galerie Louise Leiris,
Paris
Cat., 140

en bas, à droite :

fig. 36
Rembrandt
Hendrickje au lit
National Gallery of
Scotland, Edimbourg

bouffon, avec, derrière lui, une sorte de magicien qui a le chapeau mou de l'autoportrait de Rembrandt et cette main qui seule sort de la cape et qui est, pour Picasso, une façon symbolique et répétée de faire signe aux portraits d'hommes de ce peintre. Le magicien, cependant, ressemble à Cocteau, le prince de la manigance, le grand prestidigitateur, le tricheur, l'«imposteur». Ces deux-là sont les metteurs en scène du faux/vrai qu'est le spectacle. Tout ça, c'est du théâtre, le «numéro» des femmes, celui de Cocteau, celui de Picasso, la peinture peut-être, la gravure aussi. Ce n'est plus, en tout cas, la corrida ; personne ne va en mourir. Et d'ailleurs, «ça marche» : le spectacle fait salle comble.

Théâtre picassien par excellence, le Bloch, II, 1589 ; fig 35, dont il faut d'abord noter la beauté, avec ce rythme des blancs et des noirs qui font sortir de l'ensemble la nudité de la femme et le seul réel spectateur, le laid petit garçon : une citation des clairs-obscurs de Rembrandt. Théâtre, ou peut-être télévision mais retransformée en théâtre par Picasso, qui campe, hors du champ et hors de la scène, un gamin gouailleur et un peu débile, et qui pose, à mi-chemin entre scène et coulisses, à mi-chemin entre l'écran et le monde réel, un personnage barbu qui est lui-même, représenté en même temps comme un spectateur qui «entre» dans le spectacle, et comme le metteur en scène et sans doute aussi un acteur.

Sur la scène deux acteurs principaux : dans un lit à baldaquin, une femme nue qui combine les mouvements de Bethsabée et de Hendrickje au lit (fig. 36) et que son visage et ses bas, noirs comme ceux des «filles» de Degas, désignent comme étant une courtisane ; et puis, son visiteur. Il a le bâton et la démarche du capitaine de La Ronde de nuit, mais il a poliment enlevé son chapeau : la scène se passe après La Ronde. Le capitaine «fait la noce». La vieille Célestine rappelle les gravures qui représentent la mère. de Rembrandt ; quant à l'homme au chapeau, à droite, c'est Rembrandt lui-même, avec son nez en pomme de terre, et il a la même canne que son capitaine. Le joli petit garçon ressemble au fils du Greco : c'est un fils de peintre que

son père a introduit dans sa peinture, qu'il a forcé à participer à «une histoire» comme le Greco avait forcé Jorge Manuel à prendre part à l'Enterrement. En somme une création/créature comme le capitaine de Rembrandt. C'est sans doute pour cette raison, outre qu'il était beau et peintre par-dessus le marché, que Picasso le représente à la place de Titus, le fils de Rembrandt et de Saskia, qui aurait toutes les raisons de se trouver là. Le ridicule caniche, placé entre les hommes et les femmes, est bien entendu le symbole des relations sexuelles : ce n'est plus le minotaure d'autrefois ; tout ça, c'est du théâtre !

Dans sa Poétique, Aristote constate que le but de la tragédie n'est jamais mieux atteint que lorsqu'on illustre des relations de parenté et il cite, en effet, la famille la plus proche. Les relations de parenté, ici, sont évidemment très complexes, vues peut-être par le gamin gouailleur mais vécues par le petit garçon sur la scène, surtout s'il représente Titus : côté femmes, une courtisane qui est en même temps la nouvelle «femme» du père, et une mère qui est en même temps une entremetteuse. Côté hommes un père, Rembrandt, et sa créature, le capitaine, qui est sorti du tableau pour vivre sa vie et à qui - selon Picasso - Rembrandt s'identifie : car c'est lui qui va retrouver Hendrickje au lit, comme c'est lui qui convoite Bethsabée. Et puis le garçon qui est épinglé dans un tableau pour l'éternité et qui se demande ce qui se passe aussi bien dans la peinture que dans la vie de son père.

Remarquons que les deux vieux, Rembrandt et sa mère, sont vus en demi-figure, ou en plan américain, à moitié sous le plancher de la scène ou à moitié hors du champ ; eux aussi pensent le spectacle, mais c'est l'homme de droite (Picasso) qui les met en scène, voyant pour le compte du petit garçon sur la scène, pour le seul bénéfice de l'unique spectateur, le gamin gouailleur.

Aristote écrit aussi (op. cit.) que l'œuvre du poète n'est pas de raconter des choses réellement arrivées, mais bien des choses qui pourraient arriver. Que pourrait-il arriver de plus théâtral que le fait que des personnages

9
Anecdotique certes,
mais intéressant dans
le cas de cette
composition, le rôle
des inventaires dans
la vie des deux
peintres : celui qui
suivit la mort de
Saskia et qui
empêcha Rembrandt
d'épouser
Hendrickje ; celui de
1935 qui empêcha
Picasso de quitter
officiellement Olga et
d'épouser... les
autres. Dans les deux
cas, le «peintre» était
plus attaché à ses
œuvres qu'à une
femme, à sa création
qu'à sa vie d'homme.

fig. 37
Ingres
Raphaël et la
Fornarina, 1814
Fogg Art Museum,
Cambridge (Mass.)

fig. 38
Ingres
Paolo et Francesca
surpris par
Gianciotto, 1819
Musée des Beaux-
Arts, Angers

sortent de leurs tableaux respectifs pour se retrouver dans une relation de parenté assez compliquée ? Or voit qu'ici Picasso fait vraiment du théâtre, la gravure étant elle-même théâtre, et montrant, à l'intérieur de ce théâtre, une scène de théâtre qui obéit, de plus, aux règles d'Aristote ![9]

Théâtre encore, la série sur Raphaël et la Fornarina qui ressemble à une bande dessinée, mais qui est du théâtre puisque Picasso met en scène Ingres voyeur (le «texte») d'un voyeur (Léon X, Michel-Ange, etc.) qui essaie de surprendre le secret de la chambre-des-parents, celui des relations sexuelles, certes, mais bien plus celui de la création, quelle qu'elle soit, enfants ou peinture. En tout cas, curiosité d'Ingres pour Raphaël, de Michel-Ange pour Raphaël, curiosité aussi de Picasso pour Ingres, Michel-Ange, Raphaël ; curiosité et admiration, mais mêlées d'envie meurtrière puisqu'il emprunte son personnage qui tire le rideau pour épier, non à Raphaël et la Fornarina (fig. 37), mais à une autre peinture d'Ingres, Paolo et Francesca (fig. 38) qui lui fournit aussi, pour son Raphaël, le physique et le béret de Paolo. Or comme on sait, c'est Gianciotto qui surprend ainsi sa femme et son jeune frère, et Gianciotto n'est pas un simple voyeur mais aussi un assassin qui va les envoyer, sans tergiverser, dans le deuxième cercle de l'Enfer de Dante.

Théâtre aussi puisque Picasso raconte ce qui «pourrait arriver», en partant d'une situation très simple qui induit seulement les doubles relations du peintre et du modèle : relations amoureuses et échange au niveau de la création. Ici encore relations de parenté : dans Paolo et Francesca, le frère plus âgé est le substitut du père. Dans la série de Picasso, Raphaël est en quelque sorte le «père» de la peinture. Quant au voyeur, il est en même temps père et fils : le Saint Père, bébé sur son pot ; Piero Crommelynck, jeune mais pourvu de la barbiche de don José ; Michel-Ange, caché sous le lit comme un enfant, mais vieux aussi puisque, même s'il a vécu quarante-quatre ans après la mort de Raphaël, il était né huit ans avant lui (comme on le sait, il le détestait).

à gauche :

fig. 39
Eau-forte,
29 août 1968 I
28 × 39 cm
Galerie Louise Leiris,
Paris

fig. 40
Eau-forte,
29 août 1968 II
Galerie Louise Leiris,
Paris
Cat., 151

fig. 41
Eau-forte,
31 août 1968 I
Galerie Louise Leiris,
Paris
Cat., 152

à droite :

fig. 42
Eau-forte,
31 août 1968 II
Galerie Louise Leiris,
Paris
Cat., 153

fig. 43
Eau-forte,
31 août 1968 III
Galerie Louise Leiris,
Paris
Cat., 154

fig. 44
Eau-forte,
2 septembre 1968 II
15 × 20,5 cm
Galerie Louise Leiris,
Paris

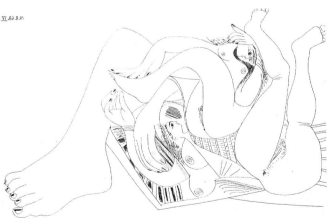

fig. 45
Eau-forte,
2 septembre 1968 III
Galerie Louise Leiris,
Paris
Cat., 155

fig. 46
Eau-forte,
3 septembre 1968 I
Galerie Louise Leiris,
Paris
Cat., 156

fig. 47
Eau-forte,
4 septembre 1968 II
Galerie Louise Leiris,
Paris
Cat., 158

fig. 48
Eau-forte,
4 septembre 1968 IV
Galerie Louise Leiris,
Paris
Cat., 160

fig. 49
Eau-forte,
5 septembre 1968 I
Galerie Louise Leiris,
Paris
Cat., 161

fig. 50
Eau-forte,
8 septembre 1968 II
Galerie Louise Leiris,
Paris
Cat., 164

fig. 51
Eau-forte,
9 septembre 1968 II
Galerie Louise Leiris,
Paris
Cat., 167

Eau-forte,
21, 22 août 1968
Galerie Louise Leiris,
Paris
Cat., 150

Eau-forte,
18 août 1968 IV
Galerie Louise Leiris,
Paris
Cat., 148

à gauche:

Eau-forte,
20 août 1968 I
Galerie Louise Leiris,
Paris
Cat., 149

Eau-forte,
4 août 1968 III
Galerie Louise Leiris,
Paris
Cat., 145

fig. 52
Eau-forte,
13 mars 1971
Galerie Louise Leiris,
Paris
Cat., 175

à droite:

fig. 53
Eau-forte,
15 mars 1971
Galerie Louise Leiris,
Paris
Cat., 177

fig. 54
Eau-forte,
9 avril 1971
Galerie Louise Leiris,
Paris
Cat., 184

fig. 55
Eau-forte,
4 avril 1971
Galerie Louise Leiris,
Paris
Cat., 182

La série se déroule comme une histoire (fig. 39 à 51): au début les amoureux sont seuls, puis le voyeur, qui devient vite le pape, épie de derrière un rideau; il finit par s'introduire dans la pièce, y fait porter le fauteuil qu'il occupe sur son portrait, se retire quelques instants, mais ne veut décidément rien perdre de ce qui se passe, et se réinstalle, cette fois-ci sur son pot de chambre. Raphaël fait l'amour et peint en même temps. Puis le voyeur se recache derrière son rideau, devient un vieux fou coiffé de son bonnet de bouffon, et les amoureux redeviennent un homme et une femme qui s'aiment. E finita la commedia! Tout ça, c'était du théâtre. Dans le Bloch, II, 1797; fig. 50, Michel-Ange ressemble à un gros chien, tout frisé... Plus que les ébats de Raphaël avec son célèbre modèle, ce qui les fascine, ces voyeurs, c'est la peinture de Raphaël, ce qu'on peut formuler ainsi: comment peut-il «créer» rien qu'en s'agitant ainsi avec cette femme... Il y a de la magie là-dessous. Celle de l'art.

Les «156» sont aussi du théâtre. Ici Picasso, sur de nombreuses planches, se montre lui-même en spectateur d'une pièce qui se joue (voir Bloch, IV, 1870 ou 1868, par exemple). Ailleurs, il reprend le processus plus complexe de la mise en scène d'un «texte», où cependant intervient le voyeur/spectateur qu'il montre, mais à qui également il s'identifie à la façon dont le public, au théâtre, s'identifie aux personnages, tout en sachant que c'est du théâtre et que le comédien lui-même n'est acteur que dans les limites de la représentation.

Le «texte», c'est par exemple ces monotypes de Degas qu'il avait ressortis d'un tiroir, plus de dix ans après les avoir achetés, et qu'il tisse d'ailleurs avec les autres monotypes relatifs au même thème, la présence du chien sur les genoux de la patronne le montre. La légende veut qu'il se soit posé la question: «Mais qu'est-ce donc qu'il allait chercher là-bas» (dans les bordels)? Il va essayer de répondre à cette question, la vraie réponse étant le non-dit du texte qui force, pour boucher les trous du discours, à inventer, à fantasmer, et quand même à savoir que la vraie vérité reste cachée; comme le fait le voyeur qui, l'œil vissé à son trou de serrure, ne voit finalement que du noir car, bien entendu, on a éteint la lumière.

Picasso, d'ailleurs, situe le sujet, et aussi la vraie réponse, dans une des premières compositions de sa série Bloch, IV, 1936; fig. 52, où il pose Degas au milieu des femmes mais où il le montre aussi, dédoublé et dessinant. Le trou du discours, en effet, le secret qu'on ne peut pas surprendre par le trou de la serrure, c'est encore une fois la création, celle des monotypes, ceux possédés par Picasso mais aussi ceux, si beaux, des Femmes à leur toilette, évoqués parfois comme dans le Bloch, II, 1939; fig. 53 (voir Cachin, 158). Le secret que Picasso cherche, c'est bien celui-là et le reste est jeu de théâtre, qui l'intéresse pourtant. Car Picasso n'a sans doute pas de mal à s'identifier à Degas voyeur.

Le monde de «Raphaël et la Fornarina» était un monde d'hommes, la Fornarina n'étant qu'un objet. Le monde des maisons closes, dont le nom implique le secret, est un monde de femmes, où le client est seulement un objet. Et Picasso se pose des questions qui resteront sans réponse: qu'est-ce qu'elles peuvent bien fabriquer, ces femmes, quand elles sont entre elles (son œuvre montre qu'il s'était sans cesse posé la question)? Elles se livrent à des jeux homosexuels (Bloch, IV, 1966; fig 54) en papotant comme des perroquets et en se racontant en riant les secrets des hommes (Bloch, IV, 1964; fig. 55). Et la patronne, quel est son rôle? C'est la mère. La mère des «filles» qui s'amusent comme des enfants le jour de sa fête: l'une a sauté sur ses genoux (Bloch, IV, 1983; fig. 56); les autres lui offrent ces bouquets, qui rappelaient chez Degas celui de la servante noire de l'Olympia, mais que Picasso a bizarrement déballés de leurs cornets de papier (voir fig. 57 et Bloch, IV, 1982, 1984 à 1986, fig. 58, 59, 60). La mère aussi du client, qui va «là-bas» pour être traité comme un enfant unique et gâté, pour être dorloté et admiré (Bloch, IV, 1970) par toutes ces femmes. La mère destructrice enfin, «faiseuse d'anges», avec ce visage bonasse et sournois, ces mains de sorcière et ce chihuahua qui s'échappe de son giron et qui est tout

ci-contre :

fig. 57
Degas
La Fête de la
patronne, 1878-1879
26,6 × 29,6 cm
Monotype à l'encre
rehaussé de pastel
Musée Picasso, Paris

fig. 62
Degas
Au salon, 1879
16,4 × 21,5 cm
Monotype à l'encre
Musée Picasso, Paris

page précédente,
à gauche :

fig. 56
Eau-forte,
16 mai 1971
Galerie Louise Leiris,
Paris
Cat., 188

fig. 58
Eau-forte,
17, 18 mai 1971
Galerie Louise Leiris,
Paris
Cat., 189

fig. 59
Aquatinte, pointe-
sèche et grattoir,
19, 21, 23, 24, 26, 30,
31 mai, 2 juin 1971
Galerie Louise Leiris,
Paris
Cat., 190

à droite :

fig. 60
Eau-forte,
20 mai 1971
37 × 50 cm
Galerie Louise Leiris,
Paris

fig. 61
Pointe-sèche et
grattoir, 1er,
4 mai 1971

Galerie Louise Leiris,
Paris
Cat., 185

fig. 63
Aquatinte, pointe-
sèche et grattoir,
22, 26 mai, 2 juin 1971
Galerie Louise Leiris,
Paris
Cat., 191

simplement un fœtus (Bloch, IV, 1972; fig. 61). Puis-que c'est Picasso qui est derrière le trou de la serrure, Degas est là, toujours, mais comme il se représente lui-même sur ses monotypes, en client anonyme, à moitié hors de la composition (fig. 62): ici réduit à une moitié, à une tranche de lui-même, parfois même à une photo accrochée au mur, ou écrasé contre la cloison pour prendre moins de place. Les mains derrière le dos, il regarde et personne ne fait plus attention à lui que s'il était une potiche.

Mais un jour, Picasso en a assez, et Degas s'en va (Bloch, IV, 1988; fig. 63): ici les filles le regardent; l'une glisse dans son bas l'argent qu'il lui a donné avant de partir, en montrant d'une façon imagée que tout cela ne l'amuse pas (c'est une pieuse litote de notre part): qu'est-ce que c'est que ce client qui ne consomme pas? Rien du tout, répond le geste obscène des mains à gauche. La fille du centre fixe Degas, réduit au tiers de lui-même, sans aménité. Mépris des filles, certes, mais la technique de Picasso, qui parvient à s'approcher de l'effet des monotypes, est un contrepoint à ce mépris. Ce qu'il a trouvé là-bas, Degas, c'est au moins ses mo-notypes. Quoi de mieux? Quand même, Picasso se venge et montre son envie en livrant Degas à l'affront de ces putains.

L'envie destructrice fait partie de la féminité primaire de chacun. Picasso l'a vécue, toute crue, avec le mino-taure et sa transformation (dans le Bloch, I, 229), en une goule qui s'apprête à dévorer les enfants athéniens livrés par contrat; elle cause aussi le départ du mino-taure dans la Minotauromachie, car il vaut mieux sans doute quitter Marie-Thérèse que de déchirer son enfant. Elle a changé maintenant. Elle est passée du cru au cuit, grâce à l'intervention d'Athéna, grâce aussi au dialogue retrouvé avec le père, mais elle provoque encore une vision assez ahurissante de la femme, possible, cependant, à représenter par le théâtre, qui est en même temps le vrai et le faux. Qu'on regarde par exemple la belle planche (Bloch, IV, 1868; fig. 65). Ici encore, ce sont les états qui racontent l'histoire et per-mettent de saisir le sens de la solution définitive. À gauche, le spectateur, un autoportrait en bébé-vieillard

à qui une écuyère de cirque, une Athéna, présente un spectacle; il brandit au bout d'un bâton (au Ier état un rameau d'olivier, fig. 64) un bouclier de Persée orné de la tête de Rembrandt; cet étrange appareil est pourvu de deux bras qui le soutiennent et le rassurent. À mi-chemin entre la scène et la salle, mais se dirigeant vers la scène, un Amour découragé, peureux et épuisé, se cramponne à son arc débandé; il était seul au Ier état, et c'est seulement plus tard que la main protectrice de l'homme du fond se pose sur sa tête. Cet Amour, c'est Picasso, bien sûr, mais c'est aussi Pâris, comme le montre le Ier état où, devant un aréopage de femmes, il doit affronter une grosse et étrange Athéna en déesse de la guerre, et qui cache un fouet, une Aphrodite cou-ronnée de fleurs et une Héra vieillissante.

Puis le spectacle de droite évolue et s'organise pour devenir ce que nous voyons au dernier état: l'aréopage de femmes a fait place à un couple, qui évoque le por-trait du roi et de la reine dans le miroir des Ménines, et à cette main que le «père» place sur la tête de l'Amour. Aphrodite a absorbé Athéna (qui ne demeure plus que sous forme de déesse de la raison, côté salle) et, fière de sa victoire (elle tient à la main la pomme d'or, qui d'ailleurs ressemble plutôt à une pierre qu'elle est prête à lancer à la tête d'un éventuel amoureux), elle a pris, comme la grenouille de la fable, des proportions mons-trueuses; son pouvoir de séduction a transformé le fouet d'Athéna en la massue d'Héraklès... Pas éton-nant que son fils, Éros, ait peur d'elle: la déesse de l'amour n'est pas engageante! Autre vision de la fé-minité, la vieille prostituée (autrefois Héra) très peinte: le mensonge. Enfin troisième vision, la ménade qui danse l'amour déchaîné mais aussi la mort, celle de Penthée par exemple.

Mais l'Amour est protégé par un père et le spectateur Picasso a reçu le bouclier donné par Athéna, qui est la peinture. Tout ça est devenu représentable au théâtre. Ce n'est que du théâtre. On peut prendre plaisir à le regarder puisque c'est, derrière la rampe, de la mytho-logie, donc des histoires d'il y a longtemps, bien long-temps. L'identification a permis à l'envie de devenir vivable, acceptée, médiatisée par l'affection pour le père.

fig. 64
1er état
11 février 1970
Voir fig. 65

fig. 65
IXe état (définitif)
Eau-forte et grattoir,
11, 28 février 1970,
3, 16, 30 mars 1970
Galerie Louise Leiris,
Paris
Cat., 171

LE THÉÂTRE ET SES LIMITES

Reste à se demander pourquoi, dans l'œuvre gravé de ses dernières années, Picasso a choisi de raconter ses histoires par le truchement du théâtre.

Il fabrique des images, et les images sont du spectacle ? Certes, mais l'histoire du minotaure n'était pas présentée sous forme de théâtre. Et puis il insiste lui-même sur le fait qu'il s'agit bien de théâtre : séparation des spectateurs et de la scène, séparation de la scène et des coulisses, possibles à transgresser, mais soigneusement établies.

L'illustration du Cocu magnifique et de La Célestine lui avait-elle remis le théâtre en tête ? Et puis il y avait une télévision à Notre-Dame-de-Vie. Rien de mieux qu'une émission idiote pour rêver son spectacle personnel en l'encadrant dans les limites de l'écran : c'est le type même de l'attention flottante.

Il doit, cependant, y avoir une autre raison.

La rampe établit, quoi qu'on fasse pour la supprimer, un jeu de balle entre le spectacle et le spectateur : il peut s'identifier mais garde le sentiment de l'altérité, celle du monde extérieur et du monde enclos dans les murs du théâtre (ici le champ du cuivre), celle de la salle et de la scène, donc celle du théâtre qu'il se fait dans sa tête et de celui qui se fait sur la scène, qu'il peut seulement essayer de tricoter ensemble : c'est ce que désignent ces personnages posés par Picasso à mi-chemin entre la salle et la scène.

Et puis il y a, pour le spectateur, le monde où se manigance le faux : les coulisses, limite infranchissable puisqu'elles sont la condition même du spectacle. Ici aussi, Picasso place des personnages entre coulisses et scène, et se place lui-même dans les coulisses. Du moins essaie-t-il, lui, le peintre, d'affirmer sa toute-puissance en envahissant en même temps la salle, la scène et les coulisses mais, nous l'avons vu, sans pourtant perdre de vue qu'il y a un texte, une loi, un père.

Donc espace du rêve, du théâtre, du cuivre, qui tous posent le principe de la clôture de la représentation.

Scène, où il faut essayer de boucher les trous du langage, ne serait-ce que pour comprendre ce qui se passe : le spectacle représenté par Picasso, ses identifications à des personnages autres, souvent donnés d'avance par le «texte», mais qu'il met en scène pour son propre bénéfice, comme pour deviner le non-dit de ce texte qu'il manipule, fouille et prolonge.

Et puis enfin, les coulisses. Elles montrent/cachent que la fausse/vraie vérité est beaucoup plus compliquée et plus simple que ça, le spectacle n'étant que ce qu'on veut bien donner à voir. Sans les coulisses, plus de théâtre. Picasso s'en empare mais il ne fait que reculer la barrière. Derrière les coulisses, comme dans certains spectacles où elles sont montrées - Hamlet en est le prototype - il y a d'autres coulisses, éternellement des coulisses, le secret, l'inconscient aussi.

Peut-être est-ce là que se trouve une explication du choix du théâtre. Picasso voit, et montre, «tout ça», mais il ne faut pas se leurrer : même s'il a l'air de donner des clefs (d'où l'insistance sur l'aposentador des Ménines, transformé en femme il est vrai, dans Bloch, IV, 2000 et 2002), même s'il se montre sous de multiples formes, il y a encore, par-derrière, une série infinie, télescopique, de coulisses. Il nous l'annonce et se l'annonce, car il est aussi l'acteur : rira bien qui rira le dernier, et c'est «l'homme lui-même», son secret, son inconscient dont ni nous, ni lui, n'attraperons même le bout de la queue. Tout ce qu'on peut voir, ce sont des taupinières ; on peut essayer de deviner le parcours de la taupe, mais ses galeries restent secrètes et certaines sont même oubliées par elle, effondrées peut-être, isolant des chambres murées et obscures.

Il se moque de lui-même qui croit dire beaucoup, du public qui croit comprendre et ne comprend que ce que la représentation lui montre et lui cache, en somme un os à ronger, mais un bel os, un os tout gravé d'hiéroglyphes. Tout ça, c'est du théâtre ! Picasso s'exhibe et e dissimule, se voit aussi sans se voir. Acteur, il porte un masque en plus de tous ceux qu'il se donne en tant que metteur en scène. Comme dans la vie : il est « un homme gai » ; et pourtant il y a la « tristesse espagnole »[10].

Avec le minotaure, il y avait la distance de « Il était une fois », mais il y avait la « cruauté » de la corrida où on meurt pour de vrai. Maintenant c'est du théâtre. Au théâtre, personne ne meurt, et les comédiens, vivants et morts ensemble, viennent saluer à la fin. Sauf, une fois, Molière : celui-ci serait-il l'équivalent de cette « tristesse espagnole » que Picasso citait, parodiant Lorca, et qui donc parle de la mort ?

Donc, à travers « l'écriture et la différence », le vieux Picasso a mis de l'ordre, pas un ordre fulminant, certes, mais un ordre : bien des choses sont maintenant acceptées, intégrées, représentables. Dans la solitude de cette sorte de prison qu'il s'était faite à Notre-Dame-de-Vie, il semble bien qu'il ait vécu, peut-être, plus intensément ces sept dernières années que tout le reste de sa vie.

Tous ces peintres du passé, qu'il aime et met en scène, avec qui il dialogue, dont il rit, de connivence avec eux, sont, inutile de s'étendre là-dessus, des images de son père. Il y en a un, pourtant, pour qui il avait plus que de l'admiration, plus que de l'amitié, dont il connaissait toute la vie, toutes les lettres, un qu'il avait mis sur un piédestal comme un « saint », et qu'il ne cite pour ainsi dire pas : Van Gogh. Il y a bien ces bouquets de 1969 qui font allusion, timidement, aux Tournesols, comme celui du 7 novembre ; il y a bien le Portrait d'homme au chapeau de paille du même jour qui, évidemment, se réfère à l'autoportrait de l'été 1887, celui où Van Gogh porte ce chapeau gris qui ressemble à un chapeau mou, celui qui fascinait Artaud. Picasso lui a même écourté l'oreille gauche... Il y a « l'arbre », dans sa gravure, qui fait penser au Mûrier... Il y a, enfin, Raphaël, mort à peu près au même âge que Van Gogh, et Picasso qui s'identifie à Michel-Ange, à sa fascination et à son envie. C'est peu.

Alors ? Bien sûr, Van Gogh ne lui fournit pas d'anecdotes à manipuler dans ses gravures. Mais il y a autre chose : Van Gogh, lui, avait « passé le mur du son » (c'est Picasso qui l'a dit)[11] et, à ce prix exorbitant, il avait peint comme il a peint. Pour lui Picasso, à l'âge qu'il avait, il n'y avait plus ni espoir ni danger de ce côté-là. Jamais d'ailleurs, il n'avait même approché du noir et des fulgurances de la folie ; il n'en avait ni l'envie, ni le courage, ni le pouvoir. Jamais donc il ne serait un peintre visionnaire, jamais il ne pourrait peindre comme Van Gogh, jamais il ne comprendrait la musique ni ne pourrait la mettre en peinture. Jamais Artaud, ou un autre de cette trempe, n'écrirait sur sa peinture ces mots « fulminants » : « ... le plus peintre de tous les peintres et qui, sans aller plus loin que ce qu'on appelle et qui est la peinture, sans sortir du tube, du pinceau, du cadrage du motif et de la toile... est arrivé à passionner la nature et les objets de telle sorte que tel fabuleux conte... (et Artaud cite, justement, les grands conteurs visionnaires) n'en dit pas plus long sur le plan psychologique et dramatique que ses toiles... » (Œuvres complètes, XIII, p. 28). Quant à Picasso, il lui faudrait se contenter d'Éluard.

Trop à vif sans doute en lui jusqu'à la fin, son admiration/envie pour la peinture de Van Gogh n'est pas représentable, ne peut faire l'objet d'une mise en scène ; les « textes », celui de Van Gogh, celui des sentiments de Picasso, sont inaccessibles. Alors le dialogue est impossible : il n'y a plus qu'à édifier un piédestal. Mais Picasso, peut-être grâce à la gravure, a été assez loin dans l'analyse de lui-même pour reconnaître que, s'il voit « au travers », d'autres ont vu « au-delà », et que l'espace entre les deux est infranchissable. Cette reconnaissance de « quelque chose d'autre » est, peut-être, ce qui donne à certaines des plus belles toiles « d'Avignon » ce « quelque chose en plus », qui est là, c'est indéniable. Comme c'est là dans les tout derniers quatuors de Beethoven.

10
André Malraux, La Tête d'obsidienne op. cit., p. 117.

11
Hélène Parmelin, Picasso dit..., op. cit., p. 82.

Ouvrages de référence cités en abrégé dans le texte

Bloch : Georges Bloch, Pablo Picasso. Catalogue raisonné de l'œuvre gravé et lithographié, t. I, II et IV, Berne, Éd. Kornfeld et Klipstein, 1968, 1971, 1979.

Brigitte Baer, Picasso peintre-graveur, t. IV, Berne, Éd. Kornfeld, 1988.

Cachin : Jean Adhémar, Françoise Cachin, Degas. Gravures et monotypes, Paris, Arts et Métiers graphiques, 1973.

G.W. : Pierre Gassier, Juliet Wilson, Vie et œuvre de Francisco Goya, éd. par Pierre Lachenal, Fribourg, Office du Livre, 1970.

PICASSO APRÈS-COUP

Guy Scarpetta

«Je voudrais trouver, dit Clairwill, un crime dont l'effet perpétuel agît, même quand je n'agirais plus, en sorte qu'il n'y eût pas un seul instant de ma vie, ou même en dormant, où je ne fusse cause d'un désordre quelconque, et que ce désordre pût s'étendre au point qu'il entraînât une corruption si générale, ou un dérangement si formel, qu'au-delà même de ma vie l'effet s'en prolongeât encore.»

Sade, Juliette

LE CRIME

Il suffirait, en somme, dans la phrase ici mise en exergue, de remplacer le mot «crime» par le mot «peinture» pour obtenir de l'effet-Picasso une définition assez exacte.

Sade avec Picasso? Pourquoi pas. Dans les deux cas: scénographie d'un désir sexuel illimité, liberté de la représentation, forçage scandaleux de la norme physique «harmonieuse». Même assurance dans l'excès. Même tourbillon déchaîné. Avec un même sens, ironique, très particulier, de la nécessité du corps bafoué. Sade, donc. Par exemple: «Les mouvements les plus simples de nos corps sont, pour tout homme qui les médite, des énigmes aussi difficiles à deviner que la pensée.»

Ou encore, à propos des actions humaines: «Presque toujours, sans qu'on s'en doute, le sentiment de lubricité dirige ces matières.»

Et aussi: «Je juge tout par les sensations.»

LE BORDEL D'AVIGNON

Je revois cette journée de juillet 1970 où je suis entré dans le Palais des Papes d'Avignon, - là où étaient accrochés les cent soixante-sept tableaux et les quarante-cinq dessins exécutés par Picasso pendant l'année qui précédait. La sensation, immédiate, d'être confronté à l'un des univers les plus exubérants et les plus excessifs que la peinture ait jamais suscité. Mousquetaires, fumeurs de pipes, échos du Siècle d'Or, étreintes, baisers drôles et ravagés, corps féminins tordus, obscènes, convulsés, avec leurs organes sexuels impudiquement exhibés, - à travers tout cela, une idée s'imposait: il était là, devant moi, le véritable «bordel d'Avignon», beaucoup plus que dans la toile de 1907 qui porte ce titre (celle que la pruderie du milieu artistique continue à désigner par le ridicule euphémisme qui transforme les putes en «demoiselles»). Comme si, au fond, à l'audace de 1907 répondait, plus de soixante ans après, une autre audace, insolente et acharnée, peut-être plus bouleversante encore dans sa force d'ébranlement.

Et pourtant, d'une certaine façon, à cette époque-là, je ne pouvais pas adhérer à cette peinture sans réserve. Lorsque j'y repense, j'ai le souvenir d'une attitude clivée, embarrassée: d'un côté, il m'était impossible de n'être pas ébloui par une telle démesure, une telle virtuosité; d'un autre côté, les préoccupations esthétiques qui étaient alors les miennes (et pas seulement les miennes) m'entraînaient vers une tout autre longueur d'onde. Picasso, en somme, n'était pas loin de m'apparaître comme un indiscutable génie, mais un génie anachronique.

Pour préciser: ce qui nous mobilisait, dans les turbulences de l'après-mai, c'était la tentative de conjuguer ou d'articuler deux radicalités (l'artistique et la politique), - sur le modèle, si l'on veut, du futurisme russe des années vingt, récemment redécouvert. Le champ pictural? Nous en étions à réévaluer, au-delà du «renversement» matissien des années cinquante, la grande abstraction américaine (Pollock, Rothko, Newman, Motherwell, Kline, De Kooning) - dont le chauvinisme français avait, selon nous, scandaleusement sous-estimé la portée. Les peintres de notre génération? Des artistes minimalistes (dont la généalogie s'élaborait du côté de Malévitch et de Newman), «matériologiques» (le groupe Support-Surface et sa périphérie), voire carrément nihilistes (de Buren et Toroni aux Conceptuels). Tout cela, si antagoniste à Picasso (à sa positivité, à ses surcharges et outrances baroques, à son parti-pris figuratif obstiné) ne pouvait que nous éloigner de lui.

Un mot de Clement Greenberg, en 1966, avait par avance défini, à la limite de la caricature, la radicalité de cet état d'esprit: «L'art de Picasso», écrivait-il, «a cessé d'être indispensable.»[1]

Et pourtant, en ce qui me concerne, cette confrontation au «style tardif» de Picasso n'avait pas manqué de produire, souterrainement, ses effets; cette peinture dont tout, dans l'ordre de l'actualité ou de la «théorie», aurait dû me séparer, n'en continuait pas moins à exercer sur moi, à distance, une sorte de fascination lancinante, secrète (un symptôme: il m'arrivait de me surprendre à griffonner, machinalement, certains dessins où l'influence de l'exposition d'Avignon était tout à fait manifeste).

Cette époque est loin, désormais (je puis même apercevoir ceci : la leçon de Picasso, plus ou moins consciemment, aura joué un rôle non négligeable dans la façon dont j'ai été amené peu à peu à prendre congé de ses utopies et de ses dogmes). Les «avant-gardes» des années soixante-dix fonctionnaient pour l'essentiel à coups d'interdits (au nom d'un «sens de l'histoire» conçu comme irréversible, d'une mythologie du progrès en art) ; il aura fallu attendre la levée de ces interdits pour que Picasso revienne (au sens, pour ainsi dire, d'un «retour du refoulé»), s'impose, - pour qu'il ne soit plus anachronique de l'admirer pleinement.

L'APRÈS-COUP

Ce qui s'est imposé à nous : l'histoire de l'art, sans doute, relève moins d'un modèle de l'évolution, du progrès (ce «darwinisme esthétique» selon lequel chaque œuvre nouvelle était censée dépasser ou périmer les précédentes) que d'une logique de l'après-coup, - une des fonctions de chaque invention artistique ou formelle est de remodeler le passé, d'élaborer rétroactivement sa filiation, de transformer ou de redistribuer l'histoire du code : ainsi, c'est de toute évidence à travers Manet que nous «lisons» Giorgione ou Velázquez, à travers le Surréalisme que nous exhumons Jérôme Bosch, à travers Pollock que nous redécouvrons Tintoret, à travers Rothko que nous nous réapproprions Turner, à travers Picasso que nous pouvons voir autrement Greco, Rubens ou Rembrandt.
Ce changement de perspective implique, probablement, la fin de toute idéologie moderniste (autrement dit : ce qui qualifie l'œuvre de Picasso, ce n'est pas d'être une étape dans une ligne d'évolution unique et obligée, c'est sa valeur d'exception, dans l'instant, et sa méta-historicité). Notons en passant qu'un écrivain comme Octavio Paz, à l'époque même de l'exposition d'Avignon, avait déjà pointé cela («Fin de l'art?», écrivait-il, «Non, fin de l''époque moderne', et, avec elle, de l'idée d''art moderne'.»)[2].
Notons aussi que Picasso lui-même, malgré son adhésion de surface aux idéologies progressistes, n'avait cessé d'exprimer la défiance la plus explicite, dans le

champ qui était le sien, envers la notion d'«évolution» : «Des sujets différents», disait-il, «appellent inévitablement des méthodes différentes. Cela n'a rien à voir avec l'évolution ou le progrès» ; ou encore : «Pour moi, l'art n'a ni passé ni avenir. Si une œuvre d'art ne vit pas de façon permanente dans le présent (je souligne), elle ne mérite pas qu'on s'y arrête.»[3]
Ce qui, d'ailleurs, me semble définir assez bien le rôle des historiens d'art (y compris ceux qui se consacrent à Picasso) : nécessaire, certes, mais totalement insuffisant.

Pour en revenir à l'effet d'après-coup, le paradoxe est celui-ci : Picasso est plus que jamais «dans le présent», - et il n'y a pourtant aujourd'hui aucun peintre, aucun mouvement, qui nous permette de le «relire» rétroactivement. Je sais bien qu'une idée reçue circule, qui rattache la désinvolture et le jeu avec le «mauvais goût» de sa dernière période à des phénomènes récents comme la bad painting ou la figuration libre (c'était tout le sens, par exemple, d'une exposition comme A New Spirit in Painting, à la Royal Academy de Londres, au début des années quatre-vingts, qui tentait de montrer l'influence du dernier Picasso sur les jeunes générations). Mais à bien y regarder, une telle filiation est loin de s'imposer comme une évidence. La bad painting se réfère volontiers à des registres mineurs (le graffiti, la culture rock, la bande dessinée), là où Picasso persistait à rivaliser avec le «grand style» (Greco, Rembrandt, Velázquez) ; la bad painting participe d'un certain nihilisme (ou du moins d'une volonté avouée d'amnésie), là où Picasso traitait une mémoire ; la bad painting provoque le purisme et l'ascétisme des mouvements qui l'ont immédiatement précédée (c'est même pourquoi elle reconduit, paradoxalement, la logique avant-gardiste qu'elle prétend congédier), là où l'art de Picasso jouait sur ce que les historiens appellent la «longue durée» ; la bad painting se veut délibérément «barbare», là où la sauvagerie et la vulgarité apparentes du dernier Picasso n'ont de sens qu'à étendre, élargir, le champ de la culture.
Il faudrait dire, plutôt : notre regard est devenu apte à aimer le style tardif de Picasso, non pour des raisons

1
Art forum, novembre 1966.

2
Octavio Paz, Point de convergence, Paris, Gallimard, coll. «Les Essais», 1976.

3
Citations reprises dans Klaus Gallwitz, Picasso 1945-1973, Paris, Denoël, 1985, pp. 88 et 144.

positives (une nouvelle période dont il serait le précurseur, et qui permettrait de le réévaluer), mais pour des raisons négatives (la fin des tabous et des interdits de l'avant-gardisme). Ou plus exactement: la bad painting et la réhabilitation des dernières années de Picasso ont une même cause, sans pour autant avoir entre elles de lien causal.

D'où la singularité du cas de Picasso, aujourd'hui: de plus en plus reconnu comme un sommet dans l'art du XXe siècle, - mais profondément refoulé dans l'ordre de ce qui se peint.

LA PEINTURE DE LA PEINTURE

Il est un aspect de Picasso, pourtant, par où il aurait pu rencontrer certains aspects de l'avant-gardisme qui lui était contemporain: c'est la série des ateliers (1955-1956), ou celle, résurgente, du «peintre et son modèle» (notamment: 1963, 1965). Picasso, là, manifestement, prend «l'acte de peindre» pour sujet (fait «la peinture de la peinture»), à l'heure même où certains ont pour objectif d'écrire le roman du roman (Nouveau Roman, Tel Quel), où d'autres postulent le théâtre du théâtre (le brechtisme), ou le cinéma du cinéma (Godard). Les années soixante-soixante-dix, rappelons-le, voient émerger l'utopie, marxisante, d'un art qui exhiberait son «processus de production», qui dévoilerait son «travail caché».

Or, ce n'est sans doute pas un hasard si un tel rapprochement n'a pas, à l'époque, été fait, - s'il ne s'est trouvé personne pour désigner Picasso comme «le Brecht de la peinture», comme l'on faisait de Godard, par exemple, et pour une grande part à contresens[4], le «Brecht du cinéma».

C'est qu'il y a en effet, dans ces séries, quelque chose de totalement irréductible aux théories de la distanciation: une implication directement physique, au contraire, et même explicitement érotique. Les ateliers? Ils sont, on le sait, de véritables «paysages intérieurs», où Picasso joue de formes décoratives, de volutes baroques, - pas très éloignées, dans leur style, de celles qui accompagnent les portraits de Jacqueline en odalisque, à la même époque (moment où Picasso,

de son aveu même, est au plus près de la sensualité matissienne). Le peintre et son modèle? Étonnante métamorphose du motif, à travers sa variation: peu à peu, le «prétexte» (peinture auto-référentielle) disparaît, le tableau à l'intérieur du tableau s'amenuise, s'efface, le corps à corps s'impose, le modèle est peint «directement» (le pinceau devient pénis, penello, il entre dans la chair), ça se renverse, se culbute, - l'acte de peindre est clairement désigné comme la pénétration et la traversée du corps féminin. Rien, en somme, de moins distancié: non pas la froideur du second degré didactique (du commentaire), mais l'engouffrement au cœur du désordre rythmique et charnel dont la peinture est tout à la fois l'effet et l'analogie. Autrement dit: si Picasso, ici, dévoile une «part cachée» de la peinture, ce n'est pas le travail, - c'est le désir.

Peintre et modèle
14 juillet 1969,
Mougins

RECYCLAGE

Il n'y a, manifestement, rien de commun entre l'esthétique de Picasso et les mythologies avant-gardistes de la table rase, de la rupture radicale, du recommencement zéro. Pour Picasso, la tradition n'a rien d'un poids mort, encombrant, - ce serait plutôt un tremplin (il la fait «au présent») : la grande libération stylistique de sa dernière période est inséparable de cette phase, étourdissante de virtuosité, - celle du musée revisité, de la peinture «au second degré» (à partir de figures ou de motifs empruntés à Delacroix, Manet, Velázquez, Poussin). Comme si, au fond, pour que l'invention formelle maximale puisse se déployer, il avait fallu, non pas refouler la référence culturelle, mais au contraire l'exaspérer.

En d'autres termes, la tradition, pour lui, est aussi un réservoir de formes, qu'il est légitime de déformer, de transformer, de recycler. Non pas en naturalisant les codes de la peinture du passé (ce geste n'a rien à voir avec un «retour à»), mais en les traitant comme une culture, qu'il s'agit de surcoder : Picasso «lit» les chefs-d'œuvre anciens auxquels il s'affronte (au sens latin, si on veut : legere, cela signifie «choisir»), les interprète, les accentue, les redistribue, - les traite comme un lieu, non d'origine, mais de transfert. On pourrait presque avancer qu'il n'agit guère autrement avec les formes des Ménines ou des Déjeuners qu'avec une selle de vélo et un guidon trouvés dans une décharge publique : vole, se réapproprie[5], absorbe, recompose.

Il pourrait sembler tentant, là aussi, de rapprocher cette attitude de celle, aujourd'hui, qui vise, en réaction contre les partis-pris avant-gardistes de la table rase, à promouvoir une peinture citationnelle (ce que les Italiens nomment la pittura colta). Or, ces deux comportements se doivent d'être distingués. Qu'est-ce que c'est, dans l'art contemporain, la peinture «au second degré»? Une simple transposition des tableaux célèbres du musée dans un code froid, «médiatique», qui les neutralise ou les distancie (le groupe espagnol Equipo cronica) ; un retour quasi fasciné à une tradition intérieure (le rapport de Penck, Salomé, Castelli, et même, d'une certaine façon, Baselitz, à l'expression-

nisme allemand des années vingt) ; une intimidation par le grand art du passé (et son «métier», postulé éternel), soit de façon maniériste, simulatrice (de Garouste à Alberola), soit dans l'ordre de la paraphrase pure et simple (Cane). Dans tous ces cas, le recyclage n'est rien d'autre, me semble-t-il, que le symptôme, «postmoderne», de la difficulté à inventer des formes (on pourrait paradoxalement dire de ce ressourcement, ce que Hermann Broch suggérait à propos de l'esthétique puriste et fonctionnelle de Loos : qu'elle est le signe, avant tout, de l'incapacité de l'époque à créer un style). L'art de Picasso, à l'inverse, s'apparenterait plutôt à celui, totalement réhabilité aujourd'hui[6], de la variation musicale : prolifération créatrice, multipliée, à partir d'un motif de base, donné, ready made, qui peut fonctionner comme un prétexte, l'«embrayeur» (shifter) d'une profusion créatrice a priori sans limite (les Variations Goldberg de Bach, les Variations Diabelli de Beethoven). Autrement dit : Delacroix, Manet, Greco, Cranach, Poussin ou Velázquez servent chez Picasso de matériau à l'invention formelle, - et non, comme dans le cas de la pittura colta, de substitut à celle-ci.

LE MUSÉE IMAGINAIRE

Mais la peinture «au second degré», chez Picasso, a sans doute un autre sens encore : celui d'une réponse spécifique à une mutation technique, celle de la «reproductibilité» généralisée des œuvres d'art (ou une façon de relever le défi : là où Walter Benjamin, dans un texte célèbre, croyait voir la fin de la peinture, Picasso aperçoit au contraire l'occasion d'une relance de celle-ci). «Entre 1935 et 1965», notait Malraux, «presque toutes les œuvres significatives ont figuré dans des livres»[7] : transformation décisive, qui fonde la possibilité d'une confrontation systématique, illimitée, par où il devient loisible, désormais, dans notre perception même, d'arracher la peinture à ses déterminations spatiales et temporelles. Cet arrachement, on le sait, Malraux lui donne un nom précis (souvent utilisé à contresens) : le «musée imaginaire».

Combien de peintres, au XXe siècle, ont su prendre en charge cette nouvelle dimension, à la fois planétaire et

4
Je me permets de renvoyer, sur ce point, à mon étude sur Godard dans L'Impureté, Paris, Grasset, collection «Figures», 1985.

5
Anecdote connue : Braque et Picasso se promènent ensemble dans la campagne. Ils découvrent un vieux soc de charrue abandonné. Enthousiasme de Braque : «Ces formes... Cette harmonie... Jamais nous ne pourrions faire aussi bien» ; réplique de Picasso : «Il te plaît ? Je te le donne!»

6
Voir, par exemple, la réflexion d'André Boucourechliev sur les Variations Diabelli.

7
L'Intemporel, Paris, Gallimard, 1976. Je développe ce point dans mes «Notes sur la reproduction», Art Press, n° 94, juillet 85, - auxquelles j'emprunte quelques-unes des formules qui suivent.

méta-historique, de notre perception de l'art ? Picasso, manifestement, de ce point de vue, écrase tous les autres. Non seulement parce qu'il est le premier à avoir disposé d'un «musée imaginaire» aussi vaste, à s'être réapproprié des formes issues de la statuaire nègre, des masques d'Océanie, de l'art ibérique ancien, et des grands peintres de l'Occident (de Greco à Ingres, de Velázquez à Manet), - mais surtout parce qu'il a su faire de cette réappropriation le ressort majeur de son style, de son originalité. Si l'on veut, ce qui caractérise et qualifie Picasso, c'est qu'il est le premier : à s'être affronté à une culture visuelle généralisée (ni localement ni temporellement réduite) ; à avoir traité cette culture autrement que comme une influence.

À partir de lui, donc, rien n'est plus a priori interdit : la peinture peut prendre son bien où elle veut, avec aisance (sans souci des hiérarchies culturelles), elle peut séparer les formes de leurs fonctions, les détourner (étymologiquement : les séduire), en jouer. Ce qui rend Picasso exceptionnel (et, là encore, sans grande postérité), c'est que cette extension maximale du matériau formel, impensable avant l'époque de la «bibliothèque d'art», coïncide précisément chez lui avec le maximum de liberté. Comme si cette situation nouvelle (un peintre, désormais, doit réagir à tout autre chose qu'à ce qui l'entoure ou l'a immédiatement précédé) exigeait aussi des qualités nouvelles : irrespect, arrogance, sûreté, virtuosité, sens du rapprochement, capacité accrue d'absorption. Or, ces qualités, ce sont précisément celles de Picasso (décelables dès la période des premiers collages, et éclatantes, tout au long de sa vie, dans ses sculptures), - et celles, aussi, qu'on ne retrouve plus guère, me semble-t-il, dans ce qui est apparu après lui sous forme de peinture citationnelle, au second degré (à quelques exceptions près : parmi lesquelles j'évoquerais Warhol, chez qui la plupart de ces qualités sont manifestement présentes, et dont le geste n'a pourtant rien de «picassien»).

FIGURES DU DÉTOURNEMENT

Comment définir l'art de Picasso, lorsqu'il s'affronte à un univers pictural déjà-là ?

Les Femmes d'Alger (1954-1955) : il «déromantise» le motif de Delacroix, l'entraîne du côté du Baroque (théâtralisation, ornementation), le sur-sexualise (le harem se rapproche du bordel) ; expérimentation graphique, scansion des courbes (seins, fesses), sérail, voluptés secrètes, - monde voluptueux, «baudelairien».

Les Ménines (1957) : le sommet, peut-être, de la virtuosité musicale. Picasso perçoit bien l'effet du tableau de Velázquez, tel que Foucault, plus tard, en produira l'analyse (dévoilement du «piège» de la représentation au moment même où elle se met en scène comme telle)[8], - mais ce n'est pas cela qui le retient. Il détache les formes de leurs fonctions, varie les focalisations, les cadrages, opère même quelque chose de l'ordre du montage (il prélève un détail, le personnage dont le pied se pose sur le chien, et le métamorphose du seul fait de l'insérer dans un autre contexte : «le piano»), - pousse le cérémonial de Velázquez jusqu'au primat de la parade, de l'artifice (les robes et les parures s'autonomisent, contaminent les visages, deviennent le vrai «sujet»). Jamais, sans doute, Picasso n'a été aussi loin dans la direction de l'abstraction : triomphe des formes simplifiées, presque géométrisées, des rythmes internes, des chocs de timbres et d'intensités, des équilibres de masses colorées.

Les Déjeuners (1959-1961) : il aggrave l'indécence du sujet, fait proliférer le corps féminin nu, lascif, tordu. Télescopage d'autres débauches (Bethsabée, Le Bain turc). Manet, d'une certaine façon, restait froid ; Picasso, lui, enfièvre le spectacle.

L'Enlèvement des Sabines (1962-1963) : surcodage d'un tableau classique (harmonieux, mesuré, figé) par une rage expressionniste. Carnage, chevaux cabrés, corps contorsionnés. Violence sexuelle déchaînée. On est très loin du fantasme de «guerre bactériologique» (c'est-à-dire : le Mal conçu comme une force extérieure, épidémique) dont il avait tenté, maladroitement, de rendre compte dans La Guerre et la Paix. La guerre, ici, révèle sa véritable cause interne, son ressort latent : la présence de la pulsion de mort au cœur même du désir sexuel.

Le plus étrange, dans ces «variations» : elles n'impliquent ni respect du motif de départ (intimidation aca-

8
Picasso : «Velázquez est dans ce tableau, alors qu'il ne devrait pas y être ; il tourne le dos à l'infante qu'au premier coup d'œil o croirait être son modèle. Il fait face à une grande toile sur laquelle il paraît travailler ; mais on ne voit que le dos du tableau, et nous n'avons aucune idée de ce qu'il y peint. La vraie solution, c'est qu'il est en train de peindre le roi et la reine dont on ne voit que le reflet dans le miroir au fond de la pièce. Donc, Velázquez n'est pas en train de peindre les Ménines. Et les ménines sont rassemblées autour du peintre, non pour poser, mais pour regarder le portrait d roi et de la reine, et, comme eux, nous sommes derrière elles...» - Rapporté par Roland Penrose, Picasso, Paris, Flammarion, 1983.

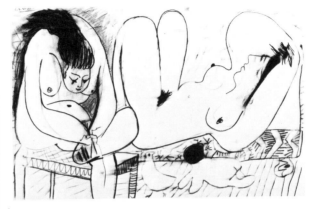

Les Ménines, d'après
Velázquez
«Dona Isabel de
Velasco et l'Infante
Margarita»,
15 novembre 1957,
Cannes.
Museu Picasso,
Barcelone

Les Femmes d'Alger,
d'après Delacroix
24 janvier 1955, Paris
Collection
Mrs. Victor W. Ganz,
New York

Les Baigneuses,
6 juin 1961 XI,
Mougins

L'Enlèvement des
Sabines,
2, 4 novembre 1962,
Mougins.
Collection Norman
Granz, Genève

démique), ni simple prétexte à une expressivité roman
tique (une «intériorité» qui s'exposerait à travers lui)
Il faudrait dire, plutôt: Picasso pousse les formes à leur
paroxysme, les chahute, les assouplit, les ramifie, les
délivre des normes de la représentation, - jusqu'au
point où ces formes, développées, reprises, transformées, amplifiées, modulées, finissent littéralement
par jouir d'elles-mêmes. D'où, sans doute, la musicalité
de ces séries (particulièrement celle des Ménines, où
Picasso nous livre en quelque sorte son «art de la
fugue», - ou son «offrande picturale»).

LA POSTÉRITÉ

Il ne s'agit pas, en l'occurrence, de savoir si Picasso a eu
des «héritiers» (question oiseuse, en ce qu'elle implique une conception évolutionniste de l'art), mais plutôt
de tenter de repérer les peintres qui, parmi ses cadets,
n'ont pas complètement refoulé (ou même contre-
investi) la liberté qu'il a introduite.

Les Américains, tout d'abord. Motherwell, manifestement, - dont les collages relèvent tout à la fois du
principe posé dès l'époque cubiste et de la variation
musicale à l'œuvre dans les Ménines (y compris dans
l'art de la permutation déséquilibrante); dont les
Elegies, aussi, supposent un regard qui ait enregistré
l'impact «totémique» de Guernica. De Kooning, ensuite, - par l'affrontement constant, physiquement im-
pliqué, à la figure féminine, à l'«idole» (les Women);
par le geste tout à la fois irrespectueux, agressif, des-
tructeur (jusqu'à la «vulgarité» apparente), et hanté
par la pénétration charnelle dissolvante. Pollock,
enfin: dont toute l'œuvre témoigne d'un véritable travail du transfert envers Picasso, - depuis l'identification, la filiation œdipienne, jusqu'au saut dans l'illimité gestuel au-delà de la figure, dont le renversement
prend appui sur l'énergie même qu'il s'agit de vaincre[9].
Le plus surprenant, ici, est sans doute la façon dont cet
art américain (que Picasso affectait plus ou moins de
dédaigner) a pu agir en retour sur lui (ne nous laissons
pas prendre au piège des générations: souvenons-nous
que Picasso a continué à peindre près de vingt ans après

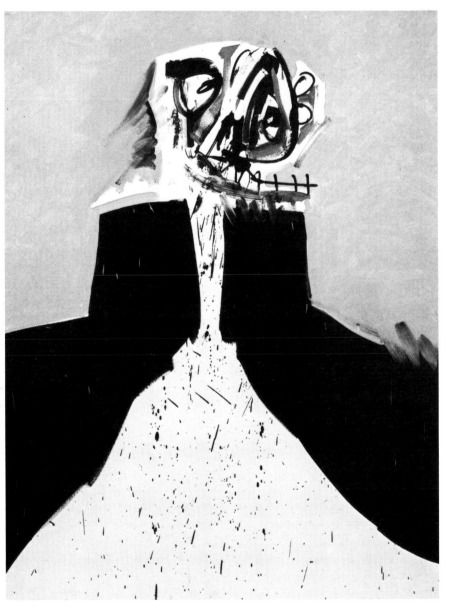

page précédente,
en bas :

Robert Motherwell,
Elegy to the Spanish
Republic n° 70, 1961.
Collection the
Metropolitan Museum
of Art, New York, don
anonyme 1961

page précédente,
en haut :

Willem de Kooning,
Woman IV,
1952-1953.
Nelson Gallery-Atkins
Museum, Kansas City
(Missouri), don de
William Inge

ci-dessus :

Antonio Saura,
Geraldine en su sillon,
1967.
Museo de Arte
abstracto, Cuenca

à droite, en haut :

Jackson Pollock,
Echo : Number 25,
1951. Collection The
Museum of Modern
Art, New York (Lillie P.
Bliss Bequest and Mrs
David Rockefeller
Fund, 1969)

à droite, en bas :

Jackson Pollock,
N° 23, 1951,
Frogman.
The Chrysler Museum,
Norfolk (Virginie)

la mort de Pollock, et même qu'il a survécu plusieurs années à celle de Rothko). Il n'est pas interdit de penser, en effet, que la liberté manifeste de l'Expressionnisme abstrait ait pu jouer un rôle non négligeable dans l'aisance que prend Picasso, dans sa dernière période, avec les règles du «bien peindre»: là où la matière même est sollicitée, délivrée (il n'écarte plus les giclures, les taches, les dégoulinures), où la violence de l'attaque s'accentue (gestes apparemment «bâclés», ou du moins allusifs, pâte picturale triturée avec les manches de brosse), où il opère une sorte de surenchère dans la profanation de la figure féminine (bien postérieure, rappelons-le, aux Women de De Kooning). Tout se passe, en bref, comme si Picasso, dans sa capacité d'absorption et d'intégration, se donnait aussi le loisir de prendre son bien chez ses cadets (hypothèse hasardeuse? Pas tant que cela: au fond, quelque chose d'équivalent pouvait déjà se repérer à l'époque de son flirt avec les surréalistes). Scandale majeur: le père qui n'hésite pas à voler ses fils...

Les Européens? Je retiendrai ici deux peintres vivants, dont l'œuvre me semble entretenir un rapport singulier avec Picasso, - moins sur le plan formel ou technique (celui des «influences») que sur le plan esthétique (celui des qualités mises en jeu, des partis-pris, des principes). Antonio Saura, d'abord: non pas, comme on le dit parfois, parce qu'il se situerait «dans la lignée» de Picasso (cliché facile, prenant prétexte du fait que Saura, dans l'une de ses séries, traite un motif explicitement picassien, celui de Dora Maar, - alors que ce n'est qu'un motif parmi d'autres), mais plutôt parce qu'il est un des rares, aujourd'hui, chez qui l'art «au second degré» relève d'une logique du paroxysme, de l'exaspération. Ce que Saura a d'évidence appris de Picasso: l'art de la variation, le sens de la déformation convulsive et désacralisante (la série des «femmes-fauteuils»), la violence non expressionniste, l'alliance paradoxale de destruction et de construction, d'agressivité et d'élégance, - mais tout cela, bien entendu, reversé au compte d'une «graphologie» gestuelle, nerveuse, tout à fait originale[10]. Arnulf Rainer, ensuite: qui, lui aussi, pratique un art au second degré

(«peinture sur peinture»), en préservant, de façon toute picassienne, l'ambiguïté de sa relation à l'image de départ. Lorsque Rainer, par exemple, recouvre ou «superpose» un motif pictural connu (autoportrait de Van Gogh, Christ, icône byzantine), d'un côté il violente la figure (la recouvre, brutalement, la rature, la macule); d'un autre côté, il la retrouve, à un autre niveau, au-delà de la profanation: la gestualité rageuse qui brouille l'autoportrait de Van Gogh finit par être perçue comme une amplification du geste de Van Gogh lui-même; les grandes traînées sombres qui recouvrent les images religieuses de façon apparemment iconoclaste renvoient aussi à la forme de la croix[11]. «Rejoindre» une culture en poussant à son comble sa négation: au-delà des différences de style, cela n'est pas si loin, somme toute, de l'art de Picasso.

LA PROFANATION

Les dix dernières années de Picasso voient triompher son style tardif (Spätstil): celui d'une liberté et d'une insolence sans précédent, d'un art de déjouer sans cesse, jusque dans l'outrance, le contrôle de la représentation. Comme tous les styles tardifs de l'histoire de l'art (ceux de Titien, de Rubens, de Rembrandt, de Matisse, - mais aussi ceux du Beethoven des derniers quatuors, du Bartok de la Sonate pour violon), celui-ci n'aura guère été reçu par ses contemporains que comme une extravagance, une monstruosité, une offense au bon goût - quand ce n'est pas comme un symptôme de «laisser-aller», de sénilité.

Et d'une certaine façon, un tel accueil peut presque se comprendre: autant par l'audace des sujets (où la part de l'obscénité apparaît sans fard) que par la liberté de facture qui s'y déploie (violente, fiévreuse, désinvolte), ces tableaux sont aussi des agressions: les figures humaines sont déformées de façon «sadienne», - sans autre motif que la jouissance de cette violence, de ce sacrilège (c'est même ce qui les distingue de la déformation cubiste, rationnellement justifiée, ou de celle, expressionniste, de la période de Dora Maar); l'équilibre «méditerranéen» de la période ingresque ou de celle des années quarante-cinq-cinquante (les fresques

9
Voir Marcelin Pleynet, «Le syllogisme de Pollock», Tel Quel n° 84, Paris, Éd. du Seuil, 1980.

10
Je développe ce point dans «Antonio Saura, le mal par le mal», Art press, n° 93, juin 1985.

11
Voir Arnulf Rainer, Die Finger malen, dans le catalogue de l'exposition Rainer-Soutter, Lausanne, Musée cantonal des Beaux-Arts, 1986. Voir aussi les «superpositions» de Rainer sur des dessins de Leonard de Vinci, Vienne, Löcker et Wögenstein, 1977.

d'Antibes) cède la place à la tempête, une rafale, une transe (en termes nietzschéens, on pourrait dire que l'ivresse dionysiaque triomphe de l'équilibre apollinien); la matière elle-même est torturée, bafouée: Picasso, comme poussé par une urgence souveraine, n'écarte plus les «accidents» (coulures, flaques, éclaboussures), se contente parfois d'esquisses, de gestes quasi signalétiques (à la limite du «bâclé», du «chaotique»), émancipe les stridences, les dissonances (les couleurs «vulgaires»), se complaît dans les surcharges (la folie des courbes, des torsions baroques gratuites). En bref, il se délivre alors totalement des contraintes du goût, de la mesure, de l'harmonie (rarement peinture aura été si éloignée du classicisme), comme de celles de l'expression psychologique et sentimentale (la dimension «physique» prime: nous sommes également à l'opposé du romantisme).

Voyez, par exemple, cette séquence: <u>Fumeur et amour</u>, <u>Fumeur et enfant</u> (février 1969): dé-mesure des corps, taches apparemment hasardeuses que quelques traits ou signes viennent retenir au bord de l'«informe», gestes rapides, presque «barbouillés» parfois, - et en même temps, équilibre supérieur, chaleur des couleurs (l'or et le rouge qui ne sont pas sans évoquer un rideau de théâtre), sûreté de la ponctuation, - présence d'une instance de contrôle au cœur même de l'enfièvrement.

Ou encore, ces deux <u>Bouquets</u> (du 27 et 28 octobre 1969; Cat., 67): formes hérissées, agressives, dentelées, jeu des lignes de force, des tensions (entre droites et courbes), - une «nature morte» métamorphosée en machine de guerre, en insurrection organique.

Ce chef-d'œuvre absolu, le <u>Joueur de flûte</u> du 30 juillet 1971 (Cat., 79): membres enchevêtrés, sexe et cul «graffités», élans gestuels déchaînés, monstruosité des proportions (l'énormité des pieds), «remplissage» coloré des surfaces avoué comme tel, - il suffit de comparer cela avec le même motif traité à l'époque d'Antibes pour saisir l'ampleur de l'effraction, de la violence faite à la figuration.

Une rage, dans tout cela. Une urgence, dans l'accumulation. Une constante agitation. L'art de la surenchère dans l'<u>emportement</u> de la représentation.

Arnulf Rainer,
<u>Christus mit
handgeschlagenem
Kreuz (Christ en croix)</u>,
1983-1984

Fumeur et enfant,
21 février 1969 III,
Mougins

Et pourtant, comme je l'ai déjà suggéré, il n'y a pas grand-chose de commun entre ce désordre délibéré, cet «excès» profanateur et sciemment provocant (comme si Picasso luttait contre la peinture sans jamais abandonner les armes mêmes de la peinture) et ce qui se présente aujourd'hui comme peinture insolente, bad painting. Aucune complaisance, chez Picasso, envers l'art «brut» ou les codes mineurs (graffitis, bande dessinée) : plutôt une façon de rivaliser avec ce qu'il y a de plus convulsif et de plus exubérant chez Rubens, Tiepolo, - voire chez Shakespeare[12]. Rien à voir, non plus, avec un quelconque néo-expressionnisme (tel celui des «nouveaux fauves» allemands) : si la virulence de Picasso revendique une filiation, ce serait plutôt celle du Baroque (les torsions du Bernin, la liberté rythmique de Monteverdi, la transe architecturale et sculpturale des frères Asam, la frénésie de Vivaldi).

Autrement dit : rien ne serait plus absurde que de vouloir faire de Picasso, dans sa dernière période, quelque chose comme un «vieux punk». Son paradoxe, c'est qu'en poussant à son comble la rage profanatrice, il dépasse du même coup la simple provocation : certes, il transgresse, il affronte l'interdit, - mais c'est pour aller au-delà (du côté d'une jouissance turbulente, sans mesure). S'il y a, chez lui, de son aveu même, une part de vulgarité assumée (le «côté Dufayel»)[13], elle n'est (comme chez Shakespeare, ou Rabelais, ou Joyce) qu'un élément dans le dispositif, et non pas son but. Car tout cela, en définitive, finit aussi par se renverser en une sorte d'élégance supérieure, - au-delà de la limite convenue du bon et du mauvais goût. Ce que Picasso affirme, en exaspérant la perturbation et le déséquilibre des formes jusqu'à atteindre un équilibre différent, instable, furtif («Je veux», disait-il, «un équilibre qu'on puisse saisir au vol»), ce n'est rien d'autre que la liberté triomphale de son jeu.

On connaît la phrase de Bataille : «C'est en crachant sur sa limite que le plus misérable jouit». On a presque envie de l'appliquer à la scène de l'art contemporain : combien de peintres, aujourd'hui, se réclamant de la bad painting, font-ils autre chose que «cracher sur leur limite»? Picasso, lui, manifestement, est aux antipodes. Autrement dit : il y a probablement la même distance entre la bad painting et le style tardif de Picasso qu'entre le «hard rock» et les moments les plus effervescents de la musique de Berg, - qu'entre une chanson en argot et l'un des derniers romans de Céline.

PICASSO ET BATAILLE

Je viens d'évoquer Georges Bataille, - et le rapprochement, ici, s'impose. Pour Picasso comme pour l'auteur de L'Expérience intérieure et de l'Histoire de l'œil, il faut savoir plonger très loin dans le «louche», le «dégradant», le «monstrueux», le «convulsif», pour atteindre la souveraineté. Très loin dans l'abjection, pour toucher à une sorte de sainteté. Cette logique paradoxale, Bataille la résume d'un mot : l'effusion (à quoi il rattache, on le sait, le rire, l'expérience mystique, le désordre sexuel, le gaspillage) ; sans doute pourrait-on dire que la peinture de Picasso, dans sa dernière période, est tout entière, en ce sens, un art de l'effusion. Cette complicité secrète avec Bataille (avec la logique du système et de l'excès, de l'interdit et de la transgression), Picasso la suggère, implicitement : «Il faut une règle», dit-il, «même si elle est mauvaise, parce que la puissance de l'art s'affirme dans la rupture des tabous. Supprimer les obstacles, ce n'est pas la liberté.»[14] En d'autres termes : il n'y a jamais rien, dans la peinture, d'innocent ou de naturel. Le Mal (à entendre aussi sur le plan formel : la vulgarité, le mauvais goût) n'est pas un simple obstacle à une «libération», - c'est au contraire ce qu'il faut affronter, de façon impliquée, ce qu'il faut creuser, pour repousser toujours plus loin les limites, - et échapper ainsi à ce qui définit l'homme «raisonnable», voué à la mesure, au travail, au calcul, à l'économie.

S'il y a une différence, pourtant, entre le monde de Picasso et celui de Bataille, elle serait plutôt celle-ci : le franchissement des limites, pour Bataille, implique forcément l'angoisse ; pour Picasso, à l'inverse, un formidable humour (voir la drôlerie de ses portraits de Toreros de septembre et octobre 1970, l'ironie rieuse de ses Baisers, la franche dérision de ses derniers nus féminins) ; la transgression, chez lui, est de part en part euphorique.

12
«Quand j'ai posé la question du pourquoi des Mousquetaires à Picasso, il s'en est tiré par une blague : «Je crois que c'est la faute à ton Shakespeare»... En effet, il avait réalisé toute une série de dessins pour Les Lettres Françaises à l'occasion du quatrième centenaire de la naissance du poète, en 1964, des têtes avec des collerettes, des collets ou des fraises.» (Pierre Daix, Picasso créateur, Paris, Éd. du Seuil, 1987). Au-delà de la «blague», c'est évidemment toute la question de la dimension baroque chez Picasso qui est ici en jeu. Par exemple : «Picasso a pratiqué un historicisme contre-nature. Avec des moyens picturaux qui sont à des années-lumière de ceux du Baroque, il a créé une reconstitution du Baroque plus exubérante et authentique qu'aucune des laborieuses reconstructions du XIXe siècle.» (Gert Schiff, Picasso, the Last Years, New York, George Braziller éd., 1983).

13
Picasso : «Il faut savoir être vulgaire. Quand on était avec Braque, on disait : il y a le Louvre, et il y a Dufayel. Et on jugeait tout avec ça... On

A MORT DE L'ART

our préciser encore: l'actuelle bad painting peut être erçue comme le plus récent avatar d'un nihilisme, une idéologie de la mort de l'art, - un nihilisme dont modèle ne serait plus, comme dans les années oixante-soixante-dix, celui de Duchamp, mais plutôt lui de Picabia: une façon de détruire l'art par sa orruption interne, délibérée[15]. Pour Picasso, au ontraire, et jusque dans ses moments les plus iro- ques, les plus destructeurs, il s'agit d'étendre le amp de l'art vers des territoires nouveaux, insoup- onnés, - de faire voir ce qui n'avait jamais été vu (la rovocation, comme je l'ai déjà indiqué, est un effet ossible de sa peinture, parmi d'autres, - non son but). une époque (les années soixante-dix) où les aleurs» de l'art sont un peu partout en crise, il hésite pas à les affirmer, comme si de rien n'était rimauté de l'invention, de l'originalité, du style, de la uissance visuelle), - et s'obstine même à les étendre ujours plus. ailleurs, cette idéologie de la mort de l'art, il avait en pris soin de s'en démarquer, - et de la redouter: Ceux», disait-il, «qui crient qu'ils sont anti-art, c'est ur qu'on ne les croie pas… Mais s'ils avaient raison? ils préparaient vraiment la mort de l'art?»[16]

A MODE

ous n'en sommes déjà plus là aujourd'hui: le confor- isme actuel, sans doute, s'alimente moins à la mort de art qu'à sa mode. D'où la situation équivoque que ous vivons: l'art, tout en continuant, selon le mot de alraux, à prétendre à l'«intemporel» (dont le musée t la garantie institutionnelle), obéit de plus en plus à logique, éphémère par définition, de la mode: rapi- té de la consommation, accélération des «vagues», s changements de style, subordination des individua- és aux grands «courants», etc. où la tentation, face à cela, de dénoncer la compromis- on de l'art dans le «futile», de crier à la «défaite de la nsée», de se réfugier dans la nostalgie (totalement my- ologique) d'une culture «pure», noble et préservée.

Picasso, lui, échappait clairement à ce purisme, - on sait qu'il n'a pas hésité à «compromettre» son art dans des affiches, des céramiques. Ce qui l'excitait visuel- lement? La peinture des musées, évidemment, - mais aussi les corridas, ou ces matches de catch qu'il suivait avec assiduité à la télévision. La mode? Elle ne lui était pas étrangère (voir le parti-pris qu'il a tiré de la queue de cheval de Sylvette), - mais, comme tout le reste, il s'agissait d'abord de se la réapproprier, de la dévoyer, de la détourner à son profit (quand il ne lui arrivait pas de la créer purement et simplement, en passant). Ce qui ne l'empêchait pas, d'ailleurs, d'être tout à fait lucide sur les risques du «modèle de la mode», appliqué à l'art, - et sur le paradoxal conformisme qui en est l'inévitable résultat: «Maintenant», disait-il, «on parle de la peinture comme des mini-jupes… Demain, ça sera plus long, ou avec des franges… Il faut du 'jamais vu … Un vrai casse-tête. Mais quand on le cherche, le jamais vu, on l'a déjà vu partout, avec un pli au pantalon»[17].

Je propose qu'on inscrive ces phrases à l'entrée de toutes les galeries d'aujourd'hui.

L'OBSCÉNITÉ

Venons-en à l'essentiel (qui, pour une large part, impli- que tout le reste): ce «style tardif» de Picasso, celui des dix dernières années, est l'un des sommets, non seule- ment de la peinture en général, mais encore de la repré- sentation érotique (au sens de Bataille: «Ce qui est en jeu, dans l'érotisme, c'est toujours une dissolution des formes constituées»), - et même, plus précisément, de l'obscénité (Bataille, toujours: «L'obscénité signifie le trouble qui dérange un état des corps conforme à la possession de soi, à la possession de l'individualité du- rable et affirmée»)[18].

Voici donc la mélodie, vénéneuse et bouffonne, de la chair exhibée, offerte, captée. L'indécence des corps tordus, défaits, cambrés, remodelés, traversés. L'illu- mination de la fièvre, de la débauche, du débordement. Il se tient là, Picasso, non pas à l'écart, en voyeur (il tient même à figurer des «voyeurs» pour indiquer néga- tivement que ce n'est pas sa place), mais à l'intérieur,

disait: Ça, non, c'est encore le Louvre… Mais là, là il y a un tout petit peu de Dufayel…» (propos rapporté par Hélène Parmelin, Les Dames de Mougins, Paris, Éd. Cercle d'art, 1964). Dufayel était l'archétype du marchand d'objets «kitsch».

14
Propos repris dans Klaus Gallwitz, op. cit., p. 101.

15
Voir Catherine Millet, L'Art contemporain en France, Paris, Flammarion, 1987.

16
Propos rapporté par Pierre Daix, La Vie de peintre de Pablo Picasso, Paris, Éd. du Seuil, 1977.

17
Propos repris dans Klaus Gallwitz, op. cit., p. 144.

18
Georges Bataille, L'Érotisme, Paris, Éd. de Minuit, 1957.

au cœur même de la convulsion. Les Baisers (celui, par exemple, du 26 octobre 1969 ; Cat., 66, ou celui du 10 décembre de la même année) : les chairs s'écrasent, les nez s'aplatissent, les yeux se révulsent, divergent, chacun des deux partenaires absorbe l'autre, les bouches s'encastrent, s'aspirent, ils se dévorent, ravis, apeurés, les corps sont passés de l'autre côté, - c'est tout à la fois bête et triomphant, selon que l'on soit dehors ou dedans, - c'est de l'ordre d'une greffe, d'un montage organique, d'une prise, - on est dans l'écho, dans la pulsation même de l'écart irréductible au sein de la fusion. Les Étreintes (le Couple du 19 novembre 1969 ; Cat., 70) : c'est totémique, pétrifié, sculpté, et en même temps extrêmement concret, focalisé sur la barre du sexe, les couilles, les toisons, autour de quoi les deux corps sont imbriqués, - il y a là quelque chose d'évident et de monstrueux, jusque dans le «débraillé» de la facture, - les autres organes (mains, cuisses, fesses, seins) sont emportés par la rafale, étirés, condensés, ou dilatés, - c'est primitif et sans âge, consternant et fascinant, hideux et suprêmement élégant, troublant comme la part d'animalité en nous qui resurgit, corrosif comme une plaisanterie.

Que dire de cette obscénité, de cette «pénétration déformante des femmes»[19] ? Qu'elle n'a rien à voir, bien entendu, avec la mythologie d'une sexualité «libératrice», naturelle, innocente. Qu'elle suppose un geste de profanation, un «péché» (quelque chose comme une fureur désinvolte à bafouer l'harmonie, à subvertir toute forme d'idéalisation). Le parcours ? Il est strict, parfaitement logique. D'abord, le motif «matissien» (odalisques, femmes des Déjeuners) : sensualité lascive, langoureuse, rayonnement de la séduction. Puis, Le Peintre et son modèle : approche, pénétration, effraction, distance raccourcie, le pinceau comme métaphore explicite du sexe. Ensuite, ces femmes jouant avec un chat : l'«oreiller de chair», la viande femelle repue, béate, satisfaite, rengorgée, - infantile et corrompue tout à la fois. En passant, l'impudeur d'une indiscrétion, La Pisseuse (Cat., 46). Enfin, ces scènes de bordel (gravures, dessins) : guirlandes de corps contorsionnés, prolifération de la nudité, poses salaces,

théâtre, - nous sommes en Espagne, il y a les filles, nues ou ornées, les clients, la Célestine, dans une mise en scène désignée comme telle : tout cela est aussi un marché. Ça pourrait se renifler, se palper. On est dedans, on les voit se proposer, ou se tordre, s'échauffer, s'embraser, se décomposer, on les entend gémir, crier (c'est, pour reprendre le mot de Bataille, la «rage de la chienne qui jouit»). Tout cela est drôle, ordurier, dévergondé, fébrile, - avec ce contrôle au cœur même de l'abandon, du désordre, qui est la marque de tout érotisme un tant soit peu élaboré. Il se vautre là-dedans comme dans un rite de conjuration, de dépossession. L'animalité revient (le poil, «les parties animales»), - non comme une «nature» innocente, mais comme un supplément de vice. La peinture, peut-être, n'a jamais fait que suggérer cela, - lui, il franchit l'écran, il y plonge directement. C'est immonde et délicieux, monotone et toujours renouvelé. Comique à

ci-dessus :

Baiser,
10 décembre 1969 II,
Mougins

page suivante :

[Raphaël et la Fornarina],
eau-forte,
4 septembre 1968 I
Galerie Louise Leiris,
Paris

[Degas au Bordel],
eau-forte, 9 avril 197
Galerie Louise Leiris,
Paris

[Degas au Bordel],
eau-forte et frottage,
5 avril 1971
Galerie Louise Leiris,
Paris

rce d'être insensé. Le comble de la dépense, de la
atuité. Il n'y a rien au-delà.

E VIEIL HOMME INDIGNE

uelque chose d'étrange : alors que nous sommes sa-
rés d'images pornographiques, celles de Picasso
ntinuent, aujourd'hui encore, à nous troubler. Si l'on
eut, l'«art», chez lui (car cette part obscène de son
uvre n'a rien à voir avec un «second rayon», - elle
articipe du même style et de la même ambition que les
utres sujets), au lieu d'affadir ou de sublimer l'indé-
ence, tendrait plutôt à la renforcer. Le pire serait,
evant ces images, de refuser d'être choqué, scandalisé
éflexe de défense) : elles n'ont de sens qu'à nous em-
cher de garder «la tête froide».

oyez, par exemple, cette série de gravures de 1969,
aphaël et la Fornarina : la vérité latente, enfin captée,
u «peintre et son modèle» : le coït désormais montré,
uvertement, - tout se focalise autour des organes
exuels (verge érigée, couilles ; fente et cul féminins,
rnés de boucles), minutieusement figurés, comme le
oyer autour duquel tout le reste va tourner, se dé-
aîner ; la déformation des corps, qui qualifie l'art de

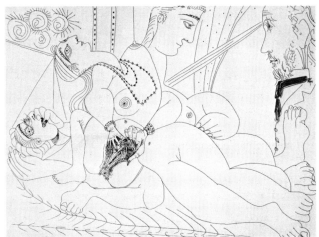

icasso, révèle en somme ici sa cause, son «centre»
squ'alors dissimulé, dérobé. C'est tout à la fois «joli»
la manière, parfois, d'estampes érotiques orientales)
t puissamment impudique, affolant. Ou encore, la
rie Degas au bordel (1971) : déferlement des corps,
aisir trouble de la promiscuité, mélange d'exhibition
t de dépravation, - précision anatomique des vulves,
es culs, dont l'effet d'indécence est renforcé par la
berté représentative de la parade charnelle qui
ordonne autour d'eux, - avec cette audace du contre-
oint, qui associe de façon métonymique la figuration
rganique aux bijoux dont les putes sont parées[20].

icasso, alors, a quatre-vingt-dix ans. Et sans doute,
ut-il en finir avec le stéréotype, puritain, qui ne voit
ans tout cela qu'obsessions de vieillard libidineux, -
omme si son art n'était qu'une «compensation». Pi-
asso, en fait, ne «compense» pas plus son impuissance
e vieil homme, supposée ou réelle, dans un étalage de
ntasmes, que Sade, par exemple, ne «compense» par

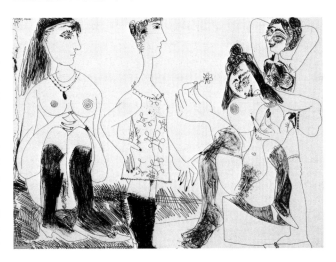

son univers romanesque la chasteté forcée de ses années d'enfermement. Une telle conception supposerait qu'il y ait d'abord le sexe (concret, physique, «naturel»), et ensuite seulement, à travers l'imaginaire, le fantasme, sa représentation. Picasso, et Sade, nous suggèrent précisément le contraire : l'acte sexuel, pour le sujet humain, passe par le jeu des représentations, qui est premier, - par le discours (Sade), ou l'image (Picasso), - c'est même en quoi la sexualité humaine n'a rien de «naturel». Ce qui permet d'ailleurs d'apercevoir que l'image normative, et son contrôle, n'ont d'autre fonction que de surveiller et d'éviter, à tout prix, ce type de débordement. Il est clair que Picasso, lorsqu'il dessine ou grave cela, jouit effectivement. Qu'il est même particulièrement puissant - au point que ses figures féminines, au fur et à mesure que la série se prolonge, semblent de plus en plus épuisées...

Et s'il nous fallait, au contraire, renverser la proposition ? Si c'était, la plupart du temps, le coït qui «compensait» l'impuissance à créer des formes ? Si la «vie sexuelle» ne servait le plus souvent qu'à se substituer à cette jouissance-là ? Si la vraie frigidité, la plus grave, résidait dans l'inaptitude à être troublé par cette turbulence figurée de la chair ?

VINGT-QUATRE IMAGES PAR SECONDE

Est-il vain, comme je l'ai suggéré, de chercher une postérité à Picasso ? Sans doute, - et c'est le cas, notons-le, de toutes les œuvres dont la principale qualification est l'exception : ainsi, ni Bach, ni Mozart, ni Joyce, pour m'en tenir à ces exemples, n'ont eu, au sens strict, de postérité. Mais nous sommes peut-être encore prisonniers, lorsque nous abordons cela, de la tendance au cloisonnement des arts, principal facteur de stérilisation de la réflexion esthétique. S'il est possible de repérer les «résonances» de l'art de Picasso chez un certain nombre d'artistes postérieurs à lui (au sens, non d'une généalogie, mais du «dialogue dans l'invisible» dont parlait Malraux), j'imagine qu'il est nécessaire de sortir du champ strictement limité de la peinture ; qu'il faut mettre Picasso en phase, par exemple, avec des cinéastes. Car c'est là, me semble-t-il, dans l'art de

l'image en mouvement, du découpage et du montage tournants, que certaines caractéristiques proprement picassiennes peuvent trouver un écho, sinon un équivalent. Ainsi, chez Eisenstein (l'art du choc des plans hétérogènes, de l'enchevêtrement de l'«organique» et du «mécanique»). Chez Stroheim (la violence baroque déréalisant la représentation). Chez Welles, surtout (la variation, ivre et contrôlée, des «points de vue» ; l'art de la totalité impossible ; la déformation systématique et méta-expressive, due à l'emploi de la «focale courte»). Chez Schroeter, même (l'effet de vérité atteint lorsque le semblant est poussé au paroxysme). Chez Ruiz (le «glissement d'un film à un autre» à l'intérieur du même film). Chez Godard, enfin (la tornade des corps, le jeu des intensités dynamiques, les collages, le télescopage des codes, - et même, dans un film comme Passion, la conception du cinéma comme «peinture au second degré»).

Tout cela, d'ailleurs, nous permettrait, en retour, de mieux appréhender le style de Picasso : dont il faudrait parler, aussi, en termes de cadrages, de focalisations, de mouvements internes au plan, de zooms, de panoramiques, de travellings arrière et avant.

LA DÉSIDÉALISATION

Je reviens, une dernière fois, à ces nus féminins de la dernière période. La Femme assise du 28 juillet 1971, fatidique et ornée, dressée dans l'assomption de son apparence. La Femme nue assise du 16 février 1972, bloc de chair irisée et stupide, idole ridicule, lubrique, irréfutable. La Femme couchée du 26 juillet 1971, dépliée, étalée, s'enlaçant elle-même dans une sorte de torsion-dédoublement qui ne laisse rien ignorer de son auto-suffisance érotique. Il y a là la conjugaison, saisissante, d'un amour évident de la chair féminine (il saisit ses femmes «de l'intérieur», jusqu'à coller à leur jouissance) et d'une radicale désidéalisation (jamais Picasso n'aura été plus éloigné de la sublimation, de la mythologie de «l'amour fou»). Façon d'affirmer, simultanément, que le sexe est bien un «mal», un péché, et qu'il n'y a rien de plus délectable. Ce qui constitue, manifestement, une position totalement irrecevable, -

19
L'expression est de Philippe Sollers, «Picasso : De la virilité considérée comme [un] des beaux-arts», dans Théorie des exceptions, Paris, Gallimard, collection «Folio», 1985. Le même texte évoque très justement, à propos de Picasso, «une déclaration soudaine, en réfutation de toutes les nécessités, des droits de l'indépendance paternelle dans le réel».

20
À noter : la représentation, chez Picasso, n'est jamais aussi libre qu'à partir du moment où il commence à figurer explicitement, précisément, voire au centre de ses compositions, le cul féminin. Comme s'il allait de la levée du dernier tabou. Il est d'ailleurs le seul peintre occidental à faire avec une telle constance. Certains, semble-t-il, sont un peu gênés par cette insistance, - ou cette façon de suggérer qu'un homme, face à une femme nue et offerte, a toujours le choix.

ci-dessus :

Jean-Luc Godard,
Passion, 1982.
Reconstitution du
tableau d'Eugène
Delacroix,
L'Entrée des croisés
dans Constantinople.
Photo Anne-Marie
Miéville, Collection
les Cahiers du
Cinéma

en bas, à gauche :

Femme nue assise,
mercredi 16 février
1972 II,
Mougins

en bas, à droite :

Femme couchée,
26 juillet 1971 II,
Mougins, Collection
Paloma Picasso-
Lopez

aussi bien pour le puritanisme que pour le sexualisme. D'où, sans doute, dans la stratégie «humaine» de Picasso (car dans la peinture il est très au-delà de l'«humain»), ces remparts, ces paravents : la conjugalité la plus stricte ; la ruse qui consiste à demander des textes ou des préfaces, non à des romanciers, mais à des poètes. Si l'on veut : là où un romancier aurait pu mettre en évidence la lucidité sexuelle que tout cela suppose, le poète, lui, fonctionne comme une garantie d'idéalisation, à travers l'«illusion lyrique».

Les corps nus s'accumulent, se précipitent. Il y a, même, cet étrange coït final (le Couple du 1er juin 1972 ; Cat., 93) où les deux corps sont tellement intriqués, enchevêtrés, qu'il devient impossible de délimiter à qui appartiennent les membres et les organes exhibés (comme un ultime saut au-delà de tout vraisemblable). Et si tout le reste (arlequins, demoiselles d'Avignon, baigneuses, Guernica, Dora Maar, minotaures, faunes d'Antibes) n'était en somme que l'approche, encore freinée, surveillée, de l'orgie qui se déchaîne là ? Si cette dernière période était bien, en définitive, le sommet de cette œuvre, - sa somme, et son excès, sa transgression ? Si la peinture, de toute son histoire, n'avait jamais atteint une telle audace ?

LE BAROQUE

Il annule le temps. Voyez cette infante à cheval qui surgit, comme une étrange intrusion, de ses dessins de corrida[21], - ornée, surchargée de volutes, de traits colorés en tourbillons, qui viennent se superposer à l'élan, à la dynamique de la figure, et la disséminer, la ramifier. Voyez, surtout, ces dizaines de mousquetaires, - éclatants, colorés, triomphants, comme une ultime récapitulation de la virilité qui n'aura cessé de se déployer, - quelque chose, pourrait-on dire, comme une sorte d'antanaclase visuelle (l'antanaclase est, en rhétorique, la figure qui consiste à «répéter un mot en le faisant sans cesse changer de sens»), où la récurrence insistante du motif signalerait sa valeur emblématique. Les mousquetaires : torsions, vision oblique. Fougue. Conjonction de signes phalliques (la barbe, les pipes, les épées) et d'une parade, d'un théâtre, d'un art de

ci-dessus :

Jacqueline en cavalière d'après Velázquez, 10 mars 1959, Cannes. Collection particulière

page suivante :

Le Bernin, La Sainte Louise Albertoni. Chapelle Alfieri, San Francesco a Ripa, Rome. Photo Anderson-Viollet

Le Bernin, Buste de François d'Este, 1650 Photo Anderson-Viollet

'apparence. Sexualité mâle, enfin, - sauvage et ornée. nsolence. Panache. Cérémonies de la gloire. À travers ayons, fractures, houles colorées, remous déchaînés. Le feu qui les traverse, les tord. Le sens du jeu, de la ratuité. Positivité détachée. D'où viennent-ils? De Velázquez? De Rembrandt? Du Bernin? En tout cas, lu Siècle d'Or, du monde baroque.

Je rêve de ceci: une exposition où l'on pourrait voir en même temps les grandes sculptures du Bernin et les mousquetaires de Picasso. Il est étrange, n'est-ce pas, que personne n'y ait jamais pensé. Faute de mieux, vous pouvez toujours regarder ces mousquetaires en écoutant les Chants guerriers et amoureux de Monteverdi (par exemple: «Ogni amante e guerrier», dans l'interprétation de Nikolaus Harnoncourt)[22].

Autrement dit: s'il y a un «musée imaginaire», il est celui où Picasso peut dialoguer avec Rubens (l'emphase charnelle convulsive), avec Monteverdi (l'émancipation du timbre dans la pulsation rythmique), avec le Bernin (l'élan extatique en suspens, le souffle interne à la torsade et à l'emballement). Mais aussi avec le Baroque tardif: celui de la frénésie des scansions, des pulsations (Vivaldi), de l'hyperthéâtralisation, de la tempête des ornements, des formes se déployant, en explosion, au-delà de toute fonction (les frères Asam). Est-ce à dire que Picasso est anachronique? Qu'il n'est pas tout à fait de notre temps? Mais non, puisque le Baroque, au XXe siècle, après une phase de refoulement, d'évacuation ou de dénigrement, ne cesse de revenir. Dans la musique (de Richard Strauss et Schönberg à Luciano Berio, - pour ne pas parler de la restitution, aujourd'hui, de ses timbres et de son style d'interprétation). Dans le cinéma (j'ai déjà évoqué quelques noms). Dans le roman, surtout, - cette «veine baroque» que l'on peut suivre, de Proust à Faulkner, de Broch à Gombrowicz, de Bruno Schulz à Danilo Kiš, de Lezama Lima à Gadda, de Sarduy à Fuentes. Elle est là, évidemment, la véritable «famille» de Picasso. Même s'il est aussi ailleurs, - singulier, souverain.

ENVOI

– La frénésie ?

– Mais oui. 194 dessins entre décembre 69 et janvier 71. 156 gravures entre 70 et 71. 172 autres entre novembre 71 et août 1972. 201 peintures entre septembre 70 et juin 72. La quantité, ici, ne s'oppose pas à la qualité. Y voir, plutôt, l'indice d'une hâte. Comme s'il avait atteint l'infini, enfin.

– La jouissance ?

– Celle de Don Giovanni. Mille e tre.

– Mais encore ?

– La jouissance n'est pas seulement écrite (Sade), pensée (Bataille), ou «vue», captée dans son volume dissolvant, dans son vertige hallucinant (Picasso). Elle envahit cette écriture, cette pensée, cette vision. Avec Picasso, c'est la vision qui jouit, comme elle ne l'avait jamais fait.

– L'érotisme ?

– Je cite Bataille, encore : «Le développement des signes a cette conséquence : l'érotisme, qui est fusion, qui déplace l'intérêt dans le sens d'un dépassement de l'être personnel, est pourtant exprimé par un objet. Nous sommes devant ce paradoxe : devant un objet significatif de la négociation des limites de tout objet»[23]. Il est clair que la proposition de Bataille s'applique exactement à la peinture de Picasso. D'où, si l'on veut, son caractère «illimité».

– Les Américains ?

– Ils ont évidemment tout intérêt à reconduire le stéréotype selon lequel la peinture s'est arrêtée en Europe au moment de la Seconde Guerre mondiale, pour recommencer ailleurs, chez eux. Avec cette dernière période de Picasso, c'est toute leur conception de l'histoire de l'art qu'il leur faudrait réviser. Cela risque de ne pas se faire sans résistance.

– La biographie ?

– Il a conçu sa vie comme ce qui était, selon lui, le dimanche idéal de tout Espagnol : la messe le matin, la corrida l'après-midi, le bordel le soir.

– Cette agitation autour du testament, de la succession ?

– Simple effet de conjuration. D'ailleurs pas si mal réglée, en définitive. Mais son art, lui, n'implique ni «testament», ni «succession», - dépense improductive dans l'instant. L'envers de la rumination chiffrée sur le néant.

– La mort ?

– Il est mort, Picasso ? Vous croyez ?

– La comédie ?

– Bien entendu, tout cela est hilarant. Le masque comme profondeur. Le décor comme envers du décor. Ça peut se vérifier à chaque instant.

– Ça coûte très cher, Picasso, à ce qu'on dit ?

– Mais oui. Comme l'analyse. Comme le prix à payer pour commencer à percevoir que l'orgie n'a pas de prix.

– La gloire ?

– Au sens catholique, évidemment. Comme la grâce. Ce qui ne répond, à bien y penser, à aucune nécessité.

21
Picasso, Toros y toreros, avec un texte de Luis Miguel Dominguin et une préface de Georges Boudaille, Paris, Éd. Cercle d'art, 1962.

22
Disque TELDEC, n° 6.43054 AZ.

23
Georges Bataille, L'Érotisme, op. cit.

David Sylvester

La noble résignation d'un vieil homme à sa mort est guettée par le grotesque dans la mesure où cet homme est déjà mort en tant qu'homme. Pour une femme, les horreurs du vieillissement tiennent à ce qu'elle doit renoncer à ses charmes, pour un homme à ce qu'il doit rendre les armes. Dans L'Empire des sens d'Oshima, quand l'héroïne décide de se donner à un vieux vagabond, cette chance s'avère totalement vaine pour lui, et source de honte ; quand le héros décide d'honorer une geisha sur le retour, cette chance n'est que trop manifestement la première pour elle depuis bien longtemps, mais c'est encore une source de plaisir. Une vieille femme est une ruine de femme. Un vieil homme n'est pas un homme.

Cette conclusion, jointe à l'ombre immense qu'elle fait planer, compte depuis longtemps parmi les thèmes privilégiés du comique boulevardier. C'est un thème formidable, et la dernière période de Picasso représente le premier ensemble d'œuvres connu à avoir exploité pleinement ses ressources dans les arts plastiques. Ce fut là le fruit d'un concours de circonstances extraordinaire. L'art de Picasso constitue d'un bout à l'autre un journal intime de la vie érotique d'un artiste, où est enregistrée la pensée obsédante de certaines satisfactions et frustrations, de certains fantasmes et de certaines partenaires particulières. Il se trouve que son auteur a vécu plus de quatre-vingt-dix ans et qu'il a conservé jusqu'au tout dernier moment une capacité de production aussi singulière que considérable. Par ailleurs, dans les dernières années de sa vie, on commença à admettre l'exposition et la publication d'images affichant un degré d'érotisme jugé intolérable jusque-là. Ainsi, il est bon de rappeler qu'encore en 1968-1969, date à laquelle les 347 gravures furent exposées pour la première fois chez Louise Leiris, les images les plus osées étaient présentées dans une pièce séparée et reproduites dans un supplément au catalogue. Aujourd'hui, les musées nationaux peuvent les exposer et les publier librement (et nul doute que le jour viendra où il ne sera plus permis de montrer au public des images bien moins osées).

Une magnifique conspiration du destin engendra donc une masse prodigieuse d'œuvres traitant de la perte de la virilité, de la perte de la face, de la perte de toute

chose sauf les plaisirs ambigus du voyeurisme ainsi que la volonté et la force de faire de l'art. C'est l'un des grands thèmes de cette tragi-comédie que, si le jeune peintre est capable de représenter, de transformer son modèle alors même qu'il le possède, de maîtriser le portrait en même temps que la personne, l'incapacité du vieux peintre à le posséder le rend ridicule jusque dans ses efforts pour le représenter, mais il continue tout de même... avec cette consolation que le jeune peintre, quand il prend des allures de Raphaël comme cela arrive souvent, est destiné à mourir avant ses quarante ans. Et puis aussi cette consolation autrement plus précieuse (le thème de l'un des tout derniers dessins, où une femme mollement étendue s'expose complaisamment au regard vorace d'un vieil homme) qu'il a encore des yeux pour sacrifier à son obsession inassouvie des voluptés d'un refuge où son corps ne peut plus accéder.

Une version originale de la tragi-comédie se trouve dans la série de cent quatre-vingts dessins que Picasso réalisa au cours de l'hiver 1953-1954 après le départ de Françoise Gilot. L'iconographie est une démonstration impressionnante de crânerie dans le désespoir. Mais les dessins en eux-mêmes n'ont pas l'âpre fermeté des gravures des dernières années. Picasso s'y représente sous les traits d'un vieil homme ridicule, mais il évite l'insoutenable grâce à un style qui laisse dans le flou le motif tragi-comique. Il faut dire que toute la période de Françoise fut assurément un moment de moindre vitalité artistique dans la carrière de Picasso, une de ces pauses qui interviennent dans l'œuvre de tout artiste atteignant un grand âge. Certes, il ne suffit pas d'établir des corrélations faciles entre la vie d'un artiste et son œuvre, mais cette période fut sans conteste celle où Picasso vécut dans un état de grâce qu'il n'avait jamais connu. Il partageait sa vie avec une jeune femme très belle et très intelligente qui ne tarda pas à lui donner un fils et une fille adorables. Il avait autant d'amis attentionnés et admiratifs que même un artiste pourrait en souhaiter. Il était riche, célèbre et photographié à l'égal d'une vedette de cinéma. C'était une grande figure morale de la Résistance, un phare de la gauche et un héros du peuple (comme le révéla une enquête de Réa-

39

Mousquetaire et
femme nue, 1972.
Musée Picasso, Paris

lités, février 1960) qui, malgré quelques œuvres incompréhensibles de temps à autre, était quelqu'un de bien puisqu'il avait procréé une famille photogénique à près de soixante-dix ans. Notre exposition débute par l'épilogue de ce paradis terrestre, centré sur un exemple archétypal du thème du modèle dans l'atelier, peut-être le plus obsédant des divers thèmes qui l'ont hanté durant près de vingt années qu'il lui restait à vivre.

Un facteur primordial pour le renouvellement artistique continuel de Picasso dans ces années semble avoir été la partie farouchement disputée qu'il joua plus que jamais, et plus systématiquement qu'avant, en faisant des séries de paraphrases, de Delacroix, Velázquez et Manet entre autres. L'exécution de ces œuvres dut ressembler à un «bœuf» endiablé où le musicien de jazz est entraîné à improviser variation sur variation par l'élan que lui communiquent les autres musiciens, et aussi par le désir de les surpasser. La série des Ménines de 1957 me semble la plus remarquable, peut-être parce que Picasso ne s'est pas seulement mesuré au plus grand maître de son pays natal, mais aussi, je crois, à son vieux complice et ennemi Braque, «ma femme» comme il l'appelait à ce que l'on raconte. Or, Braque était dans une forme éblouissante durant les dix années précédentes, dans une forme qu'il n'avait plus connue depuis les beaux jours du cubisme où Picasso et lui étaient unis «comme une cordée en montagne» pour reprendre sa propre expression. Au cours de ces dernières années, les œuvres maîtresses de Braque avaient été une série de peintures sur un thème que Picasso inclinait à s'approprier: l'atelier. Si nous comparons certaines de ces peintures de Braque, notamment L'Atelier V et plus encore L'Atelier II traité en grisaille, avec la grande grisaille qui inaugure la série des Ménines, nous voyons, me semble-t-il, que le désir de rendre à Braque la monnaie de sa pièce contribua notablement à inciter Picasso à réaliser une suite de variations sur le plus célèbre de tous les tableaux consacrés au thème de l'atelier.

Les prototypes des paraphrases ne se limitaient pas aux «grandes machines». Des images de Jacqueline seule pouvaient s'inspirer, ou semblent s'être inspirées, de tableaux de maîtres célèbres. Comme on l'a suggéré depuis longtemps, le Grand nu couché de Zurich (Cat., 36) peint en février-mars 1964 pourrait être une variante à la fois de la Maja de Goya et de l'Olympia de Manet, et La Pisseuse d'avril 1965 (Cat., 46) une variante de la Baigneuse de Rembrandt conservée à la National Gallery de Londres, en même temps bien sûr (la parenté stylistique entre la tête et les peintures des vases grecs paraît le confirmer) qu'une variante de la naissance d'Aphrodite, celle qui surgit de l'écume lorsque Cronos jeta dans la mer les testicules de son père Ouranos qu'il venait de trancher.

Cette monstrueuse déesse paillarde, délicieusement impudique et ravie de sa prodigalité, appartient à un tout autre monde que le nu couché exécuté seulement un an plus tôt. Ce nu était une œuvre classique, à la ligne fluide et à la facture charnue. L'intervalle qui sépare les deux œuvres n'est guère représenté dans notre exposition: ce fut une période de transition qui laissa peu de peintures de grande qualité. Mais quand Picasso en sortit au début de 1965, il avait trouvé son style tardif… si par «style tardif» on entend un style qui est tout entier liberté, brutalité et abandon.

«Or, il me semble, écrit Adrian Stokes, que l'art moderne, l'art caractéristique de notre époque, est pour ainsi dire l'argot de l'art dans son ensemble, qui serait à la peinture de maître ce que l'argot est au langage ordinaire.» L'argot est elliptique, équivoque, subversif, persifleur, désinvolte, spirituel, inattendu, insolent, abrupt, insouciant et il abonde en allusions gouailleuses aux choses savantes. Si l'art moderne est l'argot de l'art, il ne l'a jamais été aussi totalement et somptueusement que dans les dernières œuvres de Picasso.

Ce sont des œuvres qui mettent à nu les horreurs du vieillissement. Mais Picasso n'a jamais été un expressionniste; il n'était pas homme à épancher ses états d'âme. C'était un Espagnol, comme Don Juan, qui s'amusait au nez et à la barbe de la mort et lui clama son défi quand il fut emporté en enfer. L'art de Picasso affirme jusqu'à la fin que, même lorsqu'il devient journal intime, l'art ne saurait être une confession mais une partie à jouer.

Traduit de l'anglais par Jeanne Bouniort

Les Ménines, d'après Velázquez, Cannes, 17 août 1957. Museu Picasso, Barcelone

Georges Braque, L'Atelier II, 1949. Kunstsammlung Nordrhein-Westfalen Düsseldorf

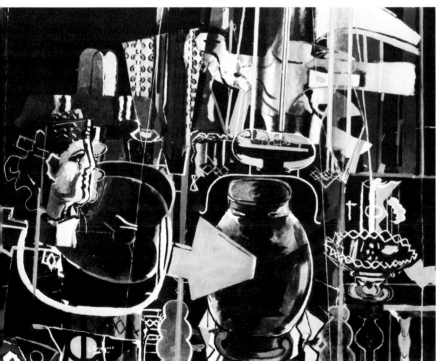

1
L'Ombre
29 décembre 1953,
Vallauris
Musée Picasso, Paris
Détail pp. 140-141

4
Les Femmes d'Alger,
d'après Delacroix
11 février 1955, Paris
Collection
Mrs. Victor W. Ganz,
New York

3
Les Femmes d'Alger,
d'après Delacroix
28 décembre 1954,
Paris
Collection
Mrs. Victor W. Ganz,
New York

es Femmes d'Alger,
'après Delacroix
4 février 1955, Paris
Collection
Mrs. Victor W. Ganz,
New York

6
Femme nue au bonnet
turc
1er décembre 1955,
Cannes
Musée national d'art
moderne, Centre
Georges Pompidou,
Paris
Donation Louise et
Michel Leiris, 1984
Détail pp. 146-147

7
Femme nue assise
2 janvier 1956,
Cannes
Galerie Louise Leiris,
Paris

'Atelier de la
Californie
0 mars 1956,
Cannes
Musée Picasso, Paris

10
L'Atelier
1er avril 1956, Cannes
Collection
Mrs. Victor W. Ganz,
New York

11
L'Atelier dans un
cadre peint
2 avril 1956, Cannes
Collection The
Museum of Modern
Art, New York
Don de Mr. and Mrs
Werner E. Josten,
1957
Détail pp. 154-155

8
<u>Femme nue dans un
rocking-chair</u>
26 mars 1956,
Cannes
The Art Gallery of
New South Wales,
Sydney

12
Femme nue devant le
jardin
29-31 août 1956, Cannes
Stedelijk Museum,
Amsterdam
Acquis avec le concours
de la Vereniging
Rembrandt et de la
Theo Van Gogh
Stichting

14
Les Ménines, d'après
<u>Velasquez</u>
19 septembre 1957,
Cannes,
Musée Picasso,
Barcelone
Détail pp. 164-165

8
es Ménines, d'après
elázquez
5 septembre 1957,
annes
useu Picasso,
arcelone

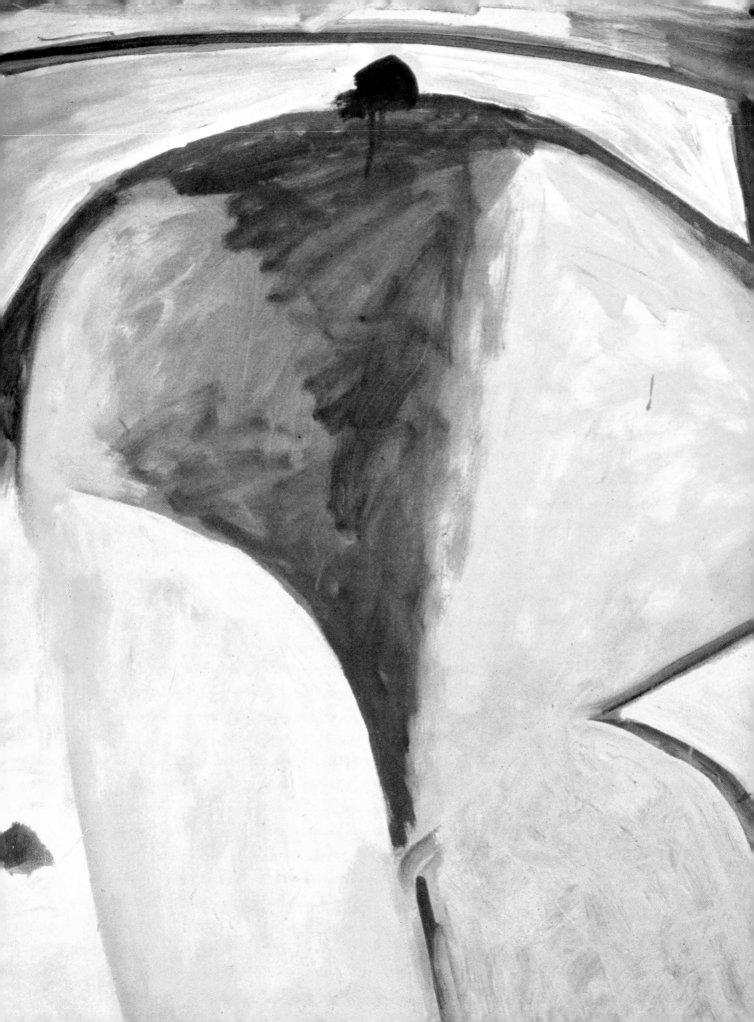

5
emme nue sous un
in
0 janvier 1959,
Cannes-
'auvenargues
he Art Institute of
Chicago, Chicago
Attribution de la
. Pick Foundation
Détail pp. 170-171

17
<u>Femme nue assise</u>
1959, Cannes ou
Vauvenargues
Collection
Mrs. Victor W. Ganz,
New York

6 Le Buffet de Vauvenargues 23 mars 1959-23 janvier 1960 Cannes-Vauvenargues Musée Picasso, Paris
6
Le Buffet de
Vauvenargues
23 mars 1959-
23 janvier 1960,
Cannes-
Vauvenargues
Musée Picasso, Paris

94
Femme portant un
enfant
1953, Vallauris
Collection particulière

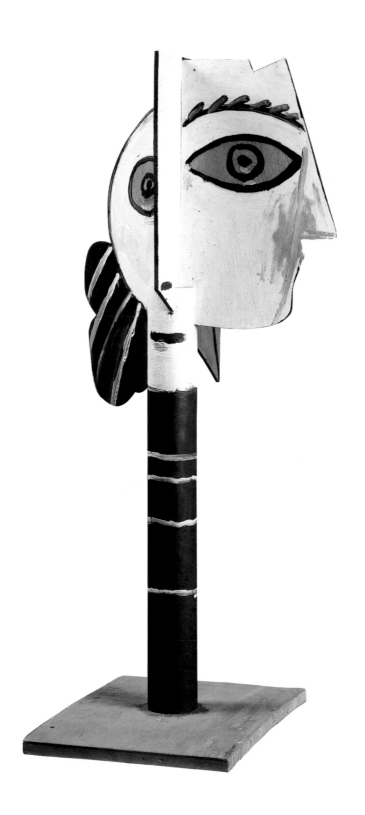

95
Tête de femme (projet
pour un monument)
1957, Cannes
Musée Picasso, Paris

26
Femme assise
13 mai-16 juin 1962,
Mougins
Collection particulière

96
<u>Femme au chapeau</u>
1961, Cannes
Musée Picasso, Paris

25
Buste de femme au
chapeau jaune
19-25 décembre 1961
- 10, 20 janvier 1962
Collection particulière

98
<u>Tête de femme</u>
1962, Mougins
Musée Picasso, Paris

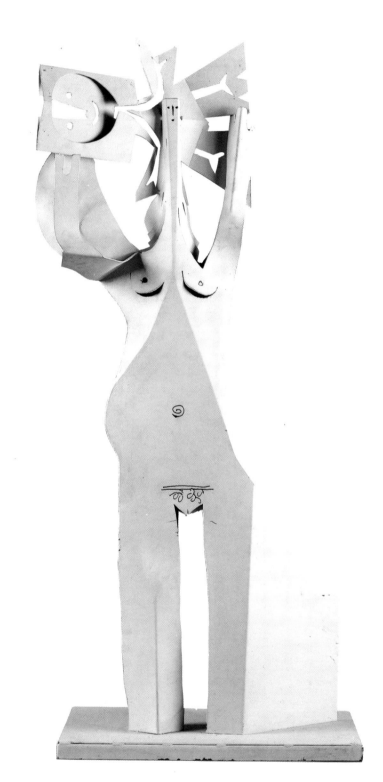

97
Femme à l'enfant
1961, Cannes
Musée Picasso, Paris

page suivante :

99
Buste de femme
1962, Mougins
Collection
particulière, Suisse
Détail pp. 180-181

0
e Déjeuner sur
herbe, d'après
anet
3 juillet 1961,
ougins
usée Picasso, Paris

22
Le Déjeuner sur
l'herbe, d'après
Manet
10 août 1961 (II),
Mougins
Collection particulière

21
Le Déjeuner sur
l'herbe, d'après
Manet
30 juillet 1961,
Mougins
Louisiana Museum
of Modern Art,
Humlebaek

9
e Déjeuner sur
herbe, d'après
Manet
0 juillet 1961,
Mougins
taatsgalerie,
tuttgart
Détail pp. 190-191

L'ENLÈVEMENT DES SABINES 1962-1963

30
L'Enlèvement des
Sabines
9 janvier, 7 février
1963
The Museum of Fine
Arts, Boston

29
L'Enlèvement des
Sabines
4, 8 novembre 1962,
Mougins
Musée national d'art
moderne, Centre
Georges Pompidou,
Paris
Don de D.-H.
Kahnweiler, 1964
Détail pp. 198-199

28
L'Enlèvement des
Sabines
24 octobre 1962,
Mougins
Národní Galerie,
Prague

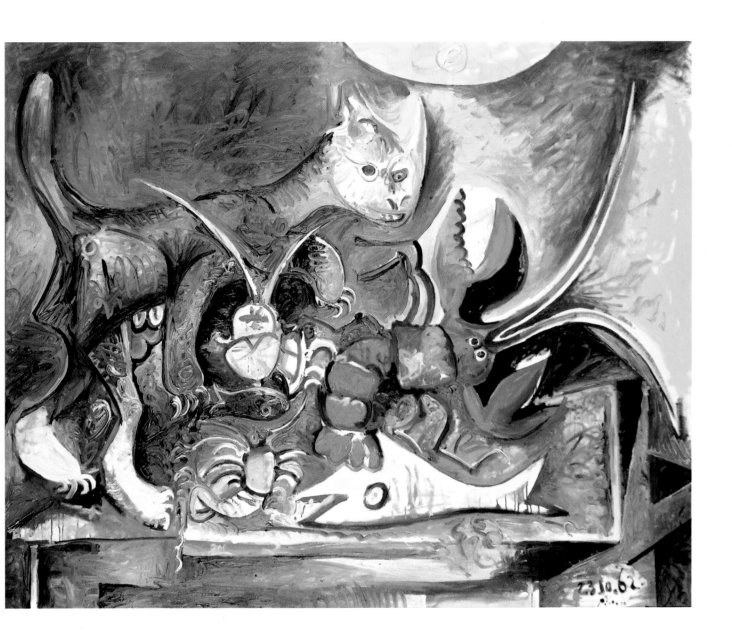

27
<u>Nature morte, chat et</u>
<u>homard</u>
23 octobre,
1er novembre 1962,
Mougins
The Hakone Open-
Air Museum

24
Femmes nues dans un
intérieur
27 novembre 1961 -
31 janvier 1962,
Mougins
Collection Mr. and
Mrs. Raymond
D. Nasher

23
<u>Femme couchée dans</u>
<u>un intérieur</u>
27 novembre 1961 (I),
Mougins
Collection
particulière, Paris

31
Le Peintre et son
modèle
4, 5 mars 1963,
Mougins
Collection Marina
Picasso, Galerie Jan
Krugier, Genève

2
e Peintre et son
modèle
mars, 20 septembre
963, Mougins
he Hakone Open-
Air Museum

41
Le Peintre et son
modèle
26 octobre (II),
3 novembre 1964,
Mougins
Collection Mr. and
Mrs. Morton L.
Janklow, New York
Détail pp. 206-207

40
Le Peintre et son
modèle
25 octobre 1964,
Mougins
Collection Gilbert de
Botton, Suisse

34
Le Peintre et son
modèle
10, 12 juin 1963,
Mougins
Bayerische
Staatsgemälde-
sammlungen,

Staatsgalerie
moderner Kunst,
Collection Bayerische
Landesbank, Munich

42
Le Peintre et son
modèle
16 novembre-
9 décembre 1964,
Mougins
Sammlung Ludwig,
Aix-la-Chapelle
En dépôt à la
Nationalgalerie,
Berlin (R.D.A.)

39
Nu couché jouant
avec un chat
10, 11 mai 1964,
Mougins
Collection Ernst
Beyeler, Bâle

35
Nu couché
9, 18 janvier 1964,
Mougins
Galerie Rosengart,
Lucerne

36
Grand nu
20-22 février, 5 mars
1964, Mougins
Kunsthaus, Zurich

38
Femme jouant avec
un chat
7-9 mai 1964,
Mougins
Collection Paloma
Picasso-Lopez

37
Femme au chat assise
dans un fauteuil
4-15 mai 1964,
Mougins
Collection
particulière, Suisse

43
es Deux amies
20-26 janvier 1965,
Mougins
Kunstmuseum, Berne
Donation Walter et
Gertrud Hadorn

4
u couché sur fond
ert
4 janvier 1965,
ougins
ollection Paloma
casso-Lopez

2
Nu couché au collier
octobre 1968 (I),
Mougins
The Trustees of the
ate Gallery, Londres

58
Femme à l'oreiller
10 juillet 1969,
Mougins
Collection particulière

48
Nu couché
14 juin 1967, Mougins
Musée Picasso, Paris
Détail pp. 218-219

46
La Pisseuse
16 avril 1965 (I),
Mougins
Musée national d'art
moderne, Centre
Georges Pompidou,
Paris
Donation Louise et
Michel Leiris, 1984
Détail pp. 238-239

45
Les Dormeurs
13 avril 1965,
Mougins
Galerie Louise Leiris,
Paris

47
Homme et femme nus
25 octobre 1965,
Mougins
Galerie Louise Leiris,
Paris

54
<u>Nu debout et</u>
<u>mousquetaire assis</u>
30 novembre 1968,
Mougins
Collection the
Metropolitan Museum
of Art, New York
et A.L. and Blanche
Levine (1981)

53
Mousquetaire à la
pipe
16 octobre 1968 (I),
Mougins
Galerie Louise Leiris,
Paris

62
Fumeur
10 septembre 1969 (I),
Mougins
Collection particulière

59
Mousquetaire à
l'épée assis
19 juillet 1969,
Mougins
Collection Maya
Ruiz-Picasso

61
Homme et femme
7 septembre 1969,
Mougins
Museo de Arte
Contemporáneo,
Caracas

56
Personnage
rembranesque et
amour
19 février 1969,
Mougins
Collection Picasso de
la Ville de Lucerne,
Donation Rosengart

63
Homme à l'épée assis
30 septembre 1969,
Mougins
Collection particulière

57
Homme à la pipe
14 mars 1969 (IV),
Mougins
Collection particulière

60
Homme assis à l'épée
et à la fleur
2 août (II)-
27 septembre 1969,
Mougins
Collection Bernard
Ruiz-Picasso

50
Couple
30 octobre 1967,
Mougins
Collection particulière

55
Couple à l'oiseau
17 janvier 1969,
Mougins
Courtesy Thomas
Ammann Fine Art,
Zurich

4
Couple
3 octobre 1969,
Mougins
Collection particulière
en dépôt au Museum
Boymans van
Beuningen, Rotterdam

68
Nu couché
2 novembre 1969,
Mougins
Collection particulière

2
Nu couché et homme
à la coupe
9 décembre 1969,
Mougins
Collection Bernard
Ruiz-Picasso

65
Le Baiser
24 octobre 1969 (I),
Mougins
Collection Gilbert de
Botton, Suisse
Détail pp. 262-263

66
Le Baiser
26 octobre 1969,
Mougins
Musée Picasso, Paris

71
Le Baiser
28 novembre 1969,
Mougins
Collection particulière

70
L'Étreinte
19 novembre 1969 (II),
Mougins
Collection particulière

74
L'Étreinte
26 septembre 1970 (II),
Mougins
Collection particulière

69
Bouquet de fleurs
7 novembre 1969 (II),
Mougins
Collection Marina
Picasso,
Galerie Jan Krugier,
Genève

67
Vase de fleurs sur une
table
28 octobre 1969,
Mougins
Collection Ernst
Beyeler, Bâle

73
Le Vieil homme assis
26 septembre 1970-
14 novembre 1971,
Mougins
Musée Picasso, Paris

82
Homme à la flûte et
enfant
29 août 1971,
Mougins
Collection particulière

83
Maternité
30 août 1971,
Mougins
Musée Picasso, Paris

78
Homme à la pipe
(pour Jacqueline)
18 juillet 1971,
Mougins
Collection particulière

76
Homme écrivant
7 juillet 1971 (II),
Mougins
Collection particulière

86
Femme au repos
14 septembre 1971,
Mougins
Collection particulière

77
Personnage à la pelle
17 juillet,
14 novembre 1971,
Mougins
Collection Bernard
Ruiz-Picasso

79
Joueur de flûte
30 juillet 1971 (II),
Mougins
Collection particulière

80
Baigneur debout
14 août 1971,
Mougins
Collection Bernard
Ruiz-Picasso

87
Femme assise
15 septembre 1971(II),
Mougins
Collection Mr. and
Mrs. Morton L.
Janklow, New York

81
Homme et femme nus
18 août 1971,
Mougins
Collection Mr. and
Mrs. Raymond
D. Nasher

u allongé
septembre 1971,
ougins
ollection Gilbert de
tton, Suisse

89
Le Joueur de cartes
30 décembre 1971 (II),
Mougins
Galerie Louise Leiris,
Paris

5
Nu couché et homme
jouant de la guitare
7 octobre 1970,
Mougins
Musée Picasso, Paris

92
Musicien
26 mai 1972, Mougins
Musée Picasso, Paris

0
Paysage
1 mars 1972,
Mougins
Musée Picasso, Paris
Détail pp. 272-273

34
Trois personnages
5 septembre 1971,
Mougins
Kunstmuseum, Berne

93
L'Étreinte
1er juin 1972, Mougins
Collection particulière

100
Intérieur (femme
peintre et nu dans
l'atelier)
21 janvier 1954,
Vallauris
Collection Mr. and
Mrs. Daniel
Saidenberg

101
Homme assis, jeune
fille avec singe et
pomme
26 janvier 1954,
Vallauris
Collection particulière

02
Nu couché les jambes
croisées
21-23 janvier 1965,
Mougins
Collection
particulière, Paris

105
Nu couché
10 août 1969 (II),
Mougins
Galerie Louise Leiris,
Paris

106
Homme et nu couché
4 septembre 1969 (IV),
Mougins
Collection
particulière, Paris

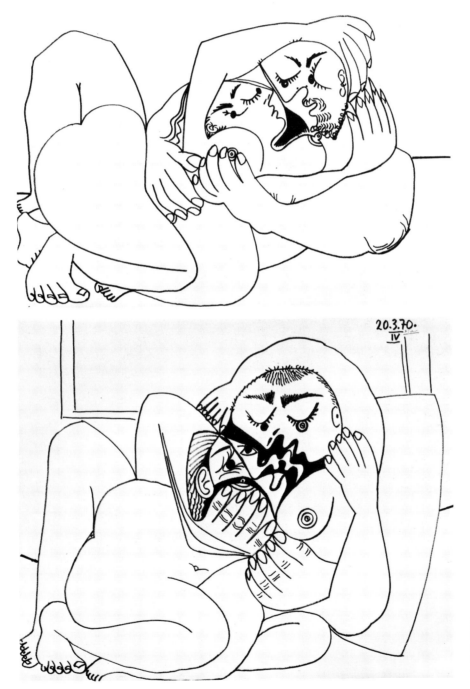

109
L'Étreinte
20 mars 1970 (III, IV),
Mougins
Galerie Louise Leiris,
Paris

5.9.69. II

107
Nu et homme au
masque
5 septembre 1969 (II),
Mougins
Collection Ernst
Beyeler, Bâle

04
e Baiser
octobre 1967 (IV),
Mougins
Collection particulière

103
Aigle et figures
10 mars 1967 (I),
Mougins
Courtesy of Hirschl
and Adler Galleries,
New York

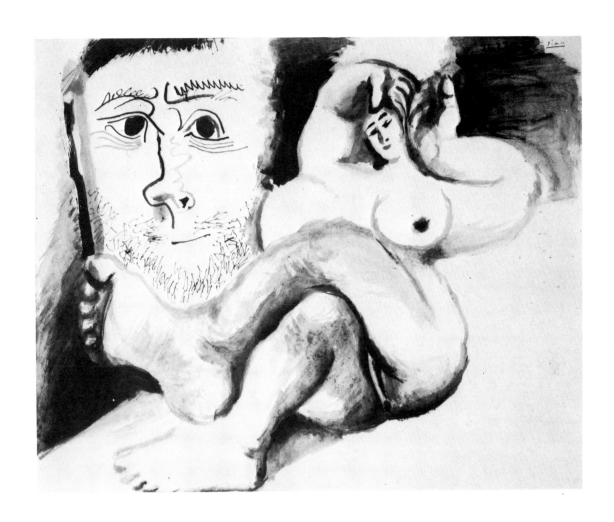

110
Nu couché et tête
d'homme
26 mars 1970 (II),
Mougins
Collection
particulière, Paris

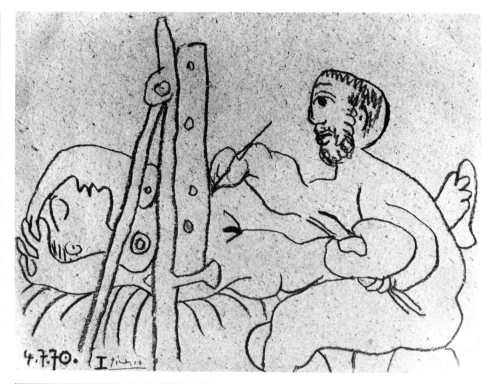

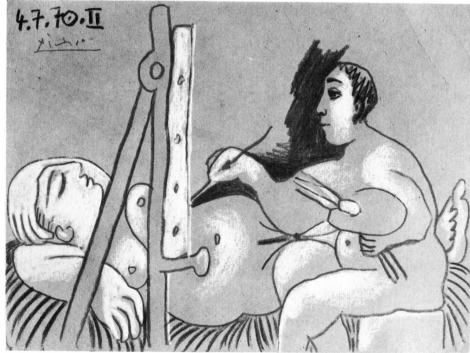

111
Le Peintre et son
modèle (I)
4 juillet 1970, Mougins
Musée national d'art
moderne, Centre
Georges Pompidou,
Paris
Donation Louise et
Michel Leiris, 1984

112
Le Peintre et son
modèle (II)
4 juillet 1970, Mougins
Musée national d'art
moderne, Centre
Georges Pompidou,
Paris
Donation Louise et
Michel Leiris, 1984

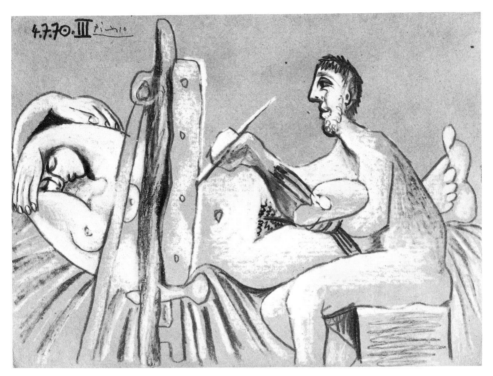

113
Le Peintre et son
modèle (III)
4 juillet 1970, Mougins
Musée national d'art
moderne, Centre
Georges Pompidou,
Paris
Donation Louise et
Michel Leiris, 1984

114
Le Peintre et son
modèle (IV)
4 juillet 1970, Mougins
Musée national d'art
moderne, Centre
Georges Pompidou,
Paris
Donation Louise et
Michel Leiris, 1984

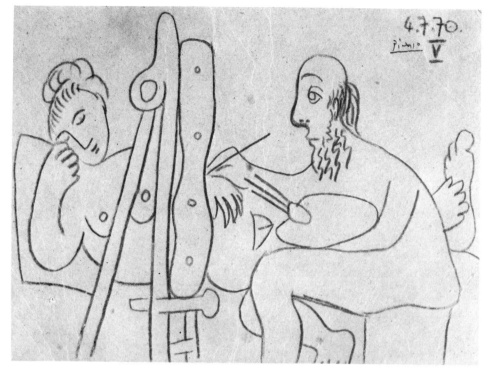

115
Le Peintre et son
modèle (V)
4 juillet 1970, Mougins
Musée national d'art
moderne, Centre
Georges Pompidou,
Paris
Donation Louise et
Michel Leiris, 1984

116
Le Peintre et son
modèle (VI)
4 juillet 1970, Mougins
Musée national d'art
moderne, Centre
Georges Pompidou,
Paris
Donation Louise et
Michel Leiris, 1984

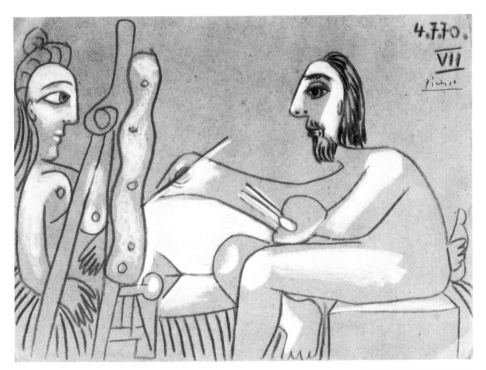

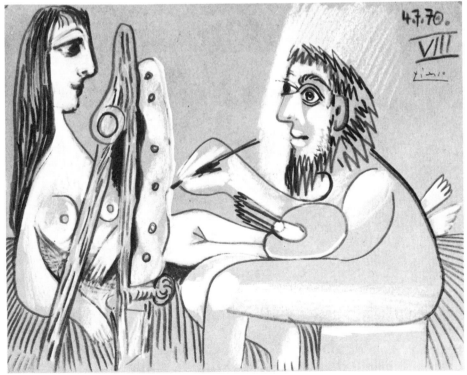

117
Le Peintre et son
modèle (VII)
4 juillet 1970, Mougins
Musée national d'art
moderne, Centre
Georges Pompidou,
Paris
Donation Louise et
Michel Leiris, 1984

118
Le Peintre et son
modèle (VIII)
4 juillet 1970, Mougins
Musée national d'art
moderne, Centre
Georges Pompidou,
Paris
Donation Louise et
Michel Leiris, 1984

119
Deux femmes
26-27 février 1972,
Mougins
Collection particulière

120
Nu couché et tête
d'homme
19 avril 1972 (II),
Mougins
Museo de Arte
Contemporáneo,
Caracas

126
<u>Nu au miroir et</u>
<u>personnage assis</u>
19 juillet 1972,
Mougins
Galerie Louise Leiris,
Paris

127
Trois femmes
29 juillet-5 août 1972,
Mougins
Collection
particulière, Suisse

130
Nu au verre et têtes
18 août 1972,
Mougins
The Hakone Open-
Air Museum

128
Nu couché
11 août 1972,
Mougins
Collection particulière

123
Tête
29 juin 1972, Mougins
Collection particulière

125
Tête
3 juillet 1972, Mougins
Galerie Rosengart,
Lucerne

124
Autoportrait
30 juin 1972, Mougins
Fuji Television Gallery,
Tokyo
Détail pp. 302-303

122
Nu (sans titre)
1er mai (II, III), 3 mai
1972
Collection Dr. and
Mrs. Martin L. Gecht,
Chicago

20.4.72.III

21
u couché
O avril 1972 (III),
Aougins
ollection
articulière, Paris

132
Nu couché
5 octobre 1972,
Mougins
Musée Picasso, Paris

9
u couché
août 1972,
ougins
ollection Lionel
ejger, Paris

31
u dans un fauteuil
octobre 1972,
Mougins
Musée Picasso, Paris

Les notices sont classées par technique : peinture, sculpture, dessin, gravure.

Chaque notice d'œuvre comprend : le titre, la date (jour, mois, année et au besoin ordre chronologique à l'intérieur d'une même journée) et le lieu d'exécution ; les dimensions sont données en centimètres, la hauteur précède la largeur.

Les références bibliographiques simplifiées renvoient aux ouvrages suivants :

pour les peintures et les dessins :

Christian Zervos, Pablo Picasso, Paris, Éditions Cahiers d'Art (tomes XVI à XXXIII).

Rafael Alberti, Picasso en Avignon, Paris, Éditions Cercle d'Art, 1971 (I).

Rafael Alberti, Le Rayon ininterrompu, Paris, Éditions Cercle d'Art, 1974 (II).

Douglas Cooper, Pablo Picasso : Les Déjeuners, Paris, Éditions Cercle d'Art, 1962.

Jaime Sabartès, Pablo Picasso, Les Ménines et la vie, Paris, Éditions Cercle d'Art, 1958.

pour les sculptures :

Werner Spies, Das Plastische Werk, Stuttgart, Verlag Gerd Hatje, 1983.

pour les gravures :

Georges Bloch, Catalogue raisonné de l'œuvre gravé et lithographié, Berne, Éditions Kornfeld et Klipstein (tome II, 1971, tome IV, 1979).

pour les expositions :

Paris, 1966 :
Hommage à Pablo Picasso, Grand Palais, Paris, 1966-1967

Avignon, 1970 :
Pablo Picasso 1969-1970, Palais des Papes, Avignon, 1970

Paris, 1971 :
Picasso. Dessins en noir et en couleur, Galerie Louise Leiris, Paris, 1971

Paris, 1973 :
Picasso, 172 dessins en noir et en couleur, Galerie Louise Leiris, Paris, 1973

Avignon, 1973 :
Pablo Picasso 1970-1972, 201 peintures, Palais des Papes, Avignon, 1973

New York, 1980 :
Pablo Picasso, a Retrospective, The Museum of Modern Art, New York, 1980

Bâle, 1981 :
Picasso. Das Spätwerk : Themen 1964-1972, Kunstmuseum, Bâle, 1981

New York, 1984 :
Picasso. The Last Years 1963-1973, Solomon R. Guggenheim Museum, New York, 1984.

PEINTURES

'Ombre
29 décembre 1953, Vallauris
Huile et fusain sur toile
29,5 × 96,5 cm
Musée Picasso, Paris
Ill. p. 145

Bibliographie :
Zervos, XVI, 100

2
Nu dans l'atelier
30 décembre 1953, Vallauris
Huile sur toile
89 × 116,2 cm
Collection particulière
Ill. p. 143

Bibliographie :
Zervos, XVI, 96

Expositions :
Paris, 1966, 230

3
Les Femmes d'Alger, d'après
Delacroix
28 décembre 1954, Paris
Huile sur toile
54 × 65 cm
Collection Mrs. Victor W. Ganz,
New York
Ill. p. 150

Bibliographie :
Zervos, XVI, 345

4
Les Femmes d'Alger, d'après
Delacroix
11 février 1955, Paris
Huile sur toile
130 × 195 cm
Collection Mrs. Victor W. Ganz,
New York
Ill. p. 149

Bibliographie :
Zervos, XVI, 357

Expositions :
New York, 1980, repr. p. 424

5
Les Femmes d'Alger, d'après
Delacroix
14 février 1955, Paris
Huile sur toile
114 × 146 cm
Collection Mrs. Victor W. Ganz,
New York
Ill. p. 151

Bibliographie :
Zervos, XVI, 360

Expositions :
Paris, 1966, 237
New York, 1980, repr. p. 425

6
Femme nue au bonnet turc
1er décembre 1955, Cannes
Huile sur toile
116 × 89 cm
Musée national d'art moderne,
Centre Georges Pompidou, Paris.
Donation Louise et Michel Leiris,
1984
Ill. p. 152

Bibliographie :
Zervos, XVI, 529

7
Femme nue assise
2 janvier 1956, Cannes
Huile sur toile
130 × 96 cm
Galerie Louise Leiris, Paris
Ill. p. 153

Bibliographie :
Zervos, XVII, 1

8
Femme nue dans un rocking-chair
26 mars 1956, Cannes
Huile sur toile
195 × 130 cm
The Art Gallery of New South
Wales, Sydney
Ill. p. 161

Bibliographie :
Zervos, XVII, 55

9
L'Atelier de La Californie
30 mars 1956, Cannes
Huile sur toile
114 × 146 cm
Musée Picasso, Paris
Ill. p. 157

Bibliographie :
Zervos, XVII, 56

Expositions :
Paris, 1966, 245

10
L'Atelier
1er avril 1956, Cannes
Huile sur toile
89 × 116 cm
Collection Mrs. Victor W. Ganz,
New York
Ill. p. 158

Bibliographie :
Zervos, XVII, 57

Expositions :
New York, 1980, repr. p. 428

11
L'Atelier dans un cadre peint
2 avril 1956, Cannes
Huile sur toile
88,8 × 115,8 cm
The Museum of Modern Art,
New York.
Don de Mr. and Mrs. Werner
E. Josten, 1957
Ill. p. 159

Bibliographie :
Zervos, XVII, 58

12
Femme nue devant le jardin
29-31 août 1956, Cannes
Huile sur toile
130 × 162,5 cm
Stedelijk Museum, Amsterdam.
Acquis avec le concours de la

Vereniging Rembrandt et de la
Theo Van Gogh Stichting
Ill. p. 163

Bibliographie :
Zervos, XVII, 158

Expositions :
Paris, 1966, 284

13
Les Ménines, d'après Velázquez
15 septembre 1957, Cannes
Huile sur toile
129 × 161 cm
Museu Picasso, Barcelone
Ill. p. 169

Bibliographie :
Zervos, XVII, 369
Sabartès, 28

14
Les Ménines, d'après Velázquez
19 septembre 1957, Cannes
Huile sur toile
162 × 130 cm
Museu Picasso, Barcelone
Ill. p. 167

Bibliographie :
Zervos, XVII, 373
Sabartès, 32

15
Femme nue sous un pin
20 janvier 1959,
Cannes-Vauvenargues
Huile sur toile
195 × 280 cm
The Art Institute of Chicago,
Chicago.
Attribution de la J. Pick Foundation
Ill. p. 173

Bibliographie :
Zervos, XVIII, 323

16
Le Buffet de Vauvenargues
23 mars 1959-23 janvier 1960,
Cannes-Vauvenargues
Huile sur toile

195 × 280 cm
Musée Picasso, Paris
Ill. p. 179

Bibliographie :
Zervos, XVIII, 395

Expositions :
Paris, 1966, 257

17
Femme nue assise
1959, Cannes ou Vauvenargues
Huile sur toile
146 × 114,2 cm
Collection Mrs. Victor W. Ganz,
New York
Ill. p. 175

Bibliographie :
Zervos, XVIII, 308

Expositions :
New York, 1980, repr. p. 435

18
Femme couchée sur un divan bleu
20 avril 1960, Vauvenargues
Huile sur toile
89 × 115,5 cm
Musée national d'art moderne,
Centre Georges Pompidou, Paris.
Donation Louise et Michel Leiris,
1984
Ill. p. 177

Bibliographie :
Zervos, XIX, 279

19
Le Déjeuner sur l'herbe, d'après
Manet
10 juillet 1961, Mougins
Huile sur toile
114 × 146 cm
Staatsgalerie, Stuttgart
Ill. p. 197

Bibliographie :
Zervos, XX, 88
Cooper, 109

20
Le Déjeuner sur l'herbe, d'après
Manet
13 juillet 1961, Mougins
Huile sur toile
60 × 73 cm
Musée Picasso, Paris
Ill. p. 193

Bibliographie :
Zervos, XX, 90
Cooper, 111

21
Le Déjeuner sur l'herbe, d'après
Manet
30 juillet 1961, Mougins
Huile sur toile
130 × 97 cm
Louisiana Museum of Modern Art,
Humlebaek
Ill. p. 195

Bibliographie :
Zervos, XX, 113
Cooper, 151

22
Le Déjeuner sur l'herbe, d'après
Manet
10 août 1961 (II), Mougins
Huile sur toile
46 × 55 cm
Collection particulière
Ill. p. 194

Bibliographie :
Zervos, XX, 118
Cooper, 156

23
Femme couchée dans un intérieur
27 novembre 1961 (I), Mougins
Huile sur toile
46 × 55 cm
Collection particulière, Paris
Ill. p. 211

Bibliographie :
Zervos, XX, 148

24
Femmes nues dans un intérieur
27 novembre 1961-31 janvier
1962, Mougins
Huile sur toile
73,6 × 91,4 cm
Collection Mr. and Mrs. Raymond
D. Nasher
Ill. p. 210

Bibliographie :
Ne figure pas dans Zervos

25
Buste de femme au chapeau jaune
19-25 décembre 1961,
10-20 janvier 1962, Mougins
Huile sur toile
91,5 × 73 cm
Collection particulière
Ill. p. 186

Bibliographie :
Zervos, XX, 162

26
Femme assise
13 mai-16 juin 1962, Mougins
Huile sur toile
146 × 114 cm
Collection particulière
Ill. p. 184

Bibliographie :
Zervos, XX, 227

Expositions :
New York, 1980, repr. p. 443

27
Nature morte, chat et homard
23 octobre, 1er novembre 1962,
Mougins
Huile sur toile
130 × 162 cm
The Hakone Open-Air Museum
Ill. p. 205

Bibliographie :
Zervos, XX, 356

Expositions :
New York, 1980, repr. p. 445

28
L'Enlèvement des Sabines
24 octobre 1962, Mougins
Huile sur toile
46 × 55 cm
Národní Galerie, Prague
Ill. p. 203

Bibliographie :
Zervos, XXIII, 6

29
L'Enlèvement des Sabines
4, 8 novembre 1962, Mougins
Huile sur toile
97 × 130 cm
Musée national d'art moderne,
Centre Georges Pompidou, Paris.
Don de D.-H. Kahnweiler, 1964
Ill. p. 202

Bibliographie :
Zervos, XXIII, 69

30
L'Enlèvement des Sabines
9 janvier, 7 février 1963, Mougins
Huile sur toile
195 × 130 cm
The Museum of Fine Arts, Boston.
Juliana Cheney Edwards
Collection, Tompkins Collection
and Fanny P. Mason Fund
in Memory of Alice Thevin
Ill. p. 201

Bibliographie :
Zervos, XXIII, 121

Expositions :
Paris, 1966, 262
New York, 1984, 1

31
Le Peintre et son modèle
4, 5 mars 1963, Mougins
Huile sur toile
81 × 100 cm
Collection Marina Picasso,
Galerie Jan Krugier, Genève
Ill. p. 212

Bibliographie :
Zervos, XXIII, 159

Expositions:
New York, 1984, 5

32
Le Peintre et son modèle
5 mars, 20 septembre 1963,
Mougins
Huile sur toile
89 × 116 cm
The Hakone Open-Air Museum
Ill. p. 213

Bibliographie:
Zervos, XXIII, 164

33
Le Peintre et son modèle dans
l'atelier
9 avril 1963, Mougins
Huile sur toile
65 × 92 cm
Musée national d'art moderne,
Centre Georges Pompidou, Paris.
Donation Louise et Michel Leiris,
1984
Ill. p. 209

Bibliographie:
Zervos, XXIII, 205

34
Le Peintre et son modèle
10, 12 juin 1963, Mougins
Huile sur toile
195 × 130 cm
Bayerische
Staatsgemäldesammlungen,
Staatsgalerie moderner
Kunst,
Collection Bayerische
Landesbank, Munich
Ill. p. 216

Bibliographie:
Zervos, XXIII, 286

Expositions:
Paris, 1966, 266

35
Nu couché
9, 18 janvier 1964, Mougins

Huile sur toile
65 × 100 cm
Galerie Rosengart, Lucerne
Ill. p. 222

Bibliographie:
Zervos, XXIV, 25

Expositions:
Bâle, 1981, 1, repr. p. 93
New York, 1984, 7

36
Grand nu
20-22 février, 5 mars 1964,
Mougins
Huile sur toile
140 × 195 cm
Kunsthaus, Zurich
Ill. p. 223

Bibliographie:
Zervos, XXIV, 95

Expositions:
Paris, 1966, 267
Bâle, 1981, 3, repr. p. 27
New York, 1984, 9

37
Femme au chat assise dans un
fauteuil
4-15 mai 1964, Mougins
Huile sur toile
130 × 81 cm
Collection particulière, Suisse
Ill. p. 225

Bibliographie:
Zervos, XXIV, 141

38
Femme jouant avec un chat
7-9 mai 1964, Mougins
Huile sur toile
146 × 114 cm
Collection Paloma Picasso-Lopez
Ill. p. 224

Bibliographie:
Zervos, XXIV, 140

Expositions:
Bâle, 1981, 5, repr. p. 95

39
Nu couché jouant avec un chat
10, 11 mai 1964, Mougins
Huile sur toile
114 × 195 cm
Collection Ernst Beyeler, Bâle
Ill. p. 221

Bibliographie:
Zervos, XXIV, 145

Expositions:
Bâle, 1981, 6, repr. p. 97

40
Le Peintre et son modèle
25 octobre 1964, Mougins
Huile sur toile
195 × 130 cm
Collection Gilbert de Botton,
Suisse
Ill. p. 215

Bibliographie:
Zervos, XXIV, 245

41
Le Peintre et son modèle
26 octobre (II), 3 novembre 1964,
Mougins
Huile sur toile
146 × 89 cm
Collection Mr. and Mrs. Morton
L. Janklow, New York
Ill. p. 214

Bibliographie:
Zervos, XXIV, 246

Expositions:
Bâle, 1981, 7, repr. p. 17
New York, 1984, 13

42
Le Peintre et son modèle
16 novembre-9 décembre 1964,
Mougins
Huile sur toile
162 × 130 cm
Sammlung Ludwig, Aix-la-
Chapelle.
En dépôt à la Nationalgalerie,
Berlin (R.D.A.)
Ill. p. 217

Bibliographie:
Zervos, XXIV, 312

Expositions:
New York, 1980, repr. p. 447

43
Les Deux amies
20-26 janvier 1965, Mougins
Huile sur toile
81 × 100 cm
Kunstmuseum, Berne.
Donation Walter et Gertrud
Hadorn
Ill. p. 227

Bibliographie:
Zervos, XXV, 18

Expositions:
Bâle, 1981, 10, repr. p. 99

44
Nu couché sur fond vert
24 janvier 1965, Mougins
Huile sur toile
89 × 116 cm
Collection Paloma Picasso-Lopez
Ill. p. 229

Bibliographie:
Zervos, XXV, 20

45
Les Dormeurs
13 avril 1965, Mougins
Huile sur toile
114 × 195 cm
Galerie Louise Leiris, Paris
Ill. p. 242

Bibliographie:
Zervos, XXV, 106

Expositions:
Paris, 1966, 273
Bâle, 1981, 14
New York, 1984, 20

46
La Pisseuse
16 avril 1965 (I), Mougins
Huile sur toile

195 × 97 cm
Musée national d'art moderne,
Centre Georges Pompidou, Paris.
Donation Louise et Michel Leiris,
1984. Ill. p. 241

Bibliographie:
Zervos, XXV, 108

Expositions:
Paris, 1966, 275
New York, 1984, 21

47
Homme et femme nus
25 octobre 1965, Mougins
Huile sur toile
162 × 130 cm
Galerie Louise Leiris, Paris
Ill. p. 243

Bibliographie:
Zervos, XXV, 183

Expositions:
Bâle, 1981, 18
New York, 1984, 23

48
Nu couché
14 juin 1967, Mougins
Huile sur toile
195 × 130 cm
Musée Picasso, Paris
Ill. p. 235

Bibliographie:
Zervos, XXVII, 35

49
Nu couché
9 octobre 1967, Mougins
Huile sur toile
114 × 146 cm
Collection Bernard Ruiz-Picasso
Ill. p. 233

Bibliographie:
Zervos, XXVII, 139

50
Couple
30 octobre 1967, Mougins

Huile sur toile
114 × 146 cm
Collection particulière
Ill. p. 256

Bibliographie:
Zervos, XXVII, 148

51
Nu couché à l'oiseau
17 janvier 1968, Mougins
Huile sur toile
130 × 195 cm
Museum Ludwig, Cologne
Ill. p. 237

Bibliographie:
Zervos, XXVII, 195

52
Nu couché au collier
8 octobre 1968 (I), Mougins
Huile et peinture laquée sur toile
113,5 × 161,7 cm
The Trustees of the Tate Gallery,
Londres
Ill. p. 231

Bibliographie:
Zervos, XXVII, 331

Expositions:
Bâle, 1981, 28, repr. p. 111

53
Mousquetaire à la pipe
16 octobre 1968 (I), Mougins
Huile sur toile
162 × 130 cm
Galerie Louise Leiris, Paris
Ill. p. 246

Bibliographie:
Zervos, XXVII, 340

Expositions:
Bâle, 1981, 31
New York, 1984, 48

54
Nu debout et mousquetaire assis
30 novembre 1968, Mougins
Huile sur toile

162 × 130 cm
Collection The Metropolitan
Museum of Art, New York et A.L.
and Blanche Levine (1981)
Ill. p. 245

Bibliographie:
Zervos, XXVII, 384

Expositions:
New York, 1984, 52

55
Couple à l'oiseau
17 janvier 1969, Mougins
Huile sur toile
130 × 162 cm
Courtesy Thomas Ammann Fine
Art, Zurich. Ill. p. 257

Bibliographie:
Zervos, XXXII, 31
Alberti, I, 106

56
Personnage rembranesque et
amour
19 février 1969, Mougins
Huile sur toile
162 × 130 cm
Collection Picasso de la Ville de
Lucerne.
Donation Rosengart. Ill. p. 251

Bibliographie:
Zervos, XXXI, 73
Alberti, I, 83 (Fumeur et amour)

Expositions:
Avignon, 1970, 7
Bâle, 1981, 37, repr. p. 123
New York, 1984, 55

57
Homme à la pipe
14 mars 1969 (IV), Mougins
Huile sur toile
195 × 130 cm
Collection particulière
Ill. p. 253

Bibliographie:
Zervos, XXXI, 101
Alberti, I, 73

Expositions:
Avignon, 1970, 11

58
Femme à l'oreiller
10 juillet 1969, Mougins
Huile sur toile
195 × 130 cm
Collection particulière
Ill. p. 234

Bibliographie:
Zervos, XXXI, 315
Alberti, I, 14

Expositions:
Avignon, 1970, 56
New York, 1980, repr. p. 449

59
Mousquetaire à l'épée assis
19 juillet 1969, Mougins
Huile sur toile
195 × 130 cm
Collection Maya Ruiz-Picasso
Ill. p. 248

Bibliographie:
Zervos, XXXI, 328
Alberti, I, 199 (Homme à l'épée)

Expositions:
Avignon, 1970, 62 (Homme
à l'épée)
New York, 1984, 58

60
Homme assis à l'épée et à la fleur
2 août (II), 27 septembre 1969,
Mougins
Huile sur toile
146 × 114 cm
Collection Bernard Ruiz-Picasso
Ill. p. 255

Bibliographie:
Zervos, XXXI, 449
Alberti, I, 211 (Homme à l'épée
et fleur)

Expositions:
Avignon, 1970, 85 (Homme
à l'épée et fleur)
Bâle, 1981, 40

omme et femme
septembre 1969, Mougins
uile sur toile
53 × 130,2 cm
useo de Arte Contemporáneo,
aracas. Ill. p. 249

bliographie :
ervos, XXXI, 417
berti, I, 92

xpositions :
vignon, 1970, 75

2
meur
0 septembre 1969 (I), Mougins
uile sur toile
30 × 97 cm
ollection particulière
. p. 247

ibliographie :
ervos, XXXI, 419
lberti, I, 79

xpositions :
vignon, 1970, 77

3
omme à l'épée assis
0 septembre 1969, Mougins
uile sur toile
95 × 130 cm
Collection particulière
. p. 252

ibliographie :
ervos, XXXI, 450
lberti, I, 212

xpositions :
vignon, 1970, 88 (Homme assis
l'épée)

4
Couple
3 octobre 1969, Mougins
Huile sur toile
14 × 146 cm
Collection particulière.
n dépôt au Museum Boymans -

van Beuningen, Rotterdam
Ill. p. 259

Bibliographie :
Zervos, XXXI, 474
Alberti, I, 95

Expositions :
Avignon, 1970, 101

65
Le Baiser
24 octobre 1969 (I), Mougins
Huile sur toile
97 × 130 cm
Collection Gilbert de Botton,
Suisse
Ill. p. 264

Bibliographie :
Zervos, XXXI, 475
Alberti, I, 56

Expositions :
Avignon, 1970, 102
Bâle, 1981, 42, repr. p. 47

66
Le Baiser
26 octobre 1969, Mougins
Huile sur toile
97 × 130 cm
Musée Picasso, Paris
Ill. p. 265

Bibliographie :
Zervos, XXXI, 484
Alberti, I, 57

Expositions :
Avignon, 1970, 105
New York, 1980, repr. p. 454

67
Vase de fleurs sur une table
28 octobre 1969, Mougins
Huile sur toile
116 × 89 cm
Collection Ernst Beyeler, Bâle
Ill. p. 271

Bibliographie :
Zervos, XXXI, 486
Alberti, I, 28 (Bouquet)

Expositions :
Avignon, 1970, 107 (Bouquet)
Bâle, 1981, 44, repr. p. 131
New York, 1984, 66

68
Nu couché
2 novembre 1969, Mougins
Huile sur toile
130 × 195 cm
Collection particulière
Ill. p. 260

Bibliographie :
Zervos, XXXI, 488
Alberti, I, 30 (Femme nue couchée)

Expositions :
Avignon, 1970, 108 (Femme nue
couchée)
Bâle, 1981, 45, repr. p. 133

69
Bouquet de fleurs
7 novembre 1969 (II), Mougins
Huile sur toile
146 × 114 cm
Collection Marina Picasso, Galerie
Jan Krugier, Genève
Ill. p. 270

Bibliographie :
Zervos, XXXI, 492
Alberti, I, 34 (Bouquet)

Expositions :
Avignon, 1970, 113 (Nature morte)

70
L'Étreinte
19 novembre 1969 (II), Mougins
Huile sur toile
162 × 130 cm
Collection particulière
Ill. p. 267

Bibliographie :
Zervos, XXXI, 507
Alberti, I, 97 (Couple)

Expositions :
Avignon, 1970, 116 (Couple)
Bâle, 1981, 46
New York, 1984, 68

71
Le Baiser
28 novembre 1969, Mougins
Huile sur toile
116 × 89 cm
Collection particulière
Ill. p. 266

Bibliographie :
Zervos, XXXI, 531
Alberti, I, 69

Expositions :
Avignon, 1970, 122

72
Nu couché et homme à la coupe
29 décembre 1969, Mougins
Huile sur toile
130 × 195 cm
Collection Bernard Ruiz-Picasso
Ill. p. 261

Bibliographie :
Zervos, XXXI, 564
Alberti, I, 39 (Couple)

Expositions :
Avignon, 1970, 140 (Couple)

73
Le Vieil homme assis
26 septembre 1970-14 novembre
1971, Mougins
Huile sur toile
145,5 × 114 cm
Musée Picasso, Paris
Ill. p. 275

Bibliographie :
Zervos, XXXII, 265
Alberti, II, 4 (Homme dans un
fauteuil)

Expositions :
Avignon, 1973, 2, repr. p. 12
(Homme dans un fauteuil)
Bâle, 1981, 48, repr. p. 23

74
L'Étreinte
26 septembre 1970 (II), Mougins
Huile sur toile
146 × 114 cm

Collection particulière
Ill. p. 269

Bibliographie :
Zervos, XXXII, 266
Alberti, II, 5 (Le Baiser)

Expositions :
Avignon, 1973, 3, repr. p. 13
(Le Baiser)

75
Nu couché et homme jouant de la guitare
27 octobre 1970, Mougins
Huile sur toile
130 × 195 cm
Musée Picasso, Paris
Ill. p. 291

Bibliographie :
Zervos, XXXII, 293
Alberti, II, 19 (Nu couché et homme à la guitare)

Expositions :
Avignon, 1973, 25, repr. p. 35 (Nu couché jouant de la guitare)
Bâle, 1981, 51, repr. p. 139

76
Homme écrivant
7 juillet 1971 (II), Mougins
Huile sur toile
110 × 81 cm
Collection particulière
Ill. p. 280

Bibliographie :
Zervos, XXXIII, 92
Alberti, II, 110

Expositions :
Avignon, 1973, 80, repr. p. 96

77
Personnage à la pelle
17 juillet, 14 novembre 1971, Mougins
Huile sur toile
195 × 130 cm
Collection Bernard Ruiz-Picasso
Ill. p. 282

Bibliographie :
Zervos, XXXIII, 229
Alberti, II, 67 (Enfant à la pelle)

Expositions :
Avignon, 1973, 92, repr. p. 111
(Enfant à la pelle)
New York, 1980, repr. p. 456
Bâle, 1981, 70, repr. p.155

78
Homme à la pipe (pour Jacqueline)
18 juillet 1971, Mougins
Huile sur toile
100 × 81 cm
Collection particulière
Ill. p. 279

Bibliographie :
Zervos, XXXIII, 104
Alberti, II, 120

Expositions :
Avignon, 1973, 93, repr. p. 112

79
Joueur de flûte
30 juillet 1971 (II), Mougins
Huile sur toile
146 × 114 cm
Collection particulière
Ill. p. 283

Bibliographie :
Zervos, XXXIII, 127
Alberti, II, 143

Expositions :
Avignon, 1973, 105, repr. p. 123
Bâle, 1981, 64

80
Baigneur debout
14 août 1971, Mougins
Huile sur toile
195 × 130 cm
Collection Bernard Ruiz-Picasso
Ill. p. 285

Bibliographie :
Zervos, XXXIII, 144
Alberti, II, 71 (Personnage debout)

Expositions :
Avignon, 1973, 115, repr. p. 134
(Personnage debout)
Bâle, 1981, 66, repr. p. 149

81
Homme et femme nus
18 août 1971, Mougins
Huile sur toile
195 × 130 cm
Collection Mr. and Mrs. Raymond D. Nasher
Ill. p. 287

Bibliographie :
Zervos, XXXIII, 148
Alberti, II, 136 (Homme et femme)

Expositions :
Avignon, 1973, 119, repr. p. 138
(Homme et femme)
Bâle, 1981, 67
New York, 1984, 93

82
Homme à la flûte et enfant
29 août 1971, Mougins
Huile sur toile
146 × 114 cm
Collection particulière
Ill. p. 276

Bibliographie :
Zervos, XXXIII, 167
Alberti, II, 61 (Flûtiste et enfant)

Expositions :
Avignon, 1973, 124, repr. p. 145

83
Maternité
30 août 1971, Mougins
Huile sur toile
162 × 130 cm
Musée Picasso, Paris
Ill. p. 277

Bibliographie :
Zervos, XXXIII, 168
Alberti, II, 62 (Maternité à la pomme)

Expositions :
Avignon, 1973, 125, p. 109

(Maternité à la pomme)
New York, 1980, repr. p. 457
Bâle, 1981, 68, repr. p. 151

84
Trois personnages
6 septembre 1971, Mougins
Huile sur toile
130 × 162 cm
Kunstmuseum, Berne
Ill. p. 299

Bibliographie :
Zervos, XXXIII, 169
Alberti, II, 84

Expositions :
Avignon, 1973, 126, repr. p. 146
New York, 1984, 96

85
Nu allongé
7 septembre 1971, Mougins
Huile sur toile
130 × 195 cm
Collection Gilbert de Botton, Suisse
Ill. p. 289

Bibliographie :
Zervos, XXXIII, 170
Alberti, II, 159 (Femme nue couchée)

Expositions :
Avignon, 1973, 127, repr. p. 147
(Femme nue couchée)
New York, 1984, 97

86
Femme au repos
14 septembre 1971, Mougins
Huile sur toile
146 × 114 cm
Collection particulière
Ill. p. 281

Bibliographie :
Zervos, XXXIII, 181
Alberti, II, 86

Expositions :
Avignon, 1973, 131, repr. p. 152

mme assise
septembre 1971 (II), Mougins
uile sur toile
6 × 89 cm
ollection Mr. and Mrs. Morton
Janklow, New York
p. 286

bliographie :
ervos, XXXIII, 192
berti, II, 109

:positions :
vignon, 1973, 133, repr. p. 154
ile, 1981, 69, repr. p. 153
ew York, 1984, 98

3
u couché
4 (I) -15 novembre 1971, Mougins
uile sur toile
30 × 195 cm
ollection particulière
. p. 297

bliographie :
ervos, XXXIII, 228
lberti, II, 141 (Femme couchée)

xpositions :
vignon, 1973, 143, repr. p. 165
emme couchée)

9
e Joueur de cartes
0 décembre 1971 (II), Mougins
uile sur toile
14 × 146 cm
alerie Louise Leiris, Paris
. p. 291

ibliographie :
ervos, XXXIII, 265
lberti, II, 69 (Personnage au jeu
le cartes)

xpositions :
vignon, 1973, 148, repr. p. 171
Personnage au jeu de cartes)

0
aysage
1 mars 1972, Mougins

Huile sur toile
130 × 162 cm
Musée Picasso, Paris
Ill. p. 295

Bibliographie :
Zervos, XXXIII, 331
Alberti, II, 63

Expositions :
Avignon, 1973, 179, repr. p. 207
New York, 1984, 105

91
Nu couché et tête (ou Figures)
25 mai 1972 (I), Mougins
Huile sur toile
130 × 195 cm
Collection particulière
Ill. p. 301

Bibliographie :
Zervos, XXXIII, 398
Alberti, II, 85 (Figures)

Expositions :
Avignon, 1973, 199 (Figures)

92
Musicien
26 mai 1972, Mougins
Huile sur toile
194,5 × 129,5 cm
Musée Picasso, Paris
Ill. p. 293

Bibliographie :
Zervos, XXXIII, 397
Alberti, II, 190

Expositions :
Avignon, 1973, 200, repr. p. 228
New York, 1984, 112

93
L'Étreinte
1er juin 1972, Mougins
Huile sur toile
130 × 195 cm
Collection particulière
Ill. p. 300

Bibliographie :
Zervos, XXXIII, 399
Alberti, II, 199 (Couple)

Expositions :
Avignon, 1973, 201, repr. p. 229
(Couple)

SCULPTURES

94
Femme portant un enfant
1953, Vallauris
Bois et morceau de feuille de
palmier peints
173 × 54 × 35 cm
Collection particulière
Ill. p. 182

Bibliographie :
Spies, 478

95
Tête de femme
(projet pour un monument)
1957, Cannes
Bois découpé et peint
78,5 × 34 × 36 cm
Musée Picasso, Paris
Ill. p. 183

Bibliographie :
Spies, 493

96
Femme au chapeau
1961, Cannes
Tôle découpée pliée, assemblée
et peinte
127 × 74 × 40 cm
Musée Picasso, Paris
Ill. p. 185

Bibliographie :
Spies, 626 2b

Expositions :
New York, 1980, repr. p. 438

97
Femme à l'enfant
1961, Cannes
Tôle découpée pliée, assemblée
et peinte
128 × 60 × 35 cm
Musée Picasso, Paris
Ill. p. 188

Bibliographie :
Spies, 599

98
Tête de femme
1962, Mougins
Tôle découpée pliée et peinte
32 × 24 × 16 cm
Musée Picasso, Paris
Ill. p. 187

Bibliographie :
Spies, 631 (2)

99
Buste de femme
1962, Mougins
Tôle découpée pliée et peinte
24,5 × 24,2 × 12 cm
Collection particulière, Suisse
Ill. p. 189

Bibliographie :
Spies, 635

DESSINS

100
Intérieur (Femme peintre et nu
dans l'atelier)
21 janvier 1954, Vallauris
Lavis d'encre de Chine sur papier
23,5 × 31 cm
Collection Mr. and Mrs. Daniel
Saidenberg
Ill. p. 304

Bibliographie :
Zervos, XVI, 200

Expositions :
New York, 1980, repr. p. 422

101
Homme assis, jeune fille avec
singe et pomme
26 janvier 1954, Vallauris
Aquarelle sur papier
24 × 32 cm
Collection particulière
Ill. p. 305

Bibliographie :
Zervos, XVI, 229

Expositions :
New York, 1980, repr. p. 429

102
Nu couché les jambes croisées
21-23 janvier 1965, Mougins
Gouache et encre de Chine
sur papier
50 × 64 cm
Collection particulière, Paris
Ill. p. 307

Bibliographie :
Zervos, XXV, 21

103
Aigle et figures
10 mars 1967 (I), Mougins
Lavis d'encre de Chine sur papier
49,5 × 75,5 cm
Courtesy of Hirschl and
Adler Galleries, New York
Ill. p. 314

Bibliographie :
Zervos, XXV, 289

Expositions :
New York, 1984, 31

104
Le Baiser
7 octobre 1967 (IV), Mougins
Crayon sur papier
50,5 × 64,5 cm
Collection particulière
Ill. p. 311

Bibliographie :
Zervos, XXVII, 522

105
Nu couché
10 août 1969 (II), Mougins
Crayon sur papier
50,5 × 65,5 cm
Galerie Louise Leiris, Paris
Ill. p. 308

Bibliographie :
Zervos, XXXII, 357
Alberti, 1971, 122

Expositions :
Avignon, 1970, 15
New York, 1984, 60

106
Homme et nu couché
4 septembre 1969 (IV), Mougins
Crayon sur papier
50,5 × 65 cm
Collection particulière, Paris
Ill. p. 308

Bibliographie :
Zervos, XXXI, 407

107
Nu et homme au masque
5 septembre 1969 (II), Mougins
Crayon sur papier
50,5 × 65 cm
Collection Ernst Beyeler, Bâle
Ill. p. 310

Bibliographie :
Zervos, XXXI, 414

Expositions :
New York, 1984, 62

108
Femme nue à sa toilette
8 mars 1970 (III), Mougins
Encre et crayon de couleur
sur carton ondulé
31,5 × 31,5 cm
Galerie Beyeler, Bâle
Ill. p. 313

Bibliographie :
Zervos, XXXII, 39

Expositions :
Paris, 1971, 15, repr. p. 16

109
L'Étreinte
20 mars 1970 (III, IV), Mougins
recto-verso
Encre sur papier
52,4 × 74,7 cm
Galerie Louise Leiris, Paris
Ill. p. 309

Bibliographie :
Zervos, XXXII, 46, 47

Expositions :
Paris, 1971, 17 et 17 bis, repr.
pp. 19-20
New York, 1984, 76 et 76 a

110
Nu couché et tête d'homme
26 mars 1970 (II), Mougins
Lavis d'encre de Chine sur papier
52,5 × 64,5 cm
Collection particulière, Paris
Ill. p. 315

Bibliographie :
Zervos, XXXII, 54

Expositions :
Paris, 1971, 23, repr. p. 25

eintre et son modèle (I)
illet 1970, Mougins
yon sur carton
5 × 34,3 cm
sée national d'art moderne,
ntre Georges Pompidou, Paris.
nation Louise et Michel Leiris,
4
o. 316

iographie :
vos, XXXII, 187

ositions :
is, 1970, 102, repr. p. 60

Peintre et son modèle (II)
illet 1970, Mougins
ayon de couleur sur carton
7 × 31 cm
sée national d'art moderne,
ntre Georges Pompidou, Paris.
nation Louise et Michel Leiris,
34
o. 316

liographie :
rvos, XXXII, 188

ositions :
ris, 1971, 103, repr. p. 60

3
Peintre et son modèle (III)
illet 1970, Mougins
ayon de couleur sur carton
5 × 31,5 cm
sée national d'art moderne,
ntre Georges Pompidou, Paris.
nation Louise et Michel Leiris,
84
p. 317

liographie :
rvos, XXXII, 189

positions :
ris, 1971, 104, repr. p. 61

4
Peintre et son modèle (IV)
illet 1970, Mougins

Crayon de couleur sur carton
22,1 × 31 cm
Musée national d'art moderne,
Centre Georges Pompidou, Paris.
Donation Louise et Michel Leiris,
1984
Ill. p. 317

Bibliographie :
Zervos, XXXII, 190

Expositions :
Paris, 1971, 105, repr. p. 61

115
Le Peintre et son modèle (V)
4 juillet 1970, Mougins
Crayon de couleur sur carton
22,1 × 31,1 cm
Musée national d'art moderne,
Centre Georges Pompidou, Paris.
Donation Louise et Michel Leiris,
1984
Ill. p. 318

Bibliographie :
Zervos, XXXII, 191

Expositions :
Paris, 1971, 106, repr. p. 60

116
Le Peintre et son modèle (VI)
4 juillet 1970, Mougins
Crayon de couleur sur carton
22,5 × 31,3 cm
Musée national d'art moderne,
Centre Georges Pompidou, Paris.
Donation Louise et Michel Leiris,
1984
Ill. p. 318

Bibliographie :
Zervos, XXXII, 192

Expositions :
Paris, 1971, 107, repr. p. 60

117
Le Peintre et son modèle (VII)
4 juillet 1970, Mougins
Crayon de couleur sur carton
23,8 × 31,5 cm
Musée national d'art moderne,

Centre Georges Pompidou, Paris.
Donation Louise et Michel Leiris,
1984
Ill. p. 319

Bibliographie :
Zervos, XXXII, 193

Expositions :
Paris, 1971, 108, repr. p. 61

118
Le Peintre et son modèle (VIII)
4 juillet 1970, Mougins
Crayon de couleur sur carton
23,8 × 31,5 cm
Musée national d'art moderne,
Centre Georges Pompidou, Paris.
Donation Louise et Michel Leiris,
1984
Ill. p. 319

Bibliographie :
Zervos, XXXII, 194

Expositions :
Paris, 1971, 109, repr. p. 61

119
Deux femmes
26-27 février 1972, Mougins
Lavis d'encre de Chine sur papier
55,5 × 74,8 cm
Collection particulière
Ill. p. 320

Bibliographie :
Zervos, XXXIII, 327

Expositions :
New York, 1984, 104

120
Nu couché et tête d'homme
19 avril 1972 (II), Mougins
Lavis d'encre de Chine sur papier
49,3 × 64,5 cm
Museo de Arte Contemporáneo,
Caracas
Ill. p. 321

Bibliographie :
Zervos, XXXIII, 355

Expositions :
New York, 1984, 108

121
Nu couché
20 avril 1972 (III), Mougins
Lavis d'encre de Chine, gouache
et crayon de couleur sur papier
56,5 × 75 cm
Collection particulière, Paris
Ill. p. 331

Bibliographie :
Zervos, XXXIII, 358

Expositions :
Paris, 1972, 43, repr. p. 34

122
Nu
1er mai (II-III), 3 mai 1972,
Mougins
Crayon et gouache sur papier
74,3 × 55,9 cm
Collection Dr and Mrs Martin
L. Gecht, Chicago
Ill. p. 330

Bibliographie :
Zervos, XXXIII, 375

Expositions :
Paris, 1972, 58

123
Tête
29 juin 1972, Mougins
Lavis d'encre de Chine et gouache
sur papier
65,7 × 50,5 cm
Collection particulière
Ill. p. 326

Bibliographie :
Zervos, XXXIII, 434

Expositions :
Paris, 1972, 101, repr. p. 75

124
Autoportrait
30 juin 1972, Mougins
Crayon et crayon de couleur sur

papier
65,7 × 50,5 cm
Fuji Television Gallery, Tokyo
Ill. p. 329

Bibliographie :
Zervos, XXXIII, 435

Expositions :
Paris, 1972, 102, repr. p. 76
New York, 1984, 115

125
Tête
3 juillet 1972, Mougins
Crayon de couleur sur papier
65,7 × 50,5 cm
Galerie Rosengart, Lucerne
Ill. p. 327

Bibliographie :
Zervos, XXXIII, 438

Expositions :
Paris, 1972, 105

126
Nu au miroir et personnage assis
19 juillet 1972, Mougins
Lavis d'encre de Chine et gouache
sur papier
56 × 74,7 cm
Galerie Louise Leiris, Paris
Ill. p. 322

Bibliographie :
Zervos, XXXIII, 472

Expositions :
Paris, 1972, 137, repr. p. 92

127
Trois femmes
29 juillet - 5 août 1972, Mougins
Gouache et lavis d'encre de Chine
sur papier
59 × 75,7 cm
Collection particulière, Suisse
Ill. p. 323

Bibliographie :
Zervos, XXXIII, 490

Expositions :
Paris, 1972, 150, repr. p. 101

128
Nu couché
11 août 1972, Mougins
Crayon et crayon de couleur sur
papier
19 × 13,5 cm
Collection particulière
Ill. p. 325

Bibliographie :
Zervos, XXXIII, 502

Expositions :
Paris, 1972, 165, repr. p. 11

129
Nu couché
18 août 1972, Mougins
Encre de Chine sur papier
59,4 × 75,7 cm
Collection Lionel Prejger, Paris
Ill. p. 333

Bibliographie :
Zervos, XXXIII, 510

Expositions :
Paris, 1972, 170, repr. p. 116

130
Nu au verre et têtes
18 août 1972, Mougins
Lavis d'encre de Chine sur papier
59 × 75,7 cm
The Hakone Open-Air Museum
Ill. p. 324

Bibliographie :
Zervos, XXXIII, 507

Expositions :
Paris, 1972, 171, repr. p. 117
New York, 1984, 120

131
Nu dans un fauteuil
3 octobre 1972, Mougins
Encre de Chine sur papier
59 × 75,5 cm

Musée Picasso, Paris
Ill. p. 335

Bibliographie :
Zervos, XXXIII, 513

132
Nu couché
5 octobre 1972, Mougins
Encre de Chine et crayon feutre
sur carton
34 × 16 cm
Musée Picasso, Paris
Ill. p. 332

Bibliographie :
Zervos, XXXIII, 514

GRAVURES

133
Aquatinte
11 novembre 1966 (VI)
32 × 40 m
Galerie Louise Leiris, Paris

Bibliographie :
Bloch, II, 1412

134
Aquatinte et eau-forte
12 novembre 1966 (III)
22,5 × 32,5 cm
Galerie Louise Leiris, Paris

Bibliographie :
Bloch, II, 1414

135
Aquatinte et eau-forte
12 novembre 1966 (V)
22,5 × 32,5 cm
Galerie Louise Leiris, Paris

Bibliographie :
Bloch, II, 1416

136
Aquatinte
15 novembre 1966 (V)
22,5 × 32,5 cm
Galerie Louise Leiris, Paris

Bibliographie :
Bloch, II, 1417

137
Aquatinte et eau-forte
15 novembre 1966 (VI)
22,5 × 32,5 cm
Galerie Louise Leiris, Paris

Bibliographie :
Bloch, II, 1418

138
Eau-forte
22 novembre 1966 (I)
22,5 × 32,5 cm
Galerie Louise Leiris, Paris

bliographie :
och, II, 1419

érie 347, 1968

39
au-forte
6-22 mars 1968
9,5 × 56,5 cm
Galerie Louise Leiris, Paris

ibliographie :
och, II, 1481

40
Aquatinte
5 mai 1968 (I)
0 × 34,5 cm
Galerie Louise Leiris, Paris

ibliographie :
loch, II, 1589

41
Aquatinte
8 mai 1968
9,5 × 33,5 cm
Galerie Louise Leiris, Paris

ibliographie :
loch, II, 1604

42
Aquatinte et eau-forte
juin 1968 (II)
0 × 33,5 cm
Galerie Louise Leiris, Paris

ibliographie :
loch, II, 1622

43
Aquatinte
5 juin 1968 (III)
3,5 × 49,5 cm
Galerie Louise Leiris, Paris

ibliographie :
loch, II, 1641

144
Aquatinte
5 juillet 1968 (II)
28 × 39 cm
Galerie Louise Leiris, Paris

Bibliographie :
Bloch, II, 1681

145
Eau-forte
4 août 1968 (III)
20 × 32,5 cm
Galerie Louise Leiris, Paris

Bibliographie :
Bloch, II, 1722

146
Eau-forte
4 août 1968 (IV)
20 × 32,5 cm
Galerie Louise Leiris, Paris

Bibliographie :
Bloch, II, 1723

147
Eau-forte
18 août 1968 (III)
15,5 × 20,5 cm
Galerie Louise Leiris, Paris

Bibliographie :
Bloch, II, 1764

148
Eau-forte
18 août 1968 (IV)
20 × 32,5 cm
Galerie Louise Leiris, Paris

Bibliographie :
Bloch, II, 1765

149
Eau-forte
20 août 1968 (I)
28 × 39 cm
Galerie Louise Leiris, Paris

Bibliographie :
Bloch, II, 1769

150
Eau-forte
21-22 août 1968
28 × 39 cm
Galerie Louise Leiris, Paris

Bibliographie :
Bloch, II, 1770

151
Eau-forte
29 août 1968 (II)
28 × 39 cm
Galerie Louise Leiris, Paris

Bibliographie :
Bloch, II, 1777

152
Eau-forte
31 août 1968 (I)
17 × 20,5 cm
Galerie Louise Leiris, Paris

Bibliographie :
Bloch, II, 1778

153
Eau-forte
31 août 1968 (II)
23,5 × 33,5 cm
Galerie Louise Leiris, Paris

Bibliographie :
Bloch, II, 1779

154
Eau-forte
31 août 1968 (III)
41,5 × 49,5 cm
Galerie Louise Leiris, Paris

Bibliographie :
Bloch, II, 1780

155
Eau-forte
2 septembre 1968 (III)
15 × 20,5 cm
Galerie Louise Leiris, Paris

Bibliographie :
Bloch, II, 1787

156
Eau-forte
3 septembre 1968 (I)
15 × 20,5 cm
Galerie Louise Leiris, Paris

Bibliographie :
Bloch, II, 1788

157
Eau-forte
3 septembre 1968 (II)
15 × 20,5 cm
Galerie Louise Leiris, Paris

Bibliographie :
Bloch, II, 1789

158
Eau-forte
4 septembre 1968 (II)
15 × 20,5 cm
Galerie Louise Leiris, Paris

Bibliographie :
Bloch, II, 1791

159
Eau-forte
4 septembre 1968 (III)
15 × 20,5 cm
Galerie Louise Leiris, Paris

Bibliographie :
Bloch, II, 1792

160
Eau-forte
4 septembre 1968 (IV)
15 × 20,5 cm
Galerie Louise Leiris, Paris

Bibliographie :
Bloch, II, 1793

161
Eau-forte
5 septembre 1968 (I)

15 × 20,5 cm
Galerie Louise Leiris, Paris

Bibliographie :
Bloch, II, 1794

162
Eau-forte
7 septembre 1968 (I)
15 × 20,5 cm
Galerie Louise Leiris, Paris

Bibliographie :
Bloch, II, 1795

163
Eau-forte
8 septembre 1968 (I)
15 × 20,5 cm
Galerie Louise Leiris, Paris

Bibliographie :
Bloch, II, 1796

164
Eau-forte
8 septembre 1968 (II)
15 × 20,5 cm
Galerie Louise Leiris, Paris

Bibliographie :
Bloch, II, 1797

165
Eau-forte
8 septembre 1968 (III)
15 × 20,5 cm
Galerie Louise Leiris, Paris

Bibliographie :
Bloch, II, 1798

166
Eau-forte
9 septembre 1968 (I)
15 × 20,5 cm
Galerie Louise Leiris, Paris

Bibliographie :
Bloch, II, 1799

167
Eau-forte
9 septembre 1968 (II)
15 × 20,5 cm
Galerie Louise Leiris, Paris

Bibliographie :
Bloch, II, 1800

168
Aquatinte
1er octobre 1968 (I)
22,5 × 32,5 cm
Galerie Louise Leiris, Paris

Bibliographie :
Bloch, II, 1825

Les 156, 1970-1972

169
Eau-forte et grattoir
25 janvier 1970-15 février 1970
23 × 33 cm
Galerie Louise Leiris, Paris

Bibliographie :
Bloch, IV, 1860

. 170
Eau-forte, aquatinte et grattoir
3 février 1970 (IV) (5, 6 mars 1970)
50 × 42 cm
Galerie Louise Leiris, Paris

Bibliographie :
Bloch, IV, 1865

171
Eau-forte et grattoir
11, 28 février, 3, 16, 30 mars 1970
51 × 64 cm
Galerie Louise Leiris, Paris

Bibliographie :
Bloch, IV, 1868

172
Eau-forte, aquatinte, pointe-sèche
et grattoir
16 février, 2, 4 mars 1970

51 × 64 cm
Galerie Louise Leiris, Paris

Bibliographie :
Bloch, IV, 1870

173
Eau-forte
19 février 1970
51 × 64 cm
Galerie Louise Leiris, Paris

Bibliographie :
Bloch, IV, 1871

174
Eau-forte
11 mars 1971 (V)
37 × 49,5 cm
Galerie Louise Leiris, Paris

Bibliographie :
Bloch, IV, 1933

175
Eau-forte
13 mars 1971
37 × 49,5 cm
Galerie Louise Leiris, Paris

Bibliographie :
Bloch, II, 1936

176
Eau-forte et pointe-sèche
13 mars 1971 (II)
23 × 31 cm
Galerie Louise Leiris, Paris

Bibliographie :
Bloch, IV, 1937

177
Eau-forte
15 mars 1971
23 × 31 cm
Galerie Louise Leiris, Paris

Bibliographie :
Bloch, IV, 1939

178
Eau-forte
19 mars 1971
23 × 31 cm
Galerie Louise Leiris, Paris

Bibliographie :
Bloch, IV, 1945

179
Eau-forte
29 mars 1971 (III)
37 × 50 cm
Galerie Louise Leiris, Paris

Bibliographie :
Bloch, IV, 1955

180
Eau-forte
1er avril 1971 (II)
23 × 31 cm
Galerie Louise Leiris, Paris

Bibliographie :
Bloch, IV, 1960

181
Eau-forte
3 avril 1971
37 × 50 cm
Galerie Louise Leiris, Paris

Bibliographie :
Bloch, IV, 1963

182
Eau-forte
4 avril 1971
37 × 50 cm
Galerie Louise Leiris, Paris

Bibliographie :
Bloch, IV, 1964

183
Eau-forte et frottage
5 avril 1971
37 × 50 cm
Galerie Louise Leiris, Paris

Bibliographie :
Bloch, IV, 1965

184
Eau-forte
avril 1971
37 × 50 cm
Galerie Louise Leiris, Paris

Bibliographie :
Bloch, IV, 1966

185
pointe-sèche et grattoir
er - 4 mai 1971
37 × 50 cm
Galerie Louise Leiris, Paris

Bibliographie :
Bloch, IV, 1972

186
Pointe-sèche
mai 1971
37 × 50 cm
Galerie Louise Leiris, Paris

Bibliographie :
Bloch, IV, 1973

87
Eau-forte
mai 1971
37 × 50 cm
Galerie Louise Leiris, Paris

Bibliographie :
Bloch, IV, 1974

188
Eau-forte
6 mai 1971
37 × 50 cm
Galerie Louise Leiris, Paris

Bibliographie :
Bloch, IV, 1983

189
Eau-forte
17, 18 mai 1971
37 × 50 cm
Galerie Louise Leiris, Paris

Bibliographie :
Bloch, IV, 1984

190
Aquatinte, pointe-sèche et grattoir
19, 21, 23, 24, 26, 30, 31 mai,
2 juin 1971
37 × 50 cm
Galerie Louise Leiris, Paris

Bibliographie :
Bloch, II, 1985

191
Aquatinte, pointe-sèche et grattoir
22, 26 mai, 2 juin 1971
37 × 50 cm
Galerie Louise Leiris, Paris

Bibliographie :
Bloch, IV, 1988

192
Aquatinte, pointe-sèche et grattoir
14, 16 juin 1971
23 × 31 cm
Galerie Louise Leiris, Paris

Bibliographie :
Bloch, IV, 2007

193
Eau-forte, pointe-sèche, aquatinte
et grattoir
1, 5 mars 1972
37 × 50 cm
Galerie Louise Leiris, Paris

Bibliographie :
Bloch, IV, 2010

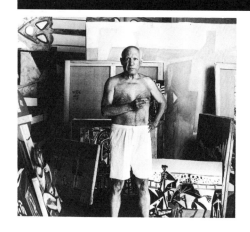

1953

Mi-janvier : retour à Paris.
10 février : Femme au chien, (Zervos, XV, 245).
30 janvier-9 avril : exposition Le Cubisme,
1907-1914, (Musée national d'art moderne,
Paris). Les Demoiselles d'Avignon y figurent.
Mi-février : retour à Vallauris.
5 mars : mort de Staline. Aragon demande à
Picasso d'envoyer un portrait de Staline pour
Les Lettres Françaises. Le portrait de Staline,
réalisé d'après une photographie ancienne de
1903, est publié dans le numéro du 12 mars.
Cette représentation jeune du modèle choque
les dirigeants du Parti communiste, qui auraient
souhaité un portrait de Staline âgé. Leur
désapprobation devient politique et éclate
officiellement dans un communiqué publié une
semaine plus tard. Picasso prend désormais
ses distances vis-à-vis du parti.
Fin-mars : Françoise part à Paris avec les
enfants.
1er mai-5 juillet : importante rétrospective à la
Galleria Nazionale d'Arte Moderna de Rome,
catalogue par Lionello Venturi. Les panneaux
de La Guerre et de La Paix y sont montrés.
Juin : rétrospective au musée de Lyon (cent
soixante-dix-neuf œuvres).
Été : création d'une série de têtes et de bustes
inspirés de Françoise, qui revient à Vallauris
avec les enfants.
Mi-août : part pour Perpignan, accompagné de
Maya, invité par les Lazerme, amis de Manolo.
Court séjour à Paris ; revient à Perpignan,
accompagné de Maya, Paulo et Javier Vilato.
5 septembre : les communistes de Céret
organisent une fête en son honneur. Il s'y rend,
avec Paulo, Édouard Pignon et Hélène
Parmelin.
19 septembre : retour à Vallauris.
Françoise et les enfants partent pour Paris à la
fin du mois et s'installent rue Gay-Lussac.
23 septembre-31 décembre : la rétrospective de
Rome, élargie, est transférée à Milan. Y sont
présentés : Guernica, Le Charnier, Massacre
en Corée, La Guerre et La Paix. Catalogue par
Franco Russoli.
Octobre : rupture avec Geneviève Laporte.
28 novembre : début des dessins du Peintre et
son modèle (Cat., 100, 101).
13 décembre- 20 février 1954 : rétrospective au
Musée d'art moderne de São Paulo. Guernica
y est montré. Catalogue rédigé par Maurice
Jardot.
29 décembre : L'Ombre (Cat., 1).
30 décembre : Nu dans l'atelier (Cat., 2).
31 décembre : réveillon à Vallauris avec les
Lazerme et plusieurs amis.

Picasso dessinant sur
la voûte de la
chapelle de Vallauris
pour le film de
Luciano Emmer, 1953
Photo André Villers

Picasso et La Femme
portant un enfant
(1953), photographié
à La Californie
Photo Ed. Quinn

Sabartès décide de faire don à la ville de
Barcelone de sa collection personnelle.
Luciano Emmer filme Picasso en train de
dessiner sur la voûte du Temple de la Paix
à Vallauris.

1954

La série de dessins du Peintre et son modèle se
poursuit jusqu'au 3 février, se compliquant de
thèmes traditionnels : cirque, arlequins,
mythologie. Elle est publiée dans Verve,
vol. VIII, n° 29-30.
10 février : exécute une lithographie pour
illustrer La Guerre et la Paix de Claude Roy, livre
qui rassemble une documentation complète sur
la genèse des peintures et des entretiens avec
Picasso que l'écrivain fréquente depuis le début
des années cinquante (Paris, Éditions Cercle
d'Art).
7 mars : La Coiffure (Donation Rosengart,
Lucerne ; Zervos, XVII, 262).
Avril : rencontre Sylvette David, âgée de vingt
ans, qui pose pour lui. En un mois, réalise une
quarantaine de dessins et peintures d'elle, puis
des tôles peintes.
17 mai : Claude dessinant, Françoise et Paloma
(Musée Picasso, Paris).
Mai-juin : exposition de l'œuvre gravé complet
au Kunsthaus, Zurich. Catalogue B. Geiser et
H. Bolliger.
2-3 juin : trois portraits de Madame Z...,
Jacqueline Roque, jeune femme qu'il a
rencontrée chez Madoura.
Sculpture-assemblage : La Taulière (Spies, 237)
Juin : carnet avec esquisses du Déjeuner sur
l'herbe de Manet et Autoportrait de Delacroix
(Musée Picasso, Paris).
Juillet : exposition Picasso : deux périodes,
1900-1914, 1950-1954 à la Maison de la
Pensée Française à Paris. Les peintures de la
Collection Chtchoukine, sorties pour la
première fois des musées soviétiques, sont
retirées et rapatriées une semaine après
l'ouverture de l'exposition. Picasso envoie des
œuvres en remplacement, dont un Portrait
de Madame Z. Des œuvres de la Collection
Gertrude Stein sont prêtées par Alice B. Toklas.
5-8 juillet : séjour à Perpignan, chez les
Lazerme, avec Paulo et Maya.
6 août-septembre : à nouveau à Perpignan,
avec Paulo, Christine, la future femme de ce
dernier, et Maya. Portraits dessinés de Mme
de Lazerme. Françoise et les enfants y
séjournent, ainsi que Jacqueline Roque et sa
fille, Catherine. De nombreux amis de Picasso
fréquentent l'hôtel de la rue de l'Ange :
Kahnweiler, les Leiris, les Ramié, Roland

à gauche :

Picasso, Claude et
Paloma dessinant,
Vallauris, 1954
Photo Ed. Quinn

Picasso devant
Jacqueline à
l'écharpe noire,
11 octobre 1954
Photo David Douglas
Duncan

à droite :

Sylvette au fauteuil
vert, 18 mai 1954
Photo André Villers

Picasso et La Taulière
(1954-1957), Vallauris
Photo Ed. Quinn

page précédente,
à gauche :

La Coiffure, 7 mars
1954

Dans l'atelier
(10 janvier 1954),
dessin paru dans
Verve, 1954

à droite :

Jacqueline accroupie
(3 juin 1954),
La Californie
Photo André Villers

Jacqueline, Picasso et
Jean Cocteau avec
au second plan :
Paloma, Maya et
Claude assistant à
une corrida à
Vallauris, 1955
Photo Brian Brake,
Magnum

ci-contre :

Jacqueline au
costume turc
(20 novembre 1955),
La Californie
Photo André Gomès

Exposition Picasso,
peintures 1900-1955.
Série des Femmes
d'Alger, d'après
Delacroix,
Musée des Arts
décoratifs, Paris, 1955
Photo Ed. Quinn

Penrose, les Vilato, les Pignon, les Manolo,
Douglas Cooper...
8 septembre : mort d'André Derain.
19 septembre : départ pour Paris de Françoise
et des enfants.
Picasso part avec Jacqueline Roque pour
Vallauris, le 25 septembre, puis s'installe à
Paris, rue des Grands Augustins, avec elle.
11 octobre : peint Jacqueline à l'écharpe noire
(Collection particulière).
3 novembre : mort de Matisse.
13 décembre : début de la série des variations
sur Les Femmes d'Alger (Cat., n°s 3, 4 et 5) de
Delacroix. Quinze peintures et deux litho-
graphies sont réalisées autour de ce thème
jusqu'au 14 février 1955. Jacqueline ressemble
curieusement à la femme de droite du tableau
de Delacroix.
À Vallauris, assiste à une corrida, avec Penrose,
Cocteau, Prévert, Françoise et les enfants.

1955
11 février : mort d'Olga à Cannes.
Mai : séjour à Perpignan chez les Lazerme avec
Jacqueline, Paulo et Maya. Y retrouvent les
Leiris, Jean Cocteau. Se rendent à Céret pour la
corrida de Pentecôte.
Juin-octobre : importante rétrospective au
Musée des Arts Décoratifs de Paris, Picasso,
peintures, 1900-1955 ; Guernica y est exposé.
Catalogue par Maurice Jardot. Après Paris,
l'exposition circule à Munich, Cologne et
Hambourg jusqu'en avril 1956.
Juin : achat d'une nouvelle résidence dans le
Midi, grande bâtisse Belle Époque, appelée La
Californie, située sur les hauteurs de Cannes,
avec vue sur Golfe-Juan et Antibes, et un grand
jardin planté de palmiers et d'eucalyptus où,
très vite, prennent place des sculptures.
Août : réalise pour Les Lettres Françaises,
Don Quichotte et Sancho Pança, à l'occasion
du quatrième centenaire de la naissance de
Cervantès.
Été : tournage du film de Henri-Georges
Clouzot, Le Mystère Picasso, dans le studio de
la Victorine à Nice. Le cinéaste capte par la
caméra la création picturale en train de se faire,
grâce à un procédé d'encre qui traverse le
papier. On y suit l'évolution d'une peinture La
Plage de la Garoupe (Collection Marina
Picasso).
4 octobre : portrait de Jacqueline en Lola de
Valence (Zervos, XVI, 478 et 479) d'après
Manet.
Les vastes pièces de La Californie, transformées
en ateliers, sont prétexte à une série que
Picasso appelait « paysages d'intérieur » (du

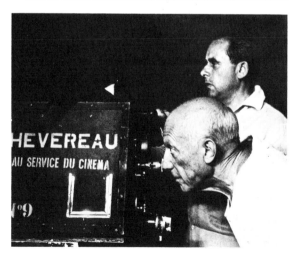

à gauche
et ci-dessus :

Tournage du Mystère
Picasso, film d'Henri-
Georges Clouzot,
1955
Photo Ed. Quinn

ci-contre :

Picasso et un
Baigneur : le jeune
homme, 1956
Photo Ed. Quinn

octobre au 12 novembre (Zervos, XVI,
6-497).

novembre : visite de Juan Vidal-Ventosa qu'il
a pas vu depuis vingt ans. Il amène Miguel et
an Gaspar de Barcelone.

casso reçoit de nombreux amis et se rend
equemment aux corridas d'Arles ou de
imes ; il se lie d'amitié avec Luis-Miguel
ominguin. Claude et Paloma lui rendent visite.

novembre : peint Jacqueline au costume
rc (Collection particulière). Pendant l'année,
iblication de À haute flamme de Tristan Tzara
aris, éd. par l'auteur, six gravures au burin).
r décembre : Femme nue au bonnet turc
at., 6).

956

anvier : peint Femmes à la toilette (Musée
casso, Paris).

février : peint Deux femmes sur la plage
Musée national d'art moderne, Paris),
surgence du thème des baigneuses.

mars : Le Printemps (Musée national d'art
oderne, Paris. Donation Leiris).

mars : Femme nue dans un rocking-chair
at., 8).

ars-avril : deuxième série de peintures sur le
ème de L'Atelier, La Californie (Zervos, XVII,
-57 ; Cat., 9).

juin : Femme assise près de la fenêtre
Museum of Modern Art, New York).

é : Les Baigneurs, assemblés en bois
aatsgalerie, Stuttgart), sont ensuite coulés en
onze (Musée Picasso, Paris).

août : Les Enfants (Collection particulière).

19 octobre : première exposition de Picasso à
arcelone, Sala Gaspar.

octobre : on fête son soixante-quinzième
nniversaire chez Madoura, avec les potiers de
allauris. Son anniversaire est aussi fêté à
oscou, où Ilya Ehrenburg organise une
position d'œuvres appartenant à l'État
viétique.

novembre : signe avec Édouard Pignon,
élène Parmelin et sept autres militants une
ttre au Comité central du Parti communiste
ançais, s'inquiétant de la situation en Hongrie.
ttre publiée dans Le Monde.

endant l'année, publication de Roch Grey,
hevaux de Minuit (Cannes/Paris, avec un
xte d'Iliazd, « Le Degré quarante-et-un », une
ointe sèche et douze gravures au burin) et de
uit de René Crevel (Alès, Éd. P.A.B., avec une
avure au burin). Au printemps 1956, Pierre-
ndré Benoit envoie à Picasso un morceau de
elluloïd pour qu'il exécute une illustration du
oème de Crevel. C'est alors le début d'une

Les Enfants (28 août
1956), La Californie
Photo André Gomès

Picasso et Jacqueline
dansant devant le
tableau Les Baigneurs
(1957), La Californie
Photo David Douglas
Duncan

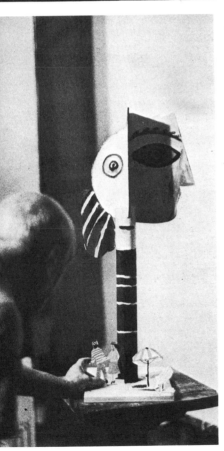

page précédente,
à gauche :

Soixante-quinzième
anniversaire de
Picasso, Vallauris,
1956
Photo André Villers,
Paris-Match

Picasso découvrant le
cadeau offert par
Daniel-Henry
Kahnweiler pour son
soixante-quinzième
anniversaire, 1956
Photo Ed. Quinn

à droite :

Exposition Picasso.
Peintures 1955-1956,
Galerie Louise Leiris,
Paris, mars-avril 1957.
Au premier plan, à
gauche : Femme
assise près de la
fenêtre, 11 juin 1956
Photo André Villers

Picasso devant un
Baigneur (1956), La
Californie. Au fond :
Femmes à la toilette,
4 janvier 1956
Photo André Villers,
Paris-Match

ci-contre :

Picasso installant des
personnages autour
d'un projet de
monument (Tête de
femme, 1957,
Collection particulière
Photo Carl Nesjar
et Tête de femme,
1957, Musée Picasso,
Paris)
Photo David Douglas
Duncan

collaboration avec Pierre-André Benoit qui
durera plus de dix ans.
Présentation du Mystère Picasso au Festival de
Cannes.

1957
Mars-avril : exposition d'ouverture de la Galerie
Louise Leiris, dans les nouveaux locaux du 47,
rue de Monceau, Paris. L'exposition inclut des
peintures de 1955 et 1956.
4 mai-8 septembre : exposition Picasso,
75th anniversary Exhibition, à New York au
Museum of Modern Art, puis à Chicago (Art
Institute, 29 octobre-8 décembre), et à
Philadelphie (6 janvier-23 février 1958).
12 juin : Vénus et l'amour d'après Cranach
(Zervos, XVII, 339).
6 juillet-2 septembre : exposition de dessins,
gouaches, aquarelles 1898-1957 au Musée
Réattu d'Arles ; catalogue par Douglas Cooper.
17 août : dans un atelier installé au dernier
étage de La Californie, commencent les
variations sur Les Ménines (Cat., 13, 14)
d'après Velázquez, qui se prolongent jusqu'au
30 décembre.
Automne : reçoit la commande d'une
décoration pour un mur du nouveau bâtiment
de l'Unesco à Paris.
6 décembre : une gouache représentant une
vue d'atelier avec un nu et une toile sur un
thème proche des Baigneurs constituent la
première idée de ce travail.
À partir du 15 décembre : deux carnets de
croquis pour le projet de l'Unesco (Musée
Picasso, Paris) montrent le nu disputant
l'espace aux baigneurs ; le peintre est présent
puis se fond dans la toile et disparaît près du
modèle.
Pendant l'année, réalisation des premiers
décors de béton gravé par Carl Nesjar d'après
des dessins de Picasso : trois murs à l'intérieur
d'un bâtiment gouvernemental à Oslo (Scène
de plage, Pêcheurs et Faune et satyre) et
premières maquettes en bois ou tôle découpés
et peints représentant des têtes destinées à des
agrandissements monumentaux.

1958
18 janvier : le thème du panneau peint de
l'Unesco évolue : le plongeur observé par des
baigneurs remplace la vue d'atelier. Picasso
épingle les différents éléments sur une maquette
d'ensemble. Fin du travail : le 29 janvier.
Série de sculptures faites d'assemblage de
morceaux de bois récupérés, dans l'esprit des
Baigneurs (Spies, 509, 541-544).
19 avril-9 juin : peint La Baie de Cannes (Musée

à gauche :

Nature morte à la tête de taureau, (28 mai-9 juin 1958. Musée Picasso, Paris),
La Californie
Photo André Villers

Personnage (9 et 10 juin 1958),
La Californie
Photo André Villers

à droite :

L'atelier à La Californie. Au fond : Les Baigneurs.
À gauche : Tête de taureau, 29 avril 1958
Photo André Villers

Picasso devant La Chute d'Icare, 1958
Photo Ed. Quinn

page suivante :

Picasso et Daniel-Henry Kahnweiler,
La Californie, 1958
Photo David Douglas Duncan

Le château de Vauvenargues, 1959
Photo Documentation du Musée Picasso,
Paris

Luis Miguel Dominguin,
Jacqueline et Picasso,
Lucia Bose dans Le Testament d'Orphée de Jean Cocteau,
1959
Photo Lucien Clergue

Picasso, Paris), telle qu'elle apparaît du haut de La Californie.
8 mars-8 juin : exposition de cent cinquante céramiques originales à la Maison de la Pensée Française, Paris.
29 mars : présentation du panneau peint de l'Unesco à Vallauris.
La cérémonie d'inauguration du Temple de la Paix est interdite à cause de l'exiguïté de la chapelle.
En peinture, retour aux évocations de l'atelier de La Californie avec les fenêtres aux rythmes baroques (Zervos, XVIII, 238, 240, 262-268).
Septembre : installation du panneau de l'Unesco. Georges Salles, recevant l'œuvre au nom de l'Unesco, en suggère le titre La Chute d'Icare.
La ville de Cannes se développe, de nouvelles constructions encerclent la villa. Picasso cherche un lieu plus calme pour travailler et achète en septembre le château de Vauvenargues, construction du XIVe siècle, situé au pied de la Montagne-Sainte-Victoire, près d'Aix-en-Provence et des sites cézanniens.

1959
Début de l'année : peint Femme nue assise (Cat., 17), soit à La Californie, soit peu après son installation à Vauvenargues.
Janvier : Femme nue sous un pin (Cat., 15).
Rédige un long poème en espagnol, Trozo de piel, publié en 1961 par le poète Camilo José Cela en Espagne.
La technique de la linogravure, découverte quelques années auparavant chez un jeune imprimeur de Vallauris, Arnera, lui avait permis de réaliser des affiches pour des expositions de céramiques et une affiche pour une corrida en 1956. Désormais, il l'utilise comme les autres techniques de gravure : le Buste de femme d'après Cranach le Jeune, qui comporte six planches de couleurs différentes, constitue une prouesse technique.
Peint plusieurs grands nus sculpturaux (Zervos, XVIII, 321-325).
Février : premier séjour à Vauvenargues.
Mars : dessins de corridas avec le Christ en croix (Zervos, XVIII, 342-352).
De retour à La Californie, commence le 23 mars Le Buffet de Vauvenargues (Cat., 16).
Natures mortes avec pichet et mandoline d'inspiration espagnole (Zervos, XVIII, 434-441) ; parodie de El Bobo d'après Murillo (Collection particulière ; Zervos, XVIII, 487).
Plusieurs portraits de Jacqueline dont, le 20 avril, le portrait de Jacqueline de

ci-contre :

Picasso à
Vauvenargues, 1959
Photo David Douglas
Duncan

Picasso travaillant à la
Tauromaquia, 1959
Photo David Douglas
Duncan

Picasso exécutant une
linogravure, Picador
et taureau, 1959
Photo Ed. Quinn

page suivante,
à gauche :

El Bobo d'après
Murillo, 14-15 avril
1959

Nu sur la plage et
pelle, 12 avril 1960

à droite :

Picador et fille, lavis,
25 février 1960 XV

Danseuse et picador,
lavis, 6 juin 1960 IV

Vauvenargues (Collection particulière ; Zervos,
XVIII, 452).
5 juin : inauguration du Monument à
Apollinaire à Paris, square Saint-Germain-des-
Prés, avec la Tête en bronze de Dora Maar de
1941.
Été : séjourne à La Californie.
Août : à Vauvenargues, début des variations su
Le Déjeuner sur l'herbe de Manet (Cat., 19, 20,
21 et 22), scindées en une dizaine de périodes
de travail, échelonnées d'août 1959 à
décembre 1961 et sur trois ateliers,
Vauvenargues, La Californie et Mougins.
19 septembre : inauguration de la chapelle de
Vallauris, décorée des panneaux de La Guerre
et La Paix ; le lieu devient musée national.
Linoléums aux thèmes méditerranéens :
bacchanales, centaures, faunes.
Publication de La Tauromaquia o arte de
torear par José Delgado, alias Pepe Illo
(Barcelone, Gustavo Gili, avec une pointe-
sèche, vingt-six aquatintes et deux aquatintes
au sucre supplémentaires pour la suite).
Octobre : participe avec Jacqueline au
tournage du Testament d'Orphée de Jean
Cocteau.

1960

Dessins et peintures de femmes au bain ou se
lavant les pieds.
Février : nouvelle période de travail sur
Les Déjeuners (Zervos, XIX, 160-168, 376-382).
12 avril : à Vauvenargues, peint Nu sur la
plage et pelle (Collection particulière ; Zervos,
XIX, 236) dont les formes annoncent les
sculptures en métal découpé de 1961.
15 juin-13 juillet : exposition de quarante-cinq
linogravures à la Galerie Louise Leiris, Paris.
6 juillet-18 septembre : rétrospective 1895-1959
à la Tate Gallery (270 œuvres). Catalogue par
Roland Penrose.
20 août : à Vauvenargues, complète une
version du Déjeuner sur l'herbe, commencée le
3 mars (Musée Picasso, Paris).
15 octobre : commence les maquettes pour la
décoration des murs du Collège des architectes
à Barcelone. Les agrandissements en béton
gravé sont réalisés par Carl Nesjar en 1960 et
1961 ; à l'extérieur, deux frises ; à l'intérieur,
deux murs, dont l'un représente une sardane,
danse catalane très populaire.
Novembre-décembre : exposition Sala Gaspar,
Barcelone (30 peintures), et exposition de
dessins et lavis, exécutés entre le 11 juillet 1959
et le 26 juin 1960, sur le thème du Picador,
Galerie Louise Leiris, Paris.

1961

24 janvier : première esquisse de
L'Enlèvement des Sabines (Zervos, XIX, 421).
2 mars : épouse Jacqueline Roque dans
l'intimité à Vallauris.
Travaille à Cannes sur les tôles découpées et
peintes : La Chaise, Femme aux bras écartés,
Femme au chapeau, Femme à l'enfant,
Pierrot assis, Footballeurs (Musée Picasso,
Paris).
Juin : installation au mas Notre-Dame-de-Vie, à
Mougins, au-dessus de Cannes. Deuxième
étape des Déjeuners sur l'herbe.
25 octobre : célébration à Vallauris du quatre-
vingtième anniversaire de Picasso.
25 octobre-12 novembre : exposition
Bonne fête Monsieur Picasso à l'UCLA Art
Gallery, Los Angeles (plus de 170 œuvres).
David Douglas Duncan, Les Picasso de
Picasso, Paris, Bibliothèque des Arts.
13 décembre-10 janvier 1962 : Femme et
chien sous un arbre (Zervos, XX, 160).

1962

2 janvier : peint Femme assise au chapeau
jaune et vert (Collection particulière ; Zervos,
XX, 179).
26 janvier-24 février : exposition de peintures de
Vauvenargues (1959-1961) à la Galerie Louise
Leiris, Paris.
25 avril-12 mai : exposition Picasso : An
American Tribute, Cordier Warren Gallery,
New York.
1er mai : reçoit pour la deuxième fois le Prix
Lénine de la Paix.
Poursuite du travail sur les têtes en tôle.
Réalise soixante-dix Jacqueline dans l'année :
peintures, dessins, carreaux de céramiques,
gravures, dont vingt-deux entre novembre et
décembre.
14 mai-18 septembre : Picasso 80th Birthday
Exhibition : The Museum Collection, Present
and Future au Museum of Modern Art, New
York.
Août : Serge Lifar propose à Picasso de
dessiner un décor pour le ballet Icare, monté à
l'Opéra de Paris. Exécute une gouache le
28 août.
23 octobre : Nature morte, chat et homard
(Cat., 27).
24 octobre : L'Enlèvement des Sabines (Cat.,
28).
4-8 novembre : L'Enlèvement des Sabines
(Cat., 29).
La Femme aux bras écartés, agrandissement en
béton par Carl Nesjar (6 mètres de haut) réalisé

pendant l'année pour le jardin de Daniel-Henry Kahnweiler à Saint-Hilaire (Spies, 639).

1963

9 janvier-7 février : L'Enlèvement des Sabines, Museum of Fine Arts, Boston (Cat., 30). Treize variations sur Jacqueline dans les premiers jours de l'année.

Février : commence la séquence du Peintre et son modèle (Cat., 31, 32, 33).

9 mars : ouverture du Museu Picasso de Barcelone, calle Montcada, dans l'hôtel Aguilar, bâtiment du XVe siècle.

26 mai : Femme assise (Musée Picasso, Paris).

Mai à septembre : dessins d'après La Bethsabée de Rembrandt (Zervos, XXIII, 241-249).

31 août : mort de Braque.

11 octobre : mort de Cocteau.

Octobre : en gravure, collaboration étroite avec les frères Crommelynck, Aldo et Piero, qui installent leur atelier de taille-douce à Mougins. Picasso avait rencontré Aldo dans les années quarante, alors que ce dernier travaillait chez Lacourière. Les gravures des grandes séries des dernières années seront tirées par eux. Multiplie les audaces techniques et les procédés mixtes dans deux séries : du 14 au 20 octobre, la suite des Étreintes (Bloch, I, 1110-1116) ; du 31 octobre au 7 décembre, celle du Peintre et son modèle (Bloch, I, 1117-1144).

Pendant l'année, ensemble de murs gravés par Nesjar installés dans la résidence de Douglas Cooper, collectionneur, historien d'art et ami de Picasso, au château de Castille, à Remoulins.

1964

11 janvier-16 février : rétrospective Picasso and Man, Art Gallery of Toronto.

15 janvier-15 février : exposition Peintures 1962-1963, Galerie Louise Leiris, Paris.

Janvier-mai : séquence d'une vingtaine de toiles sur le thème de la Femme nue avec un chat, qui, pour la plupart, ont le visage de Jacqueline (Cat., 37, 38, 39).

Printemps : Françoise Gilot en collaboration avec Carlton Lake publie Life with Picasso, New York, Mc-Graw-Hill (édition française : Calman Lévy, 1965).

23 mai-5 juillet : rétrospective 1899-1963, National Museum of Modern Art, Tokyo puis Kyoto et Nagoya.

Un volume entier du catalogue de Christian Zervos, le tome XXIV, est consacré à l'année 1964 ; y figurent visages et nus féminins, têtes d'hommes aux crayons de couleur, quatre autoportraits dessinés. Une centaine de toiles

dans les derniers mois de l'année, reprend le thème du Peintre et son modèle.

La gravure, interrompue le 8 février, est reprise en août avec l'utilisation de vernis mous en couleur.

Réalise la maquette de la sculpture monumentale destinée au nouveau quartier d'affaires de Chicago, d'après une Tête de femme de 1962 (Art Institute, Chicago). La version finale en acier (20 mètres de haut) est terminée en 1965 (Chicago, Civic Center) et inaugurée en 1967 (Spies, 653).

Pendant l'année, publication de l'ouvrage de Brassaï, Conversations avec Picasso (Paris, Gallimard), illustré de photographies de l'auteur.

1965

Janvier : Les Deux amies (Cat., 43).

Février : séquence de paysages tourmentés (Zervos, XXV, 32-36).

Mars : pour le Salon de Mai, présente une composition,

Douze toiles en une, une toile en douze.

Continuation du thème du Peintre et son modèle. Une trentaine de toiles en mars sur le sujet.

16 avril : La Pisseuse (Cat., 46).

Thèmes nouveaux en peinture : l'homme portant un enfant, la famille, le mangeur de pastèques. Au printemps, peinture et gravure vont de pair.

Mai : nouvelle séquence de paysages (Zervos, XXV, 121-126).

22 juin-15 septembre : exposition Picasso et le théâtre au Musée des Augustins à Toulouse, organisée par Denis Milhau.

15 juillet-18 août : exposition de peintures, tapisseries, dessins, gravures, Sala Gaspar, Barcelone (depuis 1961, cette galerie présente une exposition annuelle d'œuvres récentes, techniques diverses).

Octobre : passe de la séquence des têtes d'hommes à celle de mère et enfant, interrompue par la maladie, liée à une crise intime. Sa tentative pour empêcher la publication en français du livre de Françoise, Vivre avec Picasso, n'avait fait que favoriser le lancement de l'ouvrage.

Novembre : hospitalisation et opération à l'hôpital américain de Neuilly.

Dernier séjour à Paris.

Achat de La Danse (1925) par la Tate Gallery de Londres.

Agrandissements en béton gravé par Carl Nesjar des personnages du Déjeuner sur l'herbe, d'après Manet (Spies, 652) et

installation dans le parc du Moderna Museet de Stockholm.

1966

Printemps : reprise du dessin puis de la peinture avec l'apparition des mousquetaires, sortes de gentilshommes du Siècle d'Or espagnol.

Août : retour à la gravure. Une soixantaine de planches d'une grande virtuosité sont réalisées jusqu'au printemps 1967. Leur reproduction ne sera effectuée qu'à partir de 1975 (Cat., 133-

28 septembre : mort de Breton.

19 novembre : inauguration de l'exposition Hommage à Picasso au Grand Palais et au Petit Palais à Paris, par André Malraux, ministre de la Culture depuis 1959. Organisée par Jean Leymarie, elle a un succès considérable et permet de révéler au public le travail de sculpteur dans son intégralité ; de nombreuses sculptures conservées par l'artiste n'avaient jamais été exposées auparavant.

Pendant l'année, publication de Sable Mouvant de Pierre Reverdy (Paris, Louis Brode dix aquatintes). Sable Mouvant est le dernier poème de Reverdy, mort à Solesmes le 17 juin 1960. C'est en hommage au poète que Picasso consent à illustrer cette édition posthume. Les dix aquatintes sont sélectionnées dans la grande série graphique du Peintre et son modèle de l'hiver 1963-1964 et de février-mars 1965.

1967

Janvier : dessins du Mangeur de pastèque, joueur de flûte et homme au mouton (Zervos, XXV, 267 à 272).

20 janvier : près de deux cents étudiants catalans et intellectuels rendent un hommage à Picasso à Barcelone.

Refus de la Légion d'Honneur.

Printemps : Picasso est expulsé de son atelier de la rue des Grands Augustins.

Continue la série des Têtes de mousquetaires (Zervos, XXV, 278-283, 302-322).

21 mai : premier nu en raccourci, de face, d'une séquence qui se développe jusqu'en octobre : Nu couché (Zervos, XXV, 370).

Juin : tableaux sur le thème de la Sérénade (Zervos, XXVII, 26-28).

9 juin-13 août : exposition de sculptures et céramiques, Tate Gallery, Londres, organisée par Sir Roland Penrose ; l'exposition est ensuite présentée au Museum of Modern Art, New York (11 octobre-1er janvier 1968).

14 juin : Nu couché (Cat., 48).

Juillet : nombreux dessins au lavis dont le Nu au miroir (Donation Rosengart, Lucerne).

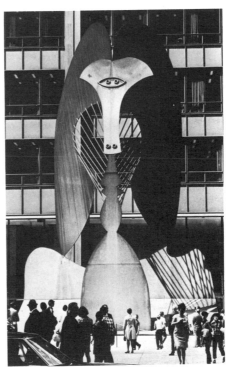

à gauche :

Nus assis d'après
La Bethsabée de
Rembrandt, 3 mai (II),
20 septembre 1963
Crayon et crayons de
couleur

Picasso devant La
Pisseuse, 16 avril 1965
Photo André Gomès

à droite :

Maquette de la Tête
(1962-1964) avec le
bon à tirer de Picasso
(1966) pour le Civic
Center de Chicago
Photo Nedrich-
Blessing

Tête, 1967
Civic Center, Chicago
Photo George Kufrin

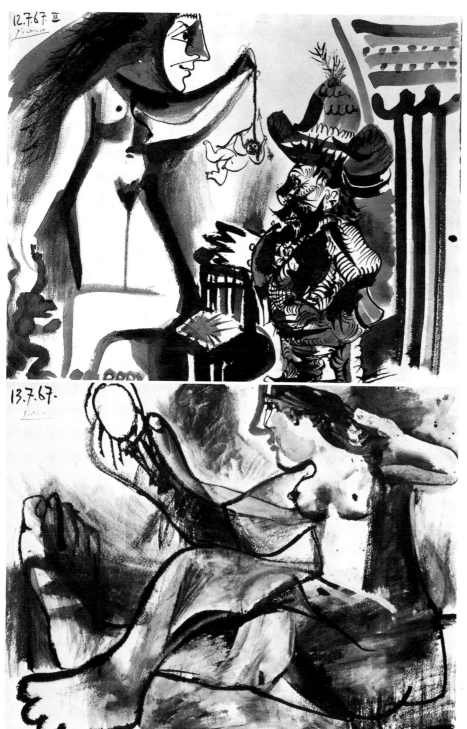

Octobre : dessins sur le thème de l'Étreinte, du Baiser (Zervos, XXVII, 129-137).
La sculpture pour le Civic Center de Chicago est érigée.

1968

Janvier : tableaux sur le thème du Nu à l'oiseau (Cat., 51).
Dessins sur le thème du Bain Turc (Zervos, XXVII, 199-209).
13 février : mort de Jaime Sabartès (né en 1881). Pour honorer sa mémoire, Picasso donne la série des Ménines (cinquante-huit toiles) et un portrait de Sabartès de la période bleue au Museu Picasso de Barcelone. Sabartès, qui avait fait don de sa bibliothèque en 1953 au Musée provincial des Beaux-Arts de Málaga, avait d'autre part donné sa collection d'œuvres au Museu Picasso de Barcelone, contribuant ainsi à constituer le fonds initial du musée.
28 février-23 mars : exposition des dessins de 1966 et 1967 à la Galerie Louise Leiris, Paris.
16 mars-5 octobre : tour de force des 347 gravures (Cat., nᵒˢ 139-168) exécutées pendant cette période et montrées en décembre à la Galerie Louise Leiris, Paris (18 décembre-1er février 1969). Ensemble complexe aux thèmes divers et imbriqués : cirque, corrida, théâtre, commedia dell'arte ; la série culmine avec les scènes érotiques teintées d'humour, inspirées du tableau d'Ingres : Raphaël et la Fornarina. Les gravures sont tirées par les frères Crommelynck dans leur atelier de Mougins.
Parution de l'ouvrage de Fernand Crommelynck, père des graveurs, Le Cocu magnifique (Paris, Éd. de l'Atelier Crommelynck, sept eaux-fortes, quatre aquatintes et eaux-fortes, une aquatinte, pointe sèche et eau-forte). Ce livre paraît deux ans avant la mort du dramaturge ; les illustrations font partie de la série des soixante-cinq gravures faites entre le 6 novembre et le 19 décembre 1966.
Octobre : Mousquetaires à la pipe (Zervos, XXVII, 338-341 et 343-346).
8 octobre : Nu couché au collier (Cat., 52).
Un buste monumental de Sylvette en béton est installé à l'Université de New York (Spies, 658).
Parution du 1er tome de L'Œuvre gravé de Picasso de Georges Bloch, Berne, Éd. Kornfeld et du 2e tome de L'Œuvre gravé et lithographié de Picasso de Bernhard Geiser, Lausanne, Éd. Clairefontaine.

page précédente :

Scène burlesque,
12 juillet 1967
Encre de Chine

Nu au miroir, 13 juillet
1967
Gouache

ci-contre :

Nus, 20 août 1968 I
(d'après Le Bain turc
d'Ingres)
Eau-forte

Le Bain turc,
1er novembre 1968 III
(d'après Le Bain turc
d'Ingres)
Crayon

à gauche :

Sylvette,
agrandissement
réalisé par Carl
Nesjar pour
l'Université de New
York, 1968
Photo Carl Nesjar

Couverture de
L'Enterrement du
comte d'Orgaz,
Barcelone, Ed.
Gustavo Gili, 1969

à droite :

Exposition Picasso
1969-1970, Palais de
Papes, Avignon, mai-
septembre 1970
Photo Atzinger

Planche des gravures
pour La Célestine,
1971 (Musée Picasso
Paris)

La Femme au vase
(1933) sur la tombe
de Picasso,
Vauvenargues, 1973
Photo André Gomés

page suivante :

Exposition Picasso
1970-1972, Palais de
Papes, Avignon,
23 mai-23 septembre
1973
Photo Atzinger

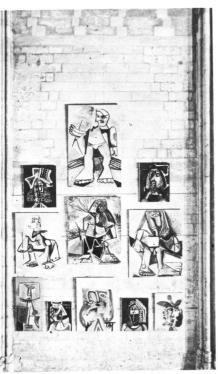

1969

Pendant l'année, production importante en peinture : visages au regard intense, couples (le thème du Baiser, Cat., 65, 66, est privilégié), nus, hommes à l'épée, fumeurs, natures mortes... (Cat., 57, 59-71).

Avril : publication de El Entierro del Conde de Orgaz, prologue de Rafael Alberti (Barcelone, Éditorial Gustavo Gili, Ed. de la Cometa, avec une gravure au burin, douze eaux-fortes, trois aquatintes). Cette «fantaisie littéraire» a été rédigée par Picasso du 6 janvier 1957 au 20 août 1959 et les gravures ont été choisies parmi des créations de 1966 et 1967.

Octobre : Yvonne et Christian Zervos, après une visite à Mougins, décident d'organiser une exposition des œuvres récentes, qui aura lieu l'année suivante au Palais des Papes d'Avignon.

1970

Janvier : donation au Museu Picasso de Barcelone des œuvres laissées dans sa famille en Espagne, œuvres des débuts de l'artiste, exécutées à La Corogne, puis à Barcelone et celles réalisées en 1917 lors de son séjour avec les Ballets russes.

20 janvier : mort d'Yvonne Zervos. Christian Zervos rédige la préface du catalogue de l'exposition au Palais des Papes, inaugurée le 1er mai, avec cent soixante-sept peintures et quarante-cinq dessins. Il meurt le 12 septembre.

Continue à peindre. La Famille, 30 septembre ; Le Matador, 4 octobre (Musée Picasso, Paris).

12 mai : le Bateau-lavoir est détruit par un incendie.

1971

23 avril-5 juin : exposition de cent quatre-vingt-quatre dessins, exécutés entre le 15 décembre 1969 et le 12 janvier 1971, à la Galerie Louise Leiris, Paris.

25 mai : don de cinquante-sept dessins réalisés entre le 31 décembre 1970 et le 4 février 1971 au Musée Réattu d'Arles, ville dont il apprécie les corridas.

30 août : Maternité (Cat., 83).

25 octobre : quatre-vingt dizième anniversaire de Picasso. À cette occasion, une sélection d'œuvres des collections publiques françaises est présentée dans la Grande Galerie du Louvre.

Publication de Fernando de Rojas, La Célestine (Paris, Éd. de l'Atelier Crommelynck, soixante-six eaux-fortes et aquatintes). Ce roman dramatisé en vingt-et-un actes, publié à Burgos en 1499, est une des œuvres majeures de la littérature espagnole. Les gravures, datées du 11 avril au 18 août 1968, sont extraites de la «Suite 347».

Hiver : Picasso fait don au Museum of Modern Art de New York de La Guitare en tôle de 1912, première construction en métal.

1972

31 mars : Paysage (Cat., 90).

Avril : dessins de Nu couché (Cat., 121).

26 mai : Musicien (Cat., 92).

1er juin : L'Étreinte (Cat., 93).

Juin-juillet : série d'autoportraits dessinés. La tête devient parfois masque de mort aux yeux exorbités (Cat., 123, 124 et 125).

3 octobre : dessin du Nu dans un fauteuil (Cat., 131).

1973

1er décembre 1972-3 janvier 1973 : cent soixante-douze dessins du 21 novembre 1971 au 8 août 1972 exposés à la Galerie Louise Leiris, Paris.

24 janvier-24 février : exposition de cent cinquante-six gravures réalisées entre le début de l'année 1970 et mars 1972 (Cat., 169-193), à la Galerie Louise Leiris, qui depuis 1953, a montré les œuvres dès leur création et joué un rôle capital dans leur diffusion.

8 avril : meurt au mas Notre-Dame-de-Vie à Mougins.

10 avril : est enterré dans le jardin du château de Vauvenargues ; sur sa tombe, Jacqueline fait placer La Femme au vase, bronze de 1933 (Spies, 135).

23 mai-23 septembre : l'exposition Pablo Picasso, 1970-1972, qui a lieu au Palais des Papes à Avignon (catalogue avec préface de René Char), permet de découvrir les dernières œuvres que l'artiste lui-même avait sélectionnées en vue de cette manifestation.

Alaminos, Eduardo: «Picasso en el espacio de 'Las Meninas'», Batik, Barcelone, n° 64, novembre-décembre 1981, pp. 29-33.

Alberti, Rafael: Picasso en Avignon, Paris, Éd. Cercle d'Art, 1971.

Alberti, Rafael: Picasso, le rayon ininterrompu, Paris, Éd. Cercle d'Art, 1974.

Alloway, Lawrence: «The Late Picasso», Art International, Lugano, vol. VI, n° 4, mai 1962, pp. 47-49.

Alloway, Lawrence: «Picasso and Periodization», Art in America, New York, vol. 68, n° 10, décembre 1980, pp. 13-15.

Anderson, John: «Faustus/Velázquez/Picasso», Arts Canada, Toronto, n° 106, mars 1967, pp. 17-21.

Ashton, Dore: «The Late Work: a Postcript», Arts Canada, Toronto, n° 236/237, septembre-octobre 1980, pp. 16-18.

Bailly, Derivery, Dupré, Perrot: «À propos d'un tableau de Picasso de la série des 'Femmes d'Alger'», Matérialisme, Paris, n° 1, 1980, pp. 45-52.

Barr-Sharrar, Beryl: «Some Aspects of Early Autobiographical Imagery in Picasso's 'Suite 347'», The Art Bulletin, New York, vol. LIV, n° 4, décembre 1972, pp. 516-539.

Baumann, Felix Andreas: «Baiser, 25.10.1969. Von Pablo Picasso», Jahresbericht Zürcher Kunstgesellschaft, Zurich, Kunsthaus, 1975, pp. 121-123.

Bergamin, José: «Masque transparent», in Klaus Gallwitz, Picasso Laureatus: son œuvre depuis 1945, Lausanne/Paris, La Bibliothèque des Arts, 1971.

Berger, John: «La réussite et l'échec de Picasso», Les Lettres Nouvelles, Paris, Denoël, 1968.

Bernadac, Marie-Laure: «De Manet à Picasso: l'éternel retour», in cat. Bonjour Monsieur Manet, Musée national d'art moderne, Centre Georges Pompidou, Paris, 1983, p. 33.

Bernadac, Marie-Laure: «Picasso et les peintres du passé», in Georges Boudaille, Picasso, Paris, Nouvelles Éditions Françaises, 1985, pp. 121-146.

Bolliger, Hans: Picasso, Graphic Works 1955-1965, Londres, Thames and Hudson, 1967.

Boudaille, Georges: Picasso, Paris, Nouvelles Éditions Françaises, 1985.

Bouret, Blandine: «La permanence et le triomphe du cuivre», in cat. Pablo Picasso. L'œuvre gravé 1899-1972, Paris, Musée des Arts Décoratifs, 1984.

Brassaï: Conversations avec Picasso, Paris, Gallimard, 1964, rééd., 1986.

Brassaï: «Picasso 1971», XXe siècle, Paris, n°

«Hommage à Picasso», 1971, pp. 134-136.

Cabanne, Pierre: «Degas chez Picasso Connaissance des Arts, Paris, n° 262, d[é]cembre 1973, pp. 146-151.

Cabanne, Pierre: Le Siècle de Picasso, tome [IV?] (1955-1973), Paris, Denoël, 1975.

Chabanne, Thierry: «Illustre Picasso», in A[u]tour du chef-d'œuvre inconnu de Balzac, Par[is,] École nationale des Arts décoratifs, 1985.

Champris, Pierre de: Ombre et Soleil, Par[is,] Gallimard, 1960.

Char, René: «Picasso sous les vents étésien[s,] in cat. Picasso 1970-1972, Avignon, Palais d[es] Papes, 1973.

Chastel, André: L'Image dans le miroir, Par[is,] Gallimard, 1980, pp. 334-370.

Cohen, Janie L.: «Picasso's Exploration of Rer[m]brandt's Art, 1967-1972», Arts Magazine, Ne[w] York, n° 2, octobre 1983, pp. 119-126.

Cooper, Douglas: Pablo Picasso: Les D[é]jeuners, Paris, Éd. Cercle d'art, 1962.

Cooper, Douglas: «Les déjeuners, un chang[e]ment à vue», in cat. «Picasso. Le Déjeuner s[ur] l'herbe 1960-1961», Paris, Galerie Louise Leir[is,] 1962.

Crommelynck, Aldo et Piero: «Picass[o en] blanc et noir», Arts Loisirs, Paris, n° 61, 2[3-] 29 novembre 1966, p. 38.

Crommelynck, Aldo et Piero: préface au c[at.] Picasso: 347 gravures, Chicago/Paris, Art In[s]titute of Chicago/Librairie des Quatre Chemin[s-] Editart, 1968.

Crommelynck, Aldo et Piero: préface au c[at.] Picasso: linos réhaussés, Bâle, Galerie Beyele[r,] 1970.

Crommelynck, Aldo et Piero: «Picasso vu p[ar] ses compagnons de gravure», Nouvelles d[e] l'Estampe, Paris, n° 9, 1973, pp. 3-6.

Dagen, Philippe: «Picasso: 347 gravures[»,] Peinture, Paris, n° 18/19, 1985, pp. 119-131.

Daix, Pierre: «Painters are never Better than [at] the Evening of their Lives», Art News, New Yor[k,] vol. 72, septembre 1973, pp. 56-59.

Daix, Pierre: «L'arrière-saison de Picasso o[u] l'art de rester à l'avant-garde, XXe siècle, Pari[s,] n° 41, décembre 1973, pp. 11-16.

Daix, Pierre: Texte et notices, in cat. Picass[o.] Œuvres de la dernière période (Donation Syb[il] Angela, Siegfried Rosengart à la ville de L[u]cerne à l'occasion de son 800e anniversaire[),] Lucerne, Éd. de la Ville, 1983.

Daix, Pierre: «Picasso et ses modèles», in ca[t.] Picasso. Der Maler und Seine Modelle, Bâl[e,] Galerie Beyeler, 1986, pp. 9-12 (éd. bilingu[e] allemand/français).

Daix Pierre: Picasso créateur, Paris, Éd. d[u] Seuil, 1987.

ominguin, Luis Miguel, Georges Boudaille: ublo Picasso, Toros y Toreros, Paris, Éd. ercle d'Art, 1962.

ufour, Pierre: Picasso 1950-1968, Genève, l. Albert Skira, 1969.

eld, Charles: Picasso, Dessins 27.3.66-5.3.68, Paris, Éd. Cercle d'Art, 1969. Préface e René Char.

ermigier, André: Picasso, Librairie générale ançaise, collection «Livre de poche», 1969.

ancblin, Catherine: «Le retour au bordel», Art ess, Paris, n° 50, 1981, pp. 14-15.

agnebin, Murielle: «Picasso iconoclaste», Arc, Aix-en-Provence, 1981, n° 82, pp. 39-43.

agnebin, Murielle: «La répétition dans la rie, 'Le Peintre et son modèle' de Picasso», réation et répétition, Paris, Éd. Clancier-uénaud, 1982.

agnebin, Murielle: «Érotique de Picasso», prit, Paris, janvier 1982, pp. 71-76.

allwitz, Klaus: «Le peintre et ses 'Ateliers'», Xe siècle, Paris, n° spécial «Hommage à Pablo casso», 1971, pp. 57-61.

allwitz, Klaus: «Zum Spätwerk Picasso», in at. Pablo Picasso, Munich, Haus der Kunst, 981, pp. 181-191.

allwitz, Klaus: Picasso Laureatus: son œuvre epuis 1945, Lausanne/Paris, La Bibliothèque es Arts, 1971 // Picasso 1945-1973, Paris, enoël, 1985.

allwitz, Klaus: Picasso, The Heroic Years, lew York, Abbeville Press, 1985.

aly-Carles, Henry: «Les sources classiques», Xe siècle, Paris, n° spécial, «Hommage à ablo Picasso», 1971, pp. 62-66.

edo, Mary Mathews: Picasso, Art and Auto-iography, Chicago/Londres, The University of hicago Press, 1980.

eelhaar, Christian: «Pablo Picasso, 156 gra-hische Blätter 1970-1972», Pantheon, Munich, ol. 36, n° 3, 1978, pp. 288-289.

eelhaar, Christian: «Themen 1964-1972», in at. Pablo Picasso. Das Spätwerk, Bâle, Kunst-useum, 1981.

äsli, Richard: «Zu zwei Altersradierungen on Picasso», in cat. Picasso. Das Spätwerk, âle, Kunstmuseum, 1981.

mdahl, Max: «Picasso. Spätwerk und Tod.», cat. Picasso Todesthemen, Bielefeld, Kunst-alle, 1984.

ardot, Maurice: préface au cat. Picasso, eintures (Vauvenargues) 1959-1961, Paris, Galerie Louise Leiris, 1962.

ouffroy, Alain: «Les dernières œuvres graphi-ues de Picasso: la transparence entre le sexe t la mort», XXe siècle, Paris, n° 40, juin 1973, p. 161-163.

Kahnweiler, D.-H.: «Huit entretiens avec Pi-casso», Le Point, Colmar, XLII, octobre 1952, pp. 22-30.

Kahnweiler, D.-H.: «For Picasso's Eightieth Bir-thday», Art News, New York, vol. 60, n° 6, oc-tobre 1961, pp. 34-36 et 57-58.

Langner, Johannes: «'Der Stuzz des Ikarus', zur Polarität von Tod und Leben bei Picasso», in cat. Picasso Todesthemen, Bielefeld, Kunst-halle, 1984, pp. 121-136.

Leiris, Michel: «Picasso et la comédie humaine ou les avatars de Gros Pied», Verve, Paris, vol. VIII, n° 29-30, 1954.

Leiris, Michel: «Picasso et les 'Ménines' de Ve-lázquez, préface au cat. Picasso: «Les Ménines», 1957, Paris, Galerie Louise Leiris, 1959// Art Press, Paris, n° 39, 1980, p. 11.

Leiris, Michel: «La peinture est plus forte que moi...», préface au cat. Picasso. Peintures 1962-1963, Paris, Galerie Louise Leiris, 1964.

Leiris, Michel: «The Artist and his Model», Pi-casso in Retrospect, New York, Praeger, 1973, pp. 243-262 (sous la direction de Roland Penrose et John Golding). Version française: «Le Peintre et son modèle», Au verso des images, Montpellier, Éd. Fata Morgana, 1980, pp. 45-79.

Levin, Kim: «Die Avignon Bilder» in cat. Pablo Picasso. Das Spätwerk, Bâle, Kuns-tmuseum, 1981.

Lewis, Windham: «Relativism and Picasso's La-test Work», Picasso in Perspective, Englewood Cliffs (N. J.), Prentice-Hall Inc., 1976, pp. 53-55.

Leymarie, Jean: Picasso. Métamorphoses et unité, Genève, Éd. Albert Skira, 1971.

Limbour, Georges: «Picasso à La Californie», L'Œil, Paris, n° 30, juin 1957, pp. 14-23.

Lucas, John: «Picasso as a Copyist», Art News, New York, vol. 54, n° 7, novembre 1955, pp. 36-39, 53-54 et 56.

Malraux, André: La Tête d'obsidienne, Paris, Gallimard, 1974.

Mellow, James R.: «Picasso: The Artist in his Studio», in cat. Picasso, The Avignon Paintings, New York, The Pace Gallery, 1981, pp. 3-10.

Meyer, Franz: «Picasso Aktualität», in cat. Pi-casso. Das Spätwerk, Bâle, Kunstmuseum, 1981, pp. 85-87.

Otero, Roberto: Forever Picasso, an Intimate Look at his Last Years, New York, H.N. Abrams, 1973.

Parmelin, Hélène: Picasso sur la place, Paris, Éd. René Julliard, 1959.

Parmelin, Hélène: Picasso: Les Dames de Mougins, Paris, Éd. Cercle d'Art, 1964.

Parmelin, Hélène: Le Peintre et son modèle, Paris, Éd. Cercle d'Art, 1965.

Parmelin, Hélène: Picasso. Notre-Dame-de-Vie, Paris, Éd. Cercle d'Art, 1966.

Parmelin, Hélène: Picasso dit..., Paris, Éd. Gonthier, 1966.

Parmelin, Hélène: «Picasso au Palais des Papes», La Nouvelle Critique, Paris, n° spécial 'Avignon 70', 1970, pp. 34-43.

Parmelin, Hélène: «Picasso tel quel», Jardin des Arts, Paris, n° 200-201, 1971, pp. 20-27.

Parmelin, Hélène: Voyage en Picasso, Paris, Robert Laffont, 1980.

Passeron, René: «Quand Picasso s'attaque aux chefs-d'œuvre», Jardin des Arts, Paris, n° 200-201, 1971, pp. 58-64.

Penrose, Roland: «Dessins récents de Picasso 1966-1967», Paris, L'Œil, n° 157, janvier 1968, pp. 18-23.

Penrose, Roland: Picasso, Paris, Flammarion, 1982.

Perl, Jed: «Drawing Conclusions», Art in America, New York, vol. 68, n° spécial, dé-cembre 1980, pp. 148-150.

Perls, Frank: «The Last Time I Saw Picasso», Art News, New York, vol. 73, n° 4, avril 1974, pp. 36-42.

Perucchi-Petri, Ursula: Pablo Picasso, 156 gra-phische Blätter, 1970-1972, Zurich, Graphis-cheskabinett, Kunsthaus, 1978.

Picasso, 90 dessins et œuvres en couleurs (introduction de Horst Keller), Bâle, éd. Beyeler, 1971.

Picon, Gaëtan: «Pablo Picasso, La 'Chute d'Icare' au Palais de l'Unesco», Genève, Éd. Albert Skira, 1971.

Quiñonero, Juan Pedro: «Las palabras y los dioses», Cuadernos Hispanoamericanos, Madrid, n° 277-278, juillet-août 1973, pp. 41-58.

Richardson, John: «Picasso's Ateliers and other recent works», Burlington Magazine, Londres, n° 651, juin 1957, pp. 183-193.

Richardson, John: préface au cat. Hommage to Picasso, New York, Marlborough Gallery, 1971, pp. 9-13.

Richardson, John: «The Catch in the Late Pi-casso», New York Review of Books, New York, 19 juillet 1984.

Richardson, John: «La epoca de Jacqueline», in cat. Picasso, su ultima decada 1963-1973, Mexico, Museo Rufino Tamayo, 1984, pp. 52-67.

Richardson, John: «Les dernières années de Pi-casso: Notre-Dame-de-Vie», in cat. Pablo Pi-casso, Rencontre à Montréal, Montréal, Musée des Beaux-Arts, 1985, pp. 85-107.

Sabartès, Jaime: Pablo Picasso, Les Ménines et la vie, Paris, Éd. Cercle d'Art, 1958.

Sabartès, Jaime: «'A los toros' avec Picasso», Monte Carlo, Éd. André Sauret, 1961.

Scarpetta, Guy: «Le peintre, son philosophe et son peintre», Art Press, Paris, n° 50, 1981, pp. 16-17.

Schiff, Gert: Picasso in Perspective (anthologie d'articles), Englewood Cliffs (N.J.) Prentice-Hall Inc., 1976.

Schiff, Gert: «Picasso 'Suite 347', or Painting as an Act of Love», Picasso in Perspective, Englewood Cliffs (N.J.) Prentice-Hall Inc., 1976, pp. 163-167.

Schiff, Gert: «The Musketeer and his Theatrum Mundi», in cat. Picasso, the Last Years 1963-1973, New York, Solomon R. Guggenheim Museum, 1984 (édité par George Braziller, 1983).

Schiff, Gert: «Les Sabines, 1962», Je suis le cahier, Les carnets de Picasso, Paris, Grasset, 1986.

Schiff, Gert: «Picasso at Work at Home», in cat. Picasso at Work at Home, Miami, Center for the Fine Arts, 1986, pp. 4-11.

Soavi, Giorgio: «Grande di Spagna», in cat. Picasso 347 immagini erotiche, Milan, Éd. Gabriele Mazzotta, 1982, pp. 5-9.

Sollers, Philippe: «De la virilité considérée comme un des beaux-arts», Tel Quel, Paris, n° 90, hiver 1981, pp. 16-20.

Spies, Werner: Picasso, pastels, dessins, aquarelles (titre original: Picasso, Pastelle, Zeichnungen, Aquarelle, Stuttgart, Éd. Gerd Hatje, 1986)//Paris, Éd. Herscher, 1986.

Steinberg, Leo: «The Skulls of Picasso» et «Picasso at 90», Artnews, New York, vol. 70, n° 6, octobre 1971, pp. 27-29 et 68-69.

Steinberg, Leo: «The Algerian Women and Picasso at Large», Other Criteria, New York, Oxford University Press, 1972.

Steinberg, Leo: «A Working Equation or Picasso in the Homestretch, The Print Collector's Newsletter, New York, n° 5, novembre-décembre 1972, pp. 102-105.

Steinberg, Leo: «Picasso's Revealer», The Print Collector's Newsletter, New York, vol. VIII, n° 5, novembre-décembre 1977, pp. 140-141.

Sutherland Boggs, Jean: «The Last Thirty Years», Picasso in Retrospect, New York, Praeger, 1973, pp. 197-241 (sous la direction de Roland Penrose et John Golding).

Taillandier, Yvon: «Les profils proliférants», XXe siècle, Paris, n° spécial «Hommage à Pablo Picasso», 1971, pp. 87-92.

Turner, Evan H.: «Picasso since 1937», in cat. Picasso and Man, Toronto/Montreal, The Art Gallery of Toronto/The Montreal Museum of Fine Arts, 1964, pp. 18-21.

Verdet, André: «Les linoléums de Vallauris», XXe siècle, Paris, n° spécial «Hommage à Pablo Picasso», 1971, pp. 93-100.

West, Rebecca: Verve, Paris, n° 29-30, 1954.

Wilenski, R.H.; Penrose, Roland: Picasso, Later Years, Londres, Faber and Faber, 1961.

Zervos Christian: préface ou cat. Pablo Picasso 1969-1970, Avignon, Palais des Papes, 1970.

PICASSO VU PAR LES PEINTRES

Chauvet, Jean-Pierre: «La peinture souveraine», Art Press, Paris, n° 50, été 1981, p. 18.

Devade, Marc: «Picasso, horizon indépassable», Art Press, Paris, n° 50, été 1981, p. 19.

Diamonstein, Barbaralee: «He Gave us What Einstein Gave to Science», (Caro, de Kooning, Indiana, Lichtenstein, Mortherwell and Nevelson discuss on Picasso's influence), Art News, New York, vol. 73, n° 4, avril 1974, pp. 44-46.

Hockney, David: «Pinteras importantes de la decada de los Sesenta», in cat. Picasso, su ultima decada 1963-1973, Mexico, Museo Rufino Tamayo, 1984, pp. 80-90.

«Documents sur Picasso aujourd'hui» (textes de Claude Viallat, Susanna Tanger, Dominique Thiolat, Kimber, Smith, Christian Sorg, Judith Reigl, Pierre Nivollet, J.Y. Langlois, Tony Long, Marc Devade, Norbert Cassegrain, Pierre Buraglio, Robert Motherwell), Documents sur, Paris, n° 2/3, octobre 1978.

«Picasso: A Symposium» (interviews de Eric Fischl, Joseph Kosuth, Larry Rivers, Edward Ruscha, Richard Serra...), Art in America, New York; n° spécial «Picasso», décembre 1980, pp. 9-19 et 185-187.

«Pablo Picasso». L'Arc, Aix-en-Provence, n° 82, n° spécial «Picasso», 1981, avec des textes de Eduardo Arroyo, Cueco, Jean Hélion, Mario Prassinos, Hervé Télémaque, Gérard Titus-Carmel...

PEINTURES, DESSINS

1954
Picasso, 1938-1953, The Lefevre Gallery,
Londres, mai.

1955
Picasso. Drawings, Bronzes, Marlborough Fine
Art Ltd, New York, mai-juin.

1957
Picasso. Peintures 1955-1956, Galerie Louise
Leiris, Paris, mars-avril.
Picasso. Paintings 1954-55-56, Saidenberg
Gallery, New York, 30 septembre-26 octobre.

1959
Picasso (en particulier: «Les années récentes:
1946-1959»), Musée Cantini, Marseille,
11 mai-31 juillet.
Picasso. Les Ménines 1957, Galerie Louise
Leiris, Paris, 22 mai-27 juin.

1960
Picasso (en particulier: «Cannes and
Vauvenargues 1955-60»), The Tate Gallery,
Londres, 6 juillet-18 septembre.
Picasso. Dessins 1959-1960, Galerie Louise
Leiris, Paris, 30 novembre-31 décembre.

1961
Picasso. Gemälde 1950-60, Galerie Rosengart,
Lucerne, été.

1962
Picasso. Peintures (Vauvenargues 1959-1961),
Galerie Louise Leiris, Paris, 26 janvier-24 février.
Picasso: an American Tribute. The Fifties,
Cordier-Warren Gallery, New York, 25 avril-
12 mai.
Picasso. Le Déjeuner sur l'herbe, 1960-1961,
Galerie Louise Leiris, Paris, 6 juin-13 juillet.
Picasso. Les Déjeuners, Galerie Madoura,
Cannes, août.

1963
Picasso. Peintures. Deux époques: 1912-27,
1952-61, Galerie Rosengart, Lucerne, été.

1964
Pablo Picasso: Picasso and Man, The Art
Gallery of Toronto, Toronto, 11 janvier-
16 février/The Montreal Museum of Fine Arts,
Montréal, 28 février-31 mars.
Picasso. Peintures 1962-1963, Galerie Louise
Leiris, Paris, 15 janvier-15 février.
Pablo Picasso, National Museum of Modern
Art, Tokyo, 23 mai-5 juillet/National Museum of
Modern Art, Kyoto, 10 juillet-2 août/Prefectural
Museum of Art, Nagoya, 7-18 août.

1965
Picasso. 150 Handzeichnungen aus sieben
Jahrzehnten, Kunstverein, Hambourg, 24 juillet-
5 septembre.
Picasso. Gouache en tekeningen 1959-1964,
Galerie d'Eendt, Amsterdam.

1966
Pablo Picasso, Einige Aspekte des Nachkriegs-
œuvres, Michael Hertz, Brême, juillet- septembre.
Picasso. Deux époques (peintures 1960-65 et
des années 1934, 1937, 1944), Galerie
Rosengart, Lucerne, été.
Hommage à Pablo Picasso, Grand Palais
(peintures), Petit Palais (dessins, sculptures,
céramiques), Paris, novembre 1966-février 1967.
Picasso (Œuvres réalisées de novembre 1966 à
mai 1967), Galerie Beyeler, Bâle.
Picasso, Musée de Tel-Aviv, Tel-Aviv.

1967
Picasso. Œuvres récentes, Musée
d'Unterlinden, Colmar, juillet-septembre.
Picasso 1966-1967, Saidenberg Gallery, New
York, 11 décembre 1967-31 janvier 1968.

1968
Picasso. Dessins 1966-1967, Galerie Louise
Leiris, Paris, 28 février-23 mars.
Picasso. Pinturas, dibujos, grabados, Sala
Gaspar, Barcelone, mars.
Pablo Picasso, Österreichisches Museum für
angewandte Kunst, Vienne, 24 avril-30 juin.
Las Meninas, Museu Picasso, Barcelone, mai.
Pablo Picasso, Das Spätwerk. Malerei und
Zeichnung seit 1944, Staatliche Kunsthalle,
Baden-Baden, 15 juillet-6 octobre.

1969
Picasso aujourd'hui, œuvres récentes, Galerie
Rosengart, Lucerne, été.
Picasso, Dunkelman Gallery, Toronto,
26 novembre 1969-10 janvier 1970.

1970
Picasso. Drawings, The Waddington
Galleries I, Londres, 10 février-7 mars.
Pablo Picasso 1969-1970, Palais des Papes,
Avignon, 1er mai-30 septembre.
Pablo Picasso, Galleria Michelucci, Florence,
4-30 juin.
Picasso, 1967-1970, Saidenberg Gallery,
New York, 6 octobre-14 novembre.

1971

casso. *Dessins en noir et en couleur*
5 décembre 1969-12 janvier 1971), Galerie
ouise Leiris, Paris, 23 avril-5 juin.
casso. *Dessins du 31.12.70 au 4.2.71*, Musée
éattu, Arles, juillet-septembre.
omage to Picasso, Marlborough Gallery Inc.,
ew York, octobre.
casso, *90 dessins et œuvres en couleur*,
unstmuseum, Winterthur, 9 octobre-
5 novembre/Galerie Beyeler, Bâle,
0 novembre 1971-15 janvier 1972/Wallraf-
chartz Museum, Cologne, 25 janvier-
3 février 1972.
casso. *Pintura, dibujo*, Sala Gaspar,
arcelone, 25 octobre.
casso. *25 œuvres, 25 années 1947-1971*,
alerie Rosengart, Lucerne.

1972

casso, Galerie Veranneman, Bruxelles,
9 janvier-26 février.
casso. *172 dessins en noir et en couleur*,
alerie Louise Leiris, Paris, 1er décembre 1972-
3 janvier 1973.

1973

ommage à Picasso, Musée Réattu, Arles,
2-30 avril.
casso *1970-1972, 201 peintures*, Palais des
apes, Avignon, 23 mai-23 septembre.
icasso, *dessins 1970-1972*, Albrecht Dürer
Gesellschaft, Nuremberg, 24 juin-
août.
icasso, exposition organisée par le Comité
entral du Parti Communiste français et
'Humanité, Fête de l'Humanité, Paris,
-9 septembre.
icasso in Hannover: *Gemälde, Zeichnungen,
eramik*, Kunstverein, Hanovre, 21 octobre-
5 novembre.
lomage to Picasso *1881-1973*, R.S. Johnson
nternational Gallery, Chicago, hiver.

1975

Picasso, Musée Ingres, Montauban, 27 juin-
septembre.

1976

as Meninas, Museu Picasso, Barcelone, juillet-
août.

1977

Picasso, Musée de la Ville, Tokyo/Musée
Préfectoral, Aichi/Centre Culturel, Fukuoka/
Musée national d'art moderne, Kyoto ;
5 octobre 1977-5 mars 1978.

1978

Picasso, *Huit œuvres des vingt dernières
années de sa vie*, Am Rhyn Hau, Lucerne, été.

1979

Picasso. *Œuvres reçues en paiement des droits
de succession*, Grand Palais, Paris, 11 octobre
1979-7 janvier 1980.

1980

Picasso, a Retrospective, New York, Museum of
Modern Art, 22 mai-16 septembre.
Picasso, The Seibu Museum of Art, Tokyo, 1980.

1981

Picasso. *The Avignon Paintings*, The Pace
Gallery, New York, 30 janvier-14 mars.
Picasso, *1953-1973*, Fondation Anne et Albert
Prouvost, Marcq-en-Barœul, 14 février-17 mai.
Picasso, *gouaches, lavis et dessins 1966-1972*,
Galerie Berggruen, Paris, mars.
Pablo Picasso. *Das Spätwerk. Themen 1964-
1972*, Kunstmuseum, Bâle, 6 septembre-
8 novembre.
Els Picassos del Mas Manolo a Calder de
Montbus, Ajuntament de Calder de Montbus,
décembre 1981-janvier 1982.

1982

Picasso. *La pièce à musique de Mougins*,
Centre culturel du Marais, Paris.

1983

Picasso, *couleurs d'Espagne, couleurs de
France, couleurs de vie* (chapitre III :
«Jacqueline, les portraits de l'amour IV et V»).
Réfectoire des Jacobins, Toulouse, février-avril.

1984

Picasso, the Last Years *1963-1973*, Solomon R.
Guggenheim Museum, New York, 2 mars-6 mai.
Picasso, *su ultima decada*, Museo Rufino
Tamayo, Mexico, juin-juillet.
Picasso, National Gallery of Victoria,
Melbourne, 28 juillet-29 septembre.

1985

Pablo Picasso, *rencontre à Montréal*, The
Montreal Museum of Fine Arts, Montréal,
21 juin-10 novembre.
Picasso at Work at Home, Center for the Fine
Art, Miami (Floride), 19 novembre 1985-
9 mars 1986.

1986

Je suis le cahier. The Sketchbooks of Picasso
(particulièrement : Sketch book n° 163, Les

Sabines, 1962), The Pace Gallery, New York,
2 mai-1er août//Royal Academy of Arts,
Londres, 11 septembre-23 novembre.
Picasso. *Pastelle, Zeichnungen, Aquarelle*,
Kunsthalle, Tübingen, 5 avril-11 juin/
Kunstsammlung Nordrhein-Westfalen,
Düsseldorf, 14 juin-27 juillet.
Picasso. *Der Maler und seine Modelle*, Galerie
Beyeler, Bâle, juillet-octobre.
Picasso en Madrid (Collection Jacqueline
Picasso), Museo de arte contemporaneo,
Madrid, 25 octobre 1986-10 janvier 1987.

GRAVURES

1957

Picasso. *Das graphische Werk*,
Kupferstichkabinett der Saatlichen Museen zu
Berlin, Berlin, octobre-novembre.

1960

Picasso. *Œuvre gravé*, Galerie des Ponchettes,
Nice, 12 janvier-15 mars.

1963

Picasso : *42 incisioni su linoleum 1962*, Galleria
il Segno, Rome, mars-avril.
Picasso, *28 linographies originales*, Galerie
Madoura, Vallauris, 4 avril-5 mai.
Picasso. *54 Recent Colour Linocuts*, Hanover
Gallery, Londres, 30 avril-31 mai.
Pablo Picasso. *50 gravures sur linoléum 1958-
1963*, Galerie Gérald Cramer, Genève, 31 mai-
5 juillet.
Picasso. *15 linoleums recientes*, Sala Gaspar,
Barcelone.

1964

Pablo Picasso, Museum für Kunst und
Gewerbe, Hambourg, 31 janvier-22 mars.

1965

Picasso, Sala Gaspar, Barcelone, 15 juillet-
15 août.

1966

Picasso *1959-1965*, The Israel Museum,
Jérusalem, 24 mars-2 mai.
Pablo Picasso, *le peintre et son modèle.
44 gravures originales 1963-1965*, Galerie
Gérald Cramer, Genève, 24 novembre 1966-
21 janvier 1967.
Picasso, *gravures*, Galerie Beyeler, Bâle,
novembre 1966-mars 1967.
Pablo Picasso. *Druckgraphik*, Kunsthalle,
Brême, 11 décembre 1966-22 janvier 1967.

Grafika Picasso, Musée des Beaux-Arts Pouchkine, Moscou.
Pablo Picasso. Gravures, Bibliothèque Nationale, Paris.

1967

Exposition de gravures de Pablo Picasso, Musée d'art moderne, Belgrade, 10 juin-1er août.

1968

1 Picasso Atelje, Malmö Museum, Malmö, septembre.
Picasso. 347 gravures (16 mars - 5 octobre), Galerie Louise Leiris, Paris/The Art Institute of Chicago, Chicago, 18 décembre 1968-1er février 1969.

1969

Picasso d'aujourd'hui, Musée Réattu, Arles, 4 avril-1er juin.
Picasso, 347 graphische Blätter vom 16.3. bis 5.10.1968, Kunsthaus, Zurich, 12 avril-20 mai.
Pablo Picasso. 347 graphische Blätter aus dem Jahre 1968, Akademie der Künste, Berlin, 1er-29 juin ; Hamburger Kunsthalle, Hambourg, 11 juillet-10 août ; Kölnischer Kunstverein, Cologne, 7 septembre-12 octobre.
Picasso. Gravures récentes, Galerie Madoura, Vallauris, 20 août-25 septembre.
Pablo Picasso. Kupfergravüren aus dem Jahre 1968, Michael Hertz, Brême.

1970

Pablo Picasso, Musée national d'art moderne, Tokyo, 1er février-15 mars.
Picasso. Linos rehaussés, Galerie Beyeler, Bâle, mars-mai.
Picasso. Gravures récentes, Galerie Madoura, Vallauris, 6 mai-30 juin.
Picasso. Graphik von 1904 bis 1968, Haus der Kunst, Munich, 20 juin-27 septembre.
347 X Picasso graphische Blätter aus dem Jahre 1968, Würtembergischer Kunstverein, Stuttgart, 8 octobre-29 novembre.
Picasso : Master Printmaker, The Museum of Modern Art, New York, 14 octobre-29 novembre.
Picasso. 347 grabados, 16 mars-5 octobre 1968, Sala Gaspar, Barcelone, décembre.
Pablo Picasso 1956 bis 1965. Bemalte Linos Ausstellung 1970, Kornfeld und Klipstein, Berne, 1970.
Picasso. 347 engravings, 16.3.68 to 5.10.1968, Institute of Contemporary Arts, Londres, 1970.

1971

Picasso. 150 grabados, Museo de Bellas Artes, Caracas, mars.
Pablo Picasso : 347 Radierungen des Sommers 1968, Stuck-Villa, Munich, avril-juin.
Picasso. Gravures, dessins, Musée de l'Athénée, Genève, 13 juillet-16 octobre.

1972

Picasso. 347 Engravings, The Waddington Galleries II, Londres, 13 septembre-17 octobre.
Picasso : gravures 1946-1972, Musée d'art et d'histoire, Neuchâtel, 28 octobre 1972-18 février 1973.

1973

Picasso. 156 gravures récentes, Galerie Louise Leiris, Paris, 24 janvier-24 février.
Picasso. His Graphic Work in the Israel Museum Collection, Jérusalem, janvier-mars.
Picasso, 51 linocuts 1959-1963, Fuji Television Gallery, Tokyo, 15 mai-2 juin.
Picasso Graphics, The Waddington Galleries III, Londres, 18 septembre-13 octobre.

1974

Picasso, Henie - Onstad Kunstsenter, Høvikodden, février-avril.
Picasso, Musée national d'art moderne, Séoul, 10 août-22 septembre.

1978

Picasso. Els 156 darrers gravats originals 24.10.68/25.3.72, Sala Gaspar, Barcelone, mars-avril.
Pablo Picasso, 156 graphische Blätter 1970-1972, Kunsthaus, Zurich, 31 mars-16 mai.

1979

Picasso erotic, Museu Picasso, Barcelone, 27 février-18 mars.
Pablo Picasso : his Last Etchings : a Selection (1969-1972), R.S. Johnson International, Chicago, mars.
Picasso. Die letzten graphischen Blätter 1970-1973, Kestner-Gesellschaft, Hanovre, 4 mai-27 mai.

1980

Darrers gravats de Picasso, Museu Picasso, Barcelone, 6 mai-31 juillet.
Picasso. Letzte graphische Blätter 1970-1972, Galerie der Hochschule für Graphik und Buchkunst, Leipzig, 9 mai-20 juin.
Picasso. Gravats - litografias, Sala Gaspar, Barcelone, novembre-décembre.

1981

Picasso, tout l'œuvre linogravé, Musée Granet Aix-en-Provence, 7 mars-6 septembre.
Pablo Picasso. Die letzten graphischen Blätter aus der Sammlung Ludwig, Aix-la-Chapelle, Kupferstichkabinett der Staatlichen Kunstsammlungen, Dresde, 8 mai-17 juillet.
Picasso. Obra grafica original 1904-1971 (en particulier, le deuxième volume du catalogue), Madrid, Salas de exposicionas de la subdirección general de artes plásticas, mai-juillet.
Picasso, 347, Henie - Onstad Kunstsenter, Høvikodden, 23 juin-23 août.
Picasso Druckgraphik, Westfalisches Landesmuseum für Kunst und Kulturgeschichte, Münster, 4 octobre-22 novembre.
Picasso y los toros, Museo de Bellas Artes, Malaga, octobre-décembre.
Picasso Graphics, Institut français, Londres ; Exposition itinérante de l'Arts Council of Great Britain.

1982

Picasso. Rétrospective de l'œuvre gravé (1947-1968), Fondation Capa/Galerie Herbage, Cannes, été 1982.
Picasso, 347 immagini erotiche, Milan, novembre.

1983

Picasso : 117 gravats 1919-1968, Museu Picasso, Barcelone, 19 mars-31 mai.
Picasso. Collection des linogravures originales 1958-1963, Chez Pernot, Bordeaux, 6-27 mai.
Picasso the Printmaker : Graphics from the Marina Picasso Collection, Dallas Museum of Art, Dallas, 11 septembre-30 octobre.
Picasso. Liebe, Elefanten Press Galerie, Berlin, 25 novembre 1983-29 janvier 1984.

1984

Pablo Picasso : the Last Prints Selection from the Series of 156 Etchings, Aldis Browne Fine Arts, New York, 19 avril-29 juin.
Pablo Picasso : l'œuvre gravé, 1899-1972, Musée des Arts décoratifs, Paris, 26 septembre-29 octobre.

1985

Picasso, Sidste grafiska arbejder 1970-72, Nordjyllands Kunstmuseum, Aalborg, 6 juin-1er septembre.

986
ablo Picasso, Paço Imperial, Rio de Janeiro,
8 mai-6 juillet.
Mon ami Picasso, Exposition de dessins,
ravures et affiches issus de la Collection de
Georges Tabaraud, Le Mareau,
moges, juin 1986.
casso, 60 originals, Sala Gaspar, Barcelone,
986.

CRÉDITS PHOTOGRAPHIQUES

Photo Hélène Adant : p. 22 (h.).
Agfachrome Studio Service, Bonn : p. 237.
Ammann Fine Arts, Zurich : p. 46 (h.g.).
Photo Anderson-Viollet : p. 127.
The Art Institut of Chicago, Chicago : p. 173.
Photo Atzinger, Avignon : pp. 136, 137, 374
(d.), 375.
Ph. Bahier/Ph. Migeat, Centre Georges
Pompidou, Paris : pp. 27 (h.), 152, 177, 202,
209, 241, 242, 316, 317, 318, 319.
Bayerische Staatsgemäldesammlungen,
Munich : p. 216.
Photo Brian Brake, Magnum : p. 358 (b.d.).
Cahiers du Cinéma. Photo Anne-Marie
Miéville : p. 125 (h.).
Éditions Cercle d'Art, Paris : pp. 73, 112, 119
(b.), 122, 125 (b.g., d.), 247, 252, 253, 266, 267,
301.
Photo Jean-Loup Charmet, Paris : p. 40 (b.).
The Chrysler Museum, Norfolk : p. 117 (b.d.).
Photo Lucien Clergue : p. 365 (b.).
Lee Clokman, Dallas : p. 287.
Prudence Cuming Associates Ltd, Londres :
pp. 215, 264, 289.
Documentation du Musée national d'art
moderne, Centre Georges Pompidou, Paris :
p. 135.
Documentation du Musée Picasso, Paris :
p. 34 (b.d.), 42, 365 (m.), 369 (h.).
Photo Robert Doisneau : p. 369 (b.).
Photo David Douglas Duncan : pp. 12, 108, 357
(b.g.), 361 (b.), 363 (b.), 365 (h.), 366 (h., m.),
368 (m.), 376, 382.
Barry Dundas, Art Gallery of New South Wales,
Sydney : p. 161.
Jacques Faujour, Musée national d'art
moderne, Centre Georges Pompidou, Paris :
p. 38 (b.), 115 (b.g.), 182, 194, 260, 297, 300,
374 (b.g.).
Fogg Art Museum, Cambridge (Mass.) :
p. 96 (h.).
Fuji Television Gallery, Tokyo : p. 329.
Galerie Beyeler, Bâle : pp. 143, 221, 271, 310,
313, 314.
Galerie Jan Krugier, Genève : pp. 212, 270.
Galerie Louise Leiris, Paris : pp. 21, 24 (b.d.), 26
(h.g., h.d.), 27 (m., b.), 29 (g.), 32 (h.g.), 46
(h.d.), 77, 79 (d.), 81 (d.), 82 (m.), 84 (h.g., b.g.,
d.), 87 (h., m.), 88 (b.), 91 (h.g., h.d.), 94 (h.,
b.g.), 97, 98, 99, 100, 102, 105 (b.), 115 (b.g.),
123, 135 (h.), 153, 211, 243, 246, 290, 307, 308,
309, 311, 315, 320, 322, 326, 331, 358 (h.g,
b.g.), 367, 372, 373.
Claude Germain, Antibes : pp. 234, 256, 269,
276, 279, 280, 281.

Photo Giraudon : p. 29 (d.).
Photo André Gomès : pp. 138, 359 (h.), 361
(h.), 368 (b.g.), 371 (b.g.), 374 (b.d.).
The Hakone Open-Air Museum : pp. 205, 213,
324.
Bill Jacobson Studio, New York : p. 210.
Photo George Kufrin : p. 371 (b.d.).
Kunsthaus, Zurich : p. 223.
Kunstmuseum, Berne : pp. 227, 299.
Kunstsammlung Nordrhein-Westfalen,
Düsseldorf : p. 134.
Louisiana Museum of Modern Art, Humlebaek :
p. 195.
Jannes Linders, Rotterdam : p. 259.
The Metropolitan Museum of Art, New York :
pp. 79 (b.g.), 116 (b.), 117, 245.
Lee Miller Archives, Chiddingly : p. 46 (b.g.).
Ann Münchow, Berlin : p. 217.
Musée des Beaux-Arts, Angers : p. 96 (b.).
Musée du Prado, Madrid : p. 81 (b.g.).
Museo de Arte Abstracto, Cuenca : p. 117 (g.).
Museo de Arte Contemporáneo, Caracas :
pp. 249, 321.
Museu Picasso, Barcelone : pp. 167, 169.
Museum Boymans-van Beuningen, Rotterdam :
p. 259.
The Museum of Fine Arts, Boston : p. 201.
The Museum of Modern Art, New York :
pp. 117 (h.d.), 159.
National Gallery of Scotland, Edimbourg :
p. 94 (b.d.).
Photo Nedrich-Blessing : p. 371 (h.d.).
Nelson Gallery-Atkins Museum, Kansas City
(Miss.) : p. 116 (h.).
Photo Carl Nesjar : pp. 363 (h.), 368 (h.g.),
374 (h.g.).
The Pace Gallery, New York : pp. 214, 283, 286.
Pollitzer, Strong and Meyer, New York :
pp. 149, 150, 151, 158, 175.
Milan Posselt, Prague : p. 203.
Photo Ed. Quinn : pp. 130, 356 (b.), 357 (h.g.,
b.d.), 359 (b.), 360, 362 (b.g.), 364 (b.d.), 366
(b.), 368 (h.d.).
Cliché Réunion des Musées nationaux : pp. 19,
22 (b.), 23, 24 (g., h.d.), 26 (b.g., b.d.), 31, 32
(h.d.), 34 (h.g., b.g.), 36, 38, 39 (m., b.), 45, 51,
91 (b.g.), 103, 105 (h.), 133, 145, 157, 179, 183,
185, 187, 188, 193, 235, 265, 275, 277, 291,
293, 295, 332, 333, 335, 368 (b.d.), 371 (h.d.),
374 (m.d.).
Rijksmuseum, Amsterdam : p. 82 (h.).
John D. Schiff, New York : p. 304.
Staatsgalerie, Stuttgart : p. 197.
Staatsgalerie Moderner Kunst, Munich :
p. 216.
Staatliche Museen, Berlin : p. 87 (b.).
Stedelijk Museum, Amsterdam : p. 163.

Studio Beaudoin Lafond, Paris : pp. 233, 255,
261, 282, 285.
Studio Lourmel, Photo Routhier : p. 184.
The Tate Gallery, Londres : p. 231.
Photo J. Testard, Chauderon : p. 225.
Michael Tropea, Chicago : p. 330.
Photo Unesco : p. 32 (b.g.).
Victoria and Albert Museum, Londres :
p. 84 (m.g.).
Photo André Villers : pp. 16, 54, 74, 336, 352,
354, 356 (h.), 357 (h.d.), 358 (h.d.), 362 (h.d.),
364 (h.g., b.g. et h.d.).
Photo André Villers, Paris Match : p. 362 (h.g.,
b.d.).
Rolf Williman, Kriens : pp. 222, 251, 322, 327.
Mario Zachetti : p. 355.
Droits réservés : pp. 32 (b.d.), 39 (h.), 115 (h.g.),
119 (h.), 190, 224, 229, 248, 257, 305, 325.

hotocomposition : Diagramme, Paris
hotogravure noire : Francephotogravure, Lyon
hotogravure couleur : Clair Offset, Paris
apier intérieur : JOB, Paris
npression-brochage : Lazare Ferry, Paris

chevé d'imprimer le 4 février 1988,
ur les presses de l'imprimerie Lazare Ferry,
Paris